D1294257

Bescherelle

L'orthographe pour tous

Claude Kannas

Hatier s'engage pour l'environnement en réduisant l'empreinte carbone de ses livres. Celle de cet exemplaire est de :

550 g éq. CO_2

Rendez-vous sur www.hatier-durable.fr

 ISBN : 978-2-401-054509 ISSN : 0990 3771

Achevé d'imprimer par Pollina à Luçon - France - 13461
Dépôt légal n° 05450-9/04 - Mars 2022

Avant-propos

À une époque où l'on entend souvent dire que le français s'appauvrit, qu'il n'y a plus d'orthographe ou qu'elle est bien trop compliquée, il nous a semblé nécessaire de bâtir un ouvrage qui redonne tout son sens à l'orthographe du français. Car, malgré ces « exceptions » dont nous sommes – il faut bien l'avouer – très friands, l'orthographe française n'est pas si difficile : on peut observer de grandes régularités dans l'écriture des mots eux-mêmes, de la logique et du bon sens dans les règles d'accord entre les mots.

Un double objectif

- Permettre au lecteur de *comprendre* pour *mémoriser* et s'approprier ainsi les règles, les constantes, les usages du français écrit.
- Offrir une réponse immédiate à une question sur un mot ou un point particulier d'orthographe.

Telles sont les deux lignes directrices qui ont guidé l'organisation de l'ouvrage.

Une organisation en six parties

Le *Bescherelle Orthographe* compte six grandes parties.

- Les cinq premières couvrent l'ensemble des systèmes qui structurent le français écrit.
- La sixième est à la fois un dico des mots difficiles à orthographier et un index des notions et des mots expliqués dans l'ouvrage.

LES CINQ PREMIÈRES PARTIES

- Chacune de ces parties met en relation l'orthographe avec l'un des aspects du français écrit :

– la prononciation et les signes graphiques,
– la ponctuation et les principaux usages typographiques,
– le vocabulaire et la formation des mots,
– la conjugaison et les formes verbales,
– la grammaire et les règles d'accord.

- **Chaque partie** est organisée en chapitres et paragraphes.
- **Chaque chapitre** met en perspective un sujet (*les accents, le genre, l'accord du verbe...*) et se lit comme un ensemble homogène.
- **Les paragraphes numérotés** qui structurent les chapitres couvrent, au fil de l'ouvrage, l'ensemble des notions et des points d'orthographe à connaître pour une bonne maîtrise du français écrit.

LE DICO DES MOTS DIFFICILES

- Cette sixième partie est conçue pour apporter une réponse immédiate à toute question que l'on peut se poser sur l'orthographe de plus de 2 000 mots, pour eux-mêmes (*gène* ou *gêne ?*) ou en situation (*des yeux bleus, des yeux bleu clair ; elle s'est permis de ; ils se sont succédé...*). De nombreux exemples illustrent ces situations d'emploi.
- Un système de renvois aux paragraphes des cinq premières parties permet de passer du cas particulier au cas général.

Un ouvrage complet et accessible à tous

Le *Bescherelle Orthographe* se veut complet, accessible à tous, pratique, ouvert aux nouveaux mots, aux nouveaux usages.

- Toutes les notions grammaticales indispensables à la compréhension d'une règle sont expliquées. Toutes les règles sont accompagnées d'exemples. Lorsque c'est nécessaire, des démonstrations, des commentaires, des conseils complètent les explications.
- Les variantes orthographiques sont proposées chaque fois qu'elles existent dans l'usage ou qu'elles correspondent aux propositions de rectifications orthographiques du Conseil supérieur de la langue française. Elles sont, dans ce cas, introduites par la mention **N. ORTH.**

Nous espérons que l'attention portée à la conception de ce *Bescherelle Orthographe* en fera un outil efficace et actuel, indispensable à tous ceux qui désirent maîtriser le fonctionnement du français écrit.

Claude Kannas

Sommaire

Orthographe d'usage

PRONONCIATION ET ORTHOGRAPHE

Les lettres et les sons

Lettres et groupes de lettres pièges

Lettres simples ou lettres doubles ?

Les accents

Les autres signes orthographiques

Signes de ponctuation et autres signes

Majuscules et minuscules

L'écriture des nombres

Abréviations, sigles et symboles

VOCABULAIRE ET ORTHOGRAPHE

Les mots

La formation des mots

L'orthographe des mots dérivés : les familles de mots

Orthographe grammaticale

CONJUGAISON ET ORTHOGRAPHE

Comprendre la conjugaison

Les conjugaisons

Les notions de base

Le genre : masculin et féminin

Le nombre : singulier et pluriel

Les principes généraux de l'accord

L'accord de l'adjectif

Les mots qui entraînent des difficultés d'accord

LE DICO DES MOTS DIFFICILES

Qu'est-ce que l'orthographe ?

L'orthographe peut se définir :

– comme la manière correcte d'écrire un mot : le dictionnaire donne l'orthographe des mots, de telle sorte qu'on peut retrouver leur(s) sens ;

– comme l'ensemble des règles et des usages qui régissent la manière d'écrire une langue : enseignants, manuels, grammaires et ouvrages spécialisés ont en charge de transmettre ces règles et ces usages qui permettent de passer de l'oral à l'écrit.

Mais pourquoi et comment ces « manières correctes d'écrire » se sont-elles imposées ? Quelles sont les fonctions de l'orthographe française ? Entre la norme et l'usage, quelles différences ?

Un peu d'histoire

L'histoire de l'orthographe française reflète une double volonté : celle de donner son unité au français, et celle de rendre cette langue, orale et écrite, accessible à tous.

C'est au fil des siècles que l'orthographe que l'on connaît aujourd'hui s'est constituée.

AU MOYEN ÂGE, on parle différents dialectes qui varient d'une région à l'autre. Très peu de gens savent écrire. C'est principalement le rôle des clercs et des scribes.

DU XIe AU XVe SIÈCLE, les clercs, puis les scribes, confrontés à la difficulté de rendre par l'alphabet latin tous les sons de la langue parlée, vont adopter quelques conventions pour tendre vers une certaine homogénéité. C'est alors qu'apparaît la notion d'« *orthographie* ». Le mot est emprunté au grec, *orthos*, qui signifie « droit », et *graphein*, « écrire ».

AU XVe SIÈCLE, la société évolue : le latin et les dialectes reculent, le français central s'impose, les juristes et les administrations ont besoin de plus de stabilité dans l'écriture de leurs textes, donc de fixer des graphies. L'invention de l'imprimerie va accélérer cette tendance.

LE XVIe SIÈCLE est celui de la reconnaissance du français, de sa primauté par rapport aux parlers régionaux, d'une part, au latin des érudits et de l'administration, d'autre part. L'engouement pour le français est à la fois politique et littéraire. Deux textes en témoignent :

– l'*Ordonnance de Villers-Cotterêts* (1539) impose le français comme langue du droit et de l'administration au détriment du latin ;

– *Défense et Illustration de la langue française* de Joachim du Bellay, paraît dix ans plus tard (1549). Ronsard, du Bellay et le groupe de la Pléiade veulent faire du français, considéré jusqu'alors comme une langue vulgaire, une langue de référence, de littérature et d'enseignement.

LE XVIIe SIÈCLE voit naître les premiers dictionnaires monolingues : ceux de Richelet (1680), de Furetière (1690) et celui de l'Académie française (1694). Fondée en 1635 par le cardinal de Richelieu, l'Académie française avait pour mission de « fixer la langue française, de lui donner des règles, de la rendre pure et compréhensible par tous ».

AU XVIIIe SIÈCLE, siècle des Lumières, les livres et les idées circulent, les premiers véritables journaux apparaissent, les éditions du dictionnaire de l'Académie se succèdent. Le débat sur la façon d'orthographier les mots et les sons est partout présent. Les philosophes et les grammairiens interviennent. Le siècle voit paraître quatre éditions du dictionnaire de l'Académie : certaines lettres inutiles sont supprimées : *autheur* → *auteur*. Voltaire recommande la graphie *ai* au lieu de *oi*, pour noter le son è : *françois* → *français*. Certains l'adoptent, mais ce n'est qu'en 1835 que l'Académie l'enregistrera dans son dictionnaire.

En 1793, la Convention nationale impose l'emploi du français dans la rédaction de tout acte public.

LE XIXe SIÈCLE est celui de l'enseignement pour tous et celui des grands dictionnaires (Littré, Larousse, Bescherelle). L'orthographe et la grammaire sont diffusées par l'enseignement.

AU XXe SIÈCLE, le vocabulaire s'enrichit de milliers de mots dans tous les domaines du savoir, la prononciation évolue : on ne fait plus toujours de différence entre *brun* et *brin*, *pâte* et *patte* ; de très nombreux mots étrangers viennent s'intégrer au langage de tous les jours (qu'il s'agisse de sport, de cuisine, de marketing, de publicité, etc.). Ce sont désormais les grands dictionnaires « commerciaux » (Larousse, Robert) qui enregistrent les usages, notent et harmonisent les graphies. Les ouvrages de grammaire et l'enseignement transmettent les normes, les règles et bien sûr les exceptions ou les cas particuliers.

L'Académie française, quant à elle, n'a fait paraître qu'une édition de son dictionnaire, la huitième, en 1935, et la dernière, commencée en 1986, est toujours en cours de rédaction.

Des organismes officiels sont créés sous l'autorité du Premier ministre, dont le Conseil supérieur de la langue française qui, en 1990, fait paraître au *Journal officiel* ses propositions de rectifications orthographiques et ses conseils à ceux qui font les dictionnaires (les lexicographes). L'objectif de ces propositions est double : réduire les incohérences et autres anomalies qui ont subsisté d'une édition à l'autre des dictionnaires et donc faciliter l'enseignement de l'orthographe.

Les grandes fonctions de l'orthographe du français

Telle qu'elle s'est « globalement » stabilisée, l'orthographe du français est plus qu'une simple convention, plus qu'un code.

Elle permet, bien sûr, de passer de l'oral à l'écrit : c'est sa fonction phonographique.

Elle peut rappeler l'origine d'un mot (*temps*, du latin *tempus*) : c'est sa fonction étymologique.

Elle permet d'apporter du sens à l'intérieur de la phrase grâce aux marques de genre et de nombre et aux règles d'accord : *elle mange/elles mangent* (= elles sont plusieurs) ; *Dominique est tombé/Dominique est tombée* (= Dominique est une fille) : c'est sa fonction syntaxique.

Mais elle donne aussi au mot son identité, en particulier quand plusieurs mots se prononcent de la même manière (*ver, vers, vert, verre*) : c'est sa fonction lexicale. Et ce faisant, elle donne au mot son image, celle que l'œil reconnaît et qui lui permet d'attribuer d'emblée un sens au mot. On parle parfois de fonction idéographique.

Grâce à des éléments graphiques constants, l'orthographe permet d'organiser le vocabulaire en réseaux : qu'il s'agisse de familles de mots (*forme, formel, formellement*...) ou de séries de mots (*poirier, pommier, abricotier*...).

Elle est aussi un outil d'intégration des mots nouveaux, en particulier des emprunts aux langues étrangères.

Enfin, elle peut témoigner des usages linguistiques ou sociaux d'une époque (qu'il s'agisse du recours aux sigles ou aux abréviations, par exemple, ou bien des nouvelles règles de féminisation des noms de métiers, titres et fonctions qui témoignent de l'évolution de la place des femmes dans notre société).

La norme et l'usage : une interaction toujours vivante

Lorsque le premier dictionnaire de l'Académie a été créé, il avait pour principale fonction d'établir une norme, de définir le « bon usage ».

La norme dit ce qui est correct. Elle suppose donc qu'il existe des usages interdits ou déviants, qui vont marquer socialement telle ou telle formulation.

Ainsi, on pourra avoir une expression correcte, une expression familière, une expression populaire, une expression argotique ou une expression fautive.

Mais l'usage, au sens large, se définit par un ensemble de pratiques relativement stabilisées à une époque donnée. Aujourd'hui, les dictionnaires donnent la norme mais ils enregistrent aussi l'usage. Ils sont témoins de leur temps.

Ainsi va la langue. Ce qui était familier (*bouquin*, par exemple) est devenu courant, ce qui est considéré comme incorrect (*après que* + subjonctif, *un espèce de...* par exemple) se retrouve dans l'usage parlé ou écrit des auteurs, des journaux, des politiques, et bien sûr des enseignants.

Il y a, on le voit, toujours interaction entre la norme et l'usage, et l'usage peut devenir acceptable, puis accepté, pour, au bout d'un certain temps, être à son tour considéré comme une norme plus « moderne ».

L'ouvrage qui suit se veut respectueux des normes telles qu'elles sont enseignées, tout en étant ouvert aux nouveaux usages.

Abréviations et symboles utilisés dans l'ouvrage

Abréviations

adj.	adjectif
adv.	adverbe
COD	complément d'objet direct
COI	complément d'objet indirect
conjug.	conjugaison
f. ou fém.	féminin
interj.	interjection
inv.	invariable
m. ou masc.	masculin
n.	nom
part.	participe
pers.	personne
pl. ou plur.	pluriel
prép.	préposition
pron.	pronom ou pronominal
sing.	singulier
v.	verbe
N. ORTH.	nouvelle orthographe

Renvois

→	renvoi à un paragraphe ou à une page
000	les nombres renvoient aux numéros de paragraphes

Autres signes

~~mot barré~~	indique une forme incorrecte
|	indique que la liaison est interdite : *les* | *haricots*
/	indique une alternance : e/è (*semons, sème*)
➤	indique que le paragraphe n'est pas terminé

PRONONCIATION ET ORTHOGRAPHE

Les lettres et les sons

Aucune langue ne présente de correspondance parfaite entre l'oral et l'écrit. À une lettre ou à un groupe de lettres peuvent correspondre plusieurs sons. Ainsi, en français :
– le groupe *ch* peut se lire comme dans *cheval* ou comme dans *chorale* ;
– la lettre *e* peut se lire comme dans *je*, comme dans *jet* ou même comme dans *femme*.
De même, à un même son peuvent correspondre plusieurs lettres ou groupes de lettres : le son [o] peut s'écrire *o, ô, au, eau* et même *a* comme dans *football*.
Ces décalages sont sources de difficultés orthographiques.

LES ALPHABETS

Pour **écrire les mots** du français, nous disposons :
– d'un alphabet de **26 lettres** ;
– de 3 accents (aigu, grave et circonflexe) ;
– de la cédille et du tréma ;
– de quelques autres signes pour transcrire certains mots d'origine étrangère.
Mais, pour **transcrire les sons** du français, nous avons besoin de **37 signes phonétiques**.

1 L'alphabet français : les lettres

Un ensemble de signes graphiques

• L'alphabet est un ensemble de signes graphiques (les lettres) qui permettent d'écrire les mots en étant plus ou moins proche de la prononciation de ces mots. Ces signes sont cités dans un ordre conventionnel appelé « ordre alphabétique ».

⊕ Le mot *alphabet* vient du nom des deux premières lettres de l'alphabet grec : *alpha* et *bêta*.

• Les alphabets ne comptent pas tous le même nombre de lettres. Ainsi, l'alphabet français compte 26 lettres, l'alphabet espagnol en compte 27, l'alphabet danois en compte 30.

D'où vient l'alphabet ?

• Notre alphabet remonte au latin, d'où son nom d'alphabet latin. L'alphabet latin était issu de l'alphabet grec, lui-même issu de l'alphabet phénicien (vers l'an mille avant J.-C.), qui commençait par les lettres *aleph* et *beth* et qui ne comportait que des consonnes.

• Le passage de l'écriture **idéographique** (un idéogramme est un signe ou un dessin qui représente un mot, une idée) à l'écriture **alphabétique** est le résultat d'une très longue évolution. Ainsi, notre lettre ***A*** vient d'un ancien hiéroglyphe égyptien qui représentait une tête de bœuf, dessin qui s'est peu à peu stylisé, simplifié pour aboutir à l'*aleph* phénicien (mot qui signifie « bœuf »). Le signe se lisait et se nommait alors par un mot. Le deuxième signe, *beth,* signifiait « maison ». Ce n'est qu'avec l'alphabet grec qu'on a choisi la première lettre du mot (***a*** de *aleph* ou ***b*** de *beth*) comme nom de la lettre.

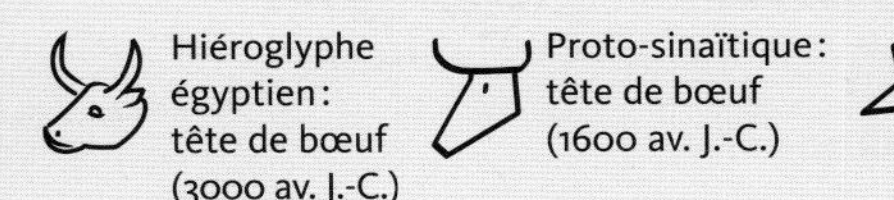

Hiéroglyphe égyptien : tête de bœuf (3000 av. J.-C.)

Proto-sinaïtique : tête de bœuf (1600 av. J.-C.)

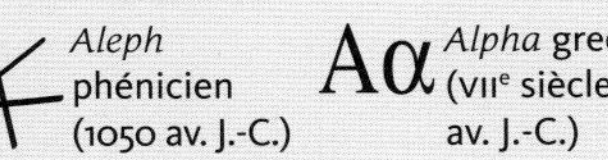

Aleph phénicien (1050 av. J.-C.)

Αα *Alpha* grec (VIIe siècle av. J.-C.)

• C'est aussi l'alphabet grec qui a introduit les voyelles. En effet, les Grecs n'avaient gardé des consonnes de l'alphabet phénicien que celles qui pouvaient correspondre à leur langue et ils empruntèrent l'*aleph*, une consonne qu'ils ne prononçaient pas, pour transcrire la première de leurs voyelles : *alpha*.

Voyelles et consonnes

• L'alphabet comporte des voyelles et des consonnes. Une voyelle peut se prononcer seule, d'un trait de voix, d'où son nom de voyelle. Une consonne ne peut pas se prononcer seule ; elle « sonne avec », d'où son nom de consonne.

• L'alphabet français comprend 6 voyelles et 20 consonnes.

VOYELLES	CONSONNES
a	b, c, d,
e	f, g, h,
i	j, k, l, m, n,
o	p, q, r, s, t,
u	v, w, x,
y	z

REMARQUES

1. En latin, en ancien français et jusqu'au XVIe siècle, il n'y avait ni lettre *j* ni lettre *v*. Le *i* pouvait noter le son voyelle [i] et le son consonne [j]. Le *u* pouvait noter le son voyelle [y] et le son consonne [v]. On écrivait *Ivpiter* pour *Jupiter*. C'est pourquoi on trouve encore

des inscriptions au fronton de certains monuments qui ne connaissent ni le *j* ni le *u* et qui écrivent donc *REPVBLIQUE* pour *RÉPUBLIQUE*.
2. Le *w* n'a été introduit dans l'alphabet français que dans les dictionnaires du XXe siècle, quand certains mots d'origine germanique ou anglo-normande sont entrés dans l'usage courant.

2 L'alphabet phonétique : les signes phonétiques

• L'alphabet phonétique est un ensemble de signes phonétiques qui permettent de transcrire les sons d'une langue.

+ La transcription phonétique d'un mot est habituellement présentée entre crochets.

REMARQUE
Il ne faut pas confondre « écrire phonétiquement » et « écrire en phonétique ». Écrire phonétiquement, c'est écrire « comme on prononce », avec les lettres de l'alphabet, sans tenir compte de l'orthographe du mot. Écrire en phonétique, c'est utiliser les signes de l'alphabet phonétique de manière à restituer la prononciation d'un mot. Ainsi, le groupe *un oiseau* s'écrit phonétiquement *un oizo* ou même *un noiso* et s'écrit en phonétique [œ̃ nwazɔ].

L'alphabet phonétique international

• C'est en 1886 qu'est créé l'alphabet de l'*Association phonétique internationale* (A.P.I.). Les phonéticiens souhaitaient pouvoir transcrire tous les sons de toutes les langues, quels que soient les alphabets de ces langues.

+ Le mot *phonétique* (de *phôneîn* « so… parole ») vient du grec *phonêtikos*, qui signifie « qui concerne le son, la parol…

L'alphabet phonétique français

• L'alphabet phonétique français est un sous-ensemble de ce grand système de transcription des « phonèmes », chaque langue ayant ses propres particularités, sa propre musique. Ainsi, il n'est pas naturel à un locuteur français de prononcer le ***j*** espagnol ou le ***th*** anglais ; ces sons ne font donc pas partie de l'alphabet phonétique français.

Voyelles, consonnes et semi-consonnes

• En phonétique, on distingue deux types de voyelles : les voyelles orales et les voyelles nasales, que l'on prononce en « parlant du nez ». Les consonnes et les semi-consonnes (que l'on appelle aussi semi-voyelles) ne peuvent se prononcer seules.

• L'alphabet phonétique français est constitué de 37 signes phonétiques dont :
– 16 sons voyelles ;
– 18 sons consonnes, dont un signe pour transcrire les mots en ***-ing*** qui nous viennent de l'anglais ;
– et 3 semi-consonnes ou semi-voyelles.

• Ce système de transcription des sons d'une langue est très « économe ». Il suffit par exemple de 4 signes phonétiques [wazɔ] pour transcrire les 6 lettres du mot *oiseau*, de 2 signes [bø] pour transcrire le mot *bœufs*, et de 18 signes [ɑ̃tikɔ̃stitysjɔnɛlmɑ̃] pour transcrire *anticonstitutionnellement*, un mot de 25 lettres.

Tableau des signes phonétiques du français

VOYELLES		SEMI-CONSONNES	CONSONNES	
[a] *baba*	[o] *sot*	[j] *yaourt*	[b] *bleu*	[ʀ] *rat*
[ɑ] *pâte*	[ɔ] *sotte*	[ɥ] *huile*	[d] *de*	[s] *sa*
[ə] *jeter*	[y] *mur*	[w] *watt*	[f] *fer*	[t] *ta*
[e] *dé*	[u] *ours*		[g] *grue*	[v] *vol*
[ɛ] *mère*	[ɑ̃] *dans*		[k] *qui*	[z] *zéro*
[ø] *feu*	[ɛ̃] *linge*		[l] *le*	[ʃ] *cheveu*
[œ] *fleur*	[œ̃] *parfum*		[m] *me*	[ʒ] *je*
[i] *il*	[ɔ̃] *bon*		[n] *ne*	[ɲ] *campagne*
			[p] *petit*	[ŋ] *camping*

LES CORRESPONDANCES : SONS ET GRAPHIES DU FRANÇAIS

Les tableaux ci-dessous donnent les correspondances entre les sons du français (signes phonétiques présentés entre crochets : les *phonèmes*) et les différentes manières de les écrire (lettres et groupes de lettres : les *graphèmes*). Le *h muet* peut s'associer à toutes les voyelles sans modifier leur prononciation : *ha !, hélice, histoire, hôtel, huit, hypothèse*. Nous ne l'avons donc pas noté dans les exemples de graphies des voyelles.

3 Les voyelles orales

SONS	GRAPHIES COURANTES	EXEMPLES	GRAPHIES PLUS RARES	EXEMPLES
[a]*	a, à	*patte, là*	e, ea	*solennel, femme, Jeanne*
[ɑ]	â	*pâte*		
[ə]	e	*premier*	ai, on	*faisan, monsieur*
[ø]	eu, œu	*feu, œufs*	eû	*jeûne*
[œ]	eu, œu	*jeune, œuf*	œ, u	*œil, club*

➤

[e]	é e	*éléphant,* *effrayer*	ai, ay æ, œ	*baisser, payer* *et cætera, fœtus*
[ɛ]	è, ê e ai, ay	*après, tête* *bec, belle* *baisse, paye*	ei, ey aî ë	*peine, bey* *chaîne* *Noël*
[i]	i, î, ï y	*il, gîte, maïs* *cygne*	ee, ea, ie	*green, jean, lied*
[o]	o, ô au, eau	*sot, côte* *jaune, seau*	a, aô aw, ow oa	*hall, Saône* *crawl, bungalow* *toast*
[ɔ]	o	*sotte, cote, or*	oi, u, oo	*oignon, album, alcool*
[y]	u, û	*mur, mûre*	eu	*eu (je l'ai eu)*
[u]	ou, oû	*fou, goût*	aou, aoû, où ew, oo ow	*saoul, août, où* *interview, footing* *bowling*

* À l'oral la distinction entre *patte* et *pâte* tend à disparaître.

4 Les voyelles nasales

SONS	GRAPHIES COURANTES	EXEMPLES	GRAPHIES PLUS RARES	EXEMPLES
[ɑ̃]	an, am en, em	*vanter, lampe* *lent, tempe*	aon, aen ean	*faon, Caen* *Jean*
[ɛ̃]	in, im en, ein ain	*fin, timbre* *examen, plein* *sain*	yn, ym în aim	*lynx, thym* *vînt* *faim*
[ɔ̃]	on, om	*ton, sombre*	un	*acupuncture*
[œ̃]*	un	*brun*	um, eun	*parfum, à jeun*

* À l'oral la distinction entre *brun* [bʀœ̃] et *brin* [bʀɛ̃] tend à disparaître.

5 Les consonnes

SONS	GRAPHIES COURANTES	EXEMPLES	GRAPHIES PLUS RARES	EXEMPLES
[b]	b	*bon*		
[d]	d	*dinde*		

[f]	f, ph	*fille, phare*		
[g]	g, gu	*gare, guitare*	gh, c	*spaghetti, second*
[k]	k, c q, qu ch	*kilo, cou* *coq, qui* *chorale*	kh cq cch	*khôl* *becquée* *bacchantes*
[l]	l	*loup*		
[m]	m	*mur*		
[n]	n	*âne*		
[p]	p	*pont*	b	*absurde*
[ʀ]	r	*rat*	rh	*rhume*
[s]	s, ss c, ç sc	*sac, session* *ceci, ça* *science*	t sth x, z	*nation, démocratie* *isthme* *dix, quartz*
[t]	t, th	*ton, thé*		
[v]	v	*ville*	w	*wagon*
[z]	s, z	*rose, zèbre*	x	*deuxième*
[ʃ]	ch	*chat*	sh sch	*shampoing* *schéma*
[ʒ]	j, g, ge	*je, girouette, mangeons*		
[ɲ]	gn	*ligne*		
[ŋ]	ng	*camping*		

6 Les semi-consonnes ou semi-voyelles

SONS	GRAPHIES COURANTES	EXEMPLES	GRAPHIES PLUS RARES	EXEMPLES
[j]	y, i	*yeux, lieu*	ï	*faïence*
[ɥ]	u (+ i)	*huile, aiguille*		
[w]	w o + i	*western* *loi*	ou	*ouate, oui, ouest*

ERREURS DE PRONONCIATION, ERREURS D'ORTHOGRAPHE

7 Les confusions courantes à éviter

ON DIT	**ON NE DIT PAS**
aéroport (*aér-* comme dans *aérien*)	~~*aréoport*~~
caparaçonné (*caparaçon* et non *carapace*)	~~*carapaçonné*~~
dégingandé (on prononce [ʒɛ̃])	~~*déguingandé*~~
dilemme (rien à voir avec *indemne*)	~~*dilemne*~~
etc. (*et cetera* et non ~~*ekcetéra*~~)	~~*ect.*~~
filigrane (vient d'un mot italien)	~~*filigramme*~~
fruste (ne pas confondre avec *rustre*)	~~*frustre*~~
infarctus	~~*infractus*~~
maligne (féminin de *malin* comme *bénin*, *bénigne*)	~~*maline*~~
mnémotechnique (*mnémo-*, comme dans *amnésie*)	~~*mémotechnique*~~
obnubilé (rien à voir avec *omni*, « tous »)	~~*omnibulé*, *omnubilé*~~
pécuniaire	~~*pécunier*~~
rémunérer (avec *m* puis *n* comme dans *monnaie*)	~~*rénumérer*~~

8 Les liaisons dangereuses

Avec les nombres

• Les adjectifs numéraux cardinaux sont invariables à l'exception de *quatre-vingts* et *cent* (quand ils ne sont suivis d'aucun autre nombre). → 111

• Il n'y a donc aucune raison de rajouter des [z] de liaison avec *quatre, cent, mille* et *une*. On doit donc dire :
– *cent* [-t-] *euros* comme on dit *cent* [-t-] *ans* ;
– *vingt* [-t-] *euros* comme on dit *vingt* [-t-] *ans*.

Avec les participes passés

• Le participe passé *fait* suivi d'un infinitif est invariable et la liaison ne se fait généralement pas après un participe.

Je les ai vus | entrer. Je les ai conduits | à l'école.

• Il n'y a donc aucune raison de faire entendre le *t* dans : *Je l'ai fait entrer.*

Avec *on*

• Dans une phrase négative, il ne faut pas oublier le ***n'*** qu'on n'entend pas à cause de la liaison : *On n'entend pas.*

Lettres et groupes de lettres pièges

Un mot est une combinaison de lettres. Qu'il s'agisse de lire ou d'écrire, il y a des lettres ou des groupes de lettres qui peuvent créer des difficultés et certaines associations de lettres doivent être bien connues.
L'enrichissement du vocabulaire par l'apport de mots d'origine étrangère modifie aussi nos façons de lire certaines lettres ou d'écrire certains sons.

À UNE LETTRE PEUVENT CORRESPONDRE PLUSIEURS SONS

9 La lettre *c*

Le ***c*** se prononce :

- [k] devant une consonne (autre que *h*) : *clamer, crâne* ;
- [k] devant les voyelles ***a***, ***o***, ***u*** : *carré, coton, cure* ;
- [s] devant ***e***, ***i***, ***y*** : *cela, citer, cygne* ;
- [g] dans *second, secondaire*.

Pour avoir le son [s] devant ***a***, ***o***, ***u*** :

- le ***c*** prend une cédille : *ça, glaçon, glaçure, il plaçait* ;
- le ***c*** est suivi d'un ***e*** : *douceâtre*.

10 Le groupe *ch*

Le groupe ***ch*** se prononce :

- [ʃ] : *chant, cheval, chirurgien, chose, chute* ;
- [k] : *archaïque, archéologie, chiromancie, chorale*.

11 La lettre *g*

Le **g** se prononce :

- [g] devant une consonne (autre que *n*) : *glaner, ghetto, grand* ;
- [g] devant les voyelles ***a***, ***o***, ***u*** : *gare, goût, lagune* ;
- [ʒ] devant ***e***, ***i***, ***y*** : *génie, gilet, gyrophare*.

Pour garder la prononciation [ʒ] devant ***a***, ***o***, ***u***, en particulier dans la conjugaison des verbes en **-ger**, on ajoute un ***e*** : *il mangeait, nous mangeons*.

Mais on garde le ***u*** dans les verbes en **-guer**, même devant les lettres ***a*** et ***o*** : *il conjuguait, nous conjuguons*.

⊕ Devant un *i*, la lettre *g* se prononce [ʒ] ; il faut donc prononcer *dégingandé* avec le son [ʒ] et non [g] : [deʒɛ̃gɑ̃de].

Dans certains mots d'origine étrangère, la lettre **g** se prononce [g] devant un ***e*** : *geek, geisha*.

12 Le groupe *gn*

Le groupe ***gn*** se prononce :

- [ɲ] dans la plupart des mots : *campagne, digne, vigne* ;
- [gn], avec les deux sons, dans une dizaine de mots (et leurs dérivés).

agnostique
cogniticien, cognitif, cognition
diagnostic, diagnostique, diagnostiquer
gnome
gnou
magnum
prognathe
pugnace, pugnacité
stagnation, stagner

13 La lettre *s*

Le ***s*** se prononce presque toujours :

- [z] entre deux voyelles : *grise, rose* ;
- [s] au début du mot : *sale* ;
- [s] devant une consonne : *caste, tasse*.

Mais dans certains mots, le **s** entre deux voyelles se prononce [s]. C'est le cas en particulier pour les mots récents formés avec les préfixes ***dé-*** ou ***re-***. →134
On écrit :
– *dessaler* (mot qui date du XIIIe siècle) avec ***ss***, mais *resaler* (mot récent) avec un seul ***s*** ;
– *ressauter* (mot qui date du XVe siècle) avec ***ss***, mais *resucée* (mot récent) avec un seul ***s***.

14 Le groupe *ti*

Dans le groupe ***ti***, le ***t*** se prononce :

- toujours [t] :
  - après un ***s*** : *amnistie, modestie* ;
  - dans la conjugaison : *nous jetions* ;
  - quand le ***t*** est à l'initiale : *tiare, tien, tiens !, tierce* ;
- [s] dans certains suffixes : *démocratie, martien, mention, nuptial...*

15 La lettre *x*

Le ***x*** se prononce :

- [ks] : *extérieur, lynx* ;
- [gz] : *examen, exiger* ;
- [s] en finale : *coccyx, dix, six.*

À UN SON PEUVENT CORRESPONDRE PLUSIEURS ORTHOGRAPHES

Nous ne retenons ici que les séries que l'on peut mémoriser. Seul le dictionnaire peut lever toutes les difficultés. Voir le tableau des correspondances. →3-6

16 Le son [ɑ̃] : quand écrit-on *-aon* ?

Seuls trois mots s'écrivent avec ***-aon*** : *faon, paon, taon.*
Tous les autres mots s'écrivent avec ***-an*** ou ***-en***.

17 Le son [ɛ̃] : *-ein* ou *-aim* ?

On écrit avec ***-ein*** : *dessein, frein, hein ?, plein, rein, serein* ;
et une dizaine de verbes : *astreindre, atteindre, ceindre, dépeindre, enceindre, enfreindre, éteindre, feindre, peindre, teindre.*

On écrit avec ***-aim*** les mots *faim, daim* et *essaim.*

18 Les sons [ɛ̃], [ɑ̃], [ɔ̃] devant *m*, *b* et *p*

Le ***n*** se change toujours en ***m*** devant un ***b***, un ***m*** ou un ***p*** ;
embarquer, immanquable, ombre
SAUF dans *bonbon, bonbonne, bonbonnière, embonpoint, perlimpinpin*
et quelques formations onomatopéiques ou plaisantes comme *panpan, pinpon.*

19 Le son [ɑ̃dʀ] : *-endre* ou *-andre* ?

On écrit avec ***-andre*** les verbes *épandre* et *répandre*.
Tous les autres verbes s'écrivent avec ***-endre***: *tendre, vendre, rendre*...

20 Le son [œj] : *-euil* ou *-ueil* ?

On écrit ***-ueil*** après un ***c*** ou un ***g*** :
accueil, cercueil, écueil, orgueil, recueil
et les mots de leurs familles.
accueillir, recueillir; orgueilleux, s'enorgueillir
Dans tous les autres cas, on écrit ***-euil*** : *cerfeuil, deuil, fauteuil, feuille*...

21 Le son [wɛ̃] : *-oin* ou *-ouin* ?

On écrit avec ***-ouin*** :
babouin, bédouin, marsouin, pingouin
Tous les autres mots s'écrivent avec ***-oin*** : *besoin, loin, foin*...

LES FINS DE MOTS DIFFICILES

Des noms masculins en ***-ée*** ? Des noms féminins en ***-é*** ou en ***-u*** ?
Les erreurs se font souvent sur la terminaison des mots.
Quelques terminaisons peuvent cependant se maîtriser ou se mémoriser.

22 Noms féminins en *-té* ou *-tée* ?

On écrit avec ***-té*** tous les noms abstraits qui désignent une qualité, un état, une caractéristique, un concept, une notion.
capacité, cavité, curiosité, qualité, quantité, variété, vérité
C'est le cas, en particulier, des noms formés sur un adjectif.

beau → beauté
bon → bonté
curieux → curiosité
dense → densité
loyal → loyauté

On écrit avec ***-tée***:

- les noms qui indiquent un contenu;
  assiettée, pelletée, potée...
- les noms suivants, tous dérivés de verbes;
  butée, dictée, jetée, montée, portée, remontée, tétée, tripotée
- et deux mots dérivés de noms : *nuitée, pâtée*.

23 Noms masculins en *-ée* ?

On écrit avec *-ée* :

- une quarantaine de mots dont voici les plus courants ;
  apogée, athénée, caducée, camée, lycée, macchabée, mausolée, musée, pygmée, scarabée, trophée
- et quelques-uns plus spécialisés.
  coryphée, gynécée, hyménée, hypogée, périgée, périnée, propylée, prytanée, sigisbée, zée

24 Noms féminins en *-u* ?

On écrit avec *-u* : *bru, glu, tribu, vertu*.
Tous les autres noms s'écrivent avec *-ue* :
crue, décrue, étendue, rue, vue...

25 Adjectifs masculins en *-il* ou *-ile* ?

On écrit avec *-il* : *civil, puéril, subtil, vil, viril, volatil*.
Tous les autres adjectifs s'écrivent avec *-ile* :
habile, infantile, servile, stérile...

26 Mots en *-iller* ou *-illier* ?

On écrit avec *-illier* les noms masculins suivants : *groseillier, joaillier, quincaillier, vanillier*.
Tous les autres mots s'écrivent avec *-iller* : *babiller, barbouiller, conseiller, écailler, oreiller, poulailler, volailler...*

N. ORTH. Le Conseil supérieur de la langue française propose d'écrire *joailler* et *quincailler* sans *i* après ***ll***, et de ne garder la terminaison en *-ier* que pour respecter la régularité de la terminaison des noms d'arbres ou d'arbustes (*cerisier, marronnier, prunier*).

27 Mots en *-oir* ou *-oire* ?

Les adjectifs terminés par le son [waʀ] s'écrivent avec *-oire* :
illusoire, jubilatoire, péremptoire...

Les noms féminins terminés par le son [waʀ] s'écrivent avec *-oire* :
baignoire, balançoire, échappatoire...

La plupart des noms masculins terminés par le son [war] s'écrivent avec ***-oir*** :
bavoir, devoir, trottoir...

SAUF quelques noms masculins qui s'écrivent avec ***-oire***.

auditoire	*exutoire*	*promontoire*
ciboire	*interrogatoire*	*répertoire*
conservatoire	*observatoire*	*réquisitoire*

⊕ On écrit avec un *e* l'adverbe *voire*, qui renforce une idée. *Cela fait des mois, voire des années...*

28 Noms féminins en *-ie*, *-is* ou *-ix* ?

On écrit avec ***-is*** : *brebis, souris.*
On écrit avec ***-ix*** : *perdrix.*
Tous les autres noms s'écrivent avec ***-ie***.

LES LETTRES MUETTES

29 Qu'est-ce qu'une lettre muette ?

Une lettre muette est une lettre qui ne se prononce pas. Ainsi, le ***h*** de *huit* ou le ***s*** du pluriel sont des lettres muettes.

• La lettre muette peut **faire partie de l'orthographe du mot** tel qu'il se présente dans un dictionnaire : *cahier, compter, huit.*

REMARQUE
Ces lettres sont là parce que l'histoire de la prononciation et l'histoire de l'orthographe ne sont pas superposables ou bien parce que le mot est issu d'un nom propre ou d'une langue étrangère : *compter* (avec le ***p*** du latin *computare*), *dahlia* (du nom de monsieur *Dahl*), *homme* (avec le ***h*** du latin *homo*). Une lettre muette peut modifier la prononciation de la lettre qui précède. Ainsi le ***e*** se prononce [e] quand il est suivi de ***d***, ***r***, ***t***, ***z*** : *pied, chanter, inquiet, nez.* D'une manière générale, ces lettres gardent **la trace de l'histoire du mot**.

• La lettre muette peut **faire partie d'une forme du mot** liée à la grammaire. Ce sont les lettres des « flexions » du mot, c'est-à-dire celles des terminaisons du pluriel, du féminin, des conjugaisons, qui ne s'entendent pas à l'oral.

une carte → *deux cartes*
culturel → *culturelle*
il préside → *ils président*

Pour les lettres de ce deuxième groupe, les difficultés sont levées par la connaissance des conjugaisons et des règles de formation des féminins et des pluriels. Pour les lettres du premier groupe, il nous faut mémoriser l'image du mot, rapprocher le mot de sa famille ou enfin recourir au dictionnaire. On peut toutefois retenir quelques points particuliers.

30 Le *h*

Le ***h*** ne se prononce jamais, mais on distingue le ***h*** *muet* du ***h*** *aspiré.*

Au début des mots

- Le ***h*** *muet* autorise la liaison et l'élision : *un homme, l'homme, les* [-z-] *hommes.*
- Le ***h*** *aspiré* interdit la liaison et l'élision : *le | haricot, un | hasard, des | hasards.*

Au milieu des mots

- Le ***h*** a parfois été introduit pour éviter un hiatus (rencontre de deux voyelles) : *un cahier.*
Il joue alors le même rôle qu'un tréma (on aurait pu écrire « *caïer* »).
- Le ***h*** modifie la prononciation du ***c*** (*ch*) et du ***p*** (*ph*).

31 Le *e* muet

Dans la conjugaison de certains verbes

- Il ne faut pas oublier le ***e*** au futur et au conditionnel présent des verbes en ***-éer***, ***-ier***, ***-uer*** ou des verbes en ***-yer***. → 198 et 204-205

je copierai, je copierais
il créera, il créerait
j'essuierai, j'essuierais
nous jouerons, nous jouerions
il se noiera, il se noierait

- Mais il ne faut pas ajouter de ***e*** au futur et au conditionnel présent des verbes comme *conclure* ou *mettre*.
On écrit *il conclura* et non ~~*il concluera*~~.
On dit et on écrit *vous mettriez* et non ~~*vous metteriez*~~.

Dans les mots dérivés de ces verbes

- On écrit avec un ***e*** muet les noms en ***-ment*** dérivés de ces verbes.

aboyer → *aboiement*
dénouer → *dénouement*
remanier → *remaniement*

32 Le *m* et le *p* muets au milieu d'un mot

Le ***m*** dans le groupe ***mn*** ne se prononce pas dans les mots suivants et leurs dérivés : *automne, condamner, damner.*
Il se prononce dans les autres cas : *amnistie, indemniser...*

Le ***p*** dans le groupe ***pt*** ne se prononce pas dans *baptiser, compter, sculpter, sept* et leurs dérivés.
Il se prononce dans les autres cas : *adopter, capter...*

33 Les consonnes muettes à la fin d'un mot

La plupart des consonnes peuvent être muettes à la fin d'un mot.

b : *plomb*	**f** : *clef*	**p** : *galop*	**t** : *haut*
c : *blanc*	**g** : *rang*	**r** : *léger*	**x** : *affreux*
d : *pied*	**l** : *fusil*	**s** : *fracas*	**z** : *nez*

Dans de nombreux cas, on peut, grâce à un féminin ou à un mot de la même famille, retrouver cette consonne muette.

pied → *pédestre*	*léger* → *légère*
rang → *rangée*	*fracas* → *fracasser*
fusil → *fusiller*	*haut* → *haute*
galop → *galoper*	*affreux* → *affreuse*

Lettres simples ou lettres doubles ?

Il est souvent difficile de savoir si une lettre est simple ou double, car il n'y a pas de différence à l'oreille : il faut mémoriser le mot et son image.
Dans certains mots d'origine étrangère ou issus de noms propres, la lettre double termine le mot (*hall*; *cross*; *jazz*). Mais, le plus souvent, elle se situe au milieu du mot.

LES LETTRES *B*, *C*, *D*, *F* ET *G*

34 Avec *b* ou *bb* ?

Seuls quelques mots (et leurs familles) s'écrivent avec ***bb***. Ce sont pour l'essentiel des mots d'origine étrangère ou des dérivés de noms propres qui ne figurent pas ici (*Abbevillien*).

abbé, abbaye
dribble, dribbler
gibbon, gibbosité
hobby
kabbale, kabbaliste
kibboutz
lobby, lobbying
rabbin, rabbinat
sabbat, sabbatique
scrabble (mot déposé), *scrabbleur*

35 Avec *c* ou *cc* ?

Les mots commençant par ***ac-*** ou ***oc-*** s'écrivent pour la plupart avec ***cc*** :
accabler, accaparer, accolade, accroître, accroc, accueil, occasion, occuper, occurrence...
ainsi que leurs dérivés ou composés : *occupation, réoccuper...*
MAIS on écrit avec un seul ***c*** :
acabit, acacia, académie, acajou, acanthe, acolyte, acompte, acoustique, ocarina, oculaire
et leurs dérivés.

Les quelques mots suivants s'écrivent avec ***cc***.
baccalauréat, baccara, bacchanale, bacchante, dessiccation, ecchymose, ecclésiastique, impeccable, saccade, saccage, succomber, succulent, succursale

36 Avec *d* ou *dd* ?

On écrit avec ***dd*** les quelques mots suivants :
addenda, addiction, addition, adduction, bouddha, haddock, paddock, pudding, reddition, yiddish
et leurs dérivés : *additionner, bouddhisme*...

37 Avec *f* ou *ff* ?

Les mots qui commencent par ***af***-, ***ef***-, ***of***- s'écrivent avec ***ff*** :
affaire, affreux, effort, effrayer, effleurer, offense, offrir...
SAUF *afin, africain*.

Les mots qui commencent par ***bouf***-, ***souf***-, ***suf***- s'écrivent avec ***ff*** :
bouffi, bouffon, siffler, souffler, souffrir, suffire, suffoquer, suffrage...
SAUF *soufi, soufre* (et les mots de la famille).

On écrit avec un seul ***f*** les mots suivants (et leurs familles), qui sont souvent l'occasion d'erreurs.
agrafe, boursoufler, emmitoufler, érafler, esbroufe, gaufre, gifle, moufle, persifler, rafle

N. ORTH. Le Conseil supérieur de la langue française propose d'écrire avec *ff* *boursouffler* et *persiffler*, pour les harmoniser avec *souffler* et *siffler*. L'usage tranchera.

38 Avec *g* ou *gg* ?

On écrit avec **gg** les mots suivants (et leurs familles) : *agglomérer, agglutiner, aggraver, suggérer*.

On double aussi le **g** dans certains mots d'origine étrangère, le **gg** se prononçant :

- [dʒ] ou [ʒ] : *aggiornamento, appoggiature, loggia* (mots italiens) ;
- [g] : *baggy, groggy, jogging, reggae, tagger* (mots anglais) et *toboggan* (mot amérindien du Canada).

LA LETTRE *L* : AVEC *L* OU *LL* ?

Pour la plupart des mots, seul le dictionnaire peut lever une hésitation sur un ***l*** simple ou double. Toutefois, dans quelques cas, des régularités et quelques particularités peuvent être mémorisées.

39 Avec *il-* ou *ill-* ?

Les mots qui commencent par ***il-*** s'écrivent tous avec ***ll*** :
illégal, illuminer, illustre...
SAUF *île, iléon, iliaque, îlot, ilote* et les mots de leurs familles.

On écrit *imbécile* avec un seul *l* mais *imbécillité* avec *ll*.

N. ORTH. Le Conseil supérieur de la langue française propose d'écrire *imbécilité* avec un seul ***l*** pour rectifier cette anomalie.

40 Avec *-elle* ou *-èle* ?

Les mots qui se terminent par ***-elle*** sont les plus nombreux :
aquarelle, cannelle, nouvelle, varicelle, violoncelle...
ainsi que les féminins des adjectifs en ***-el*** ou ***-iel*** : *actuelle, artificielle...*
MAIS on écrit avec ***-èle*** les noms suivants : *atèle* (singe), *clientèle, modèle, parallèle, parentèle, stèle, zèle.*

Les verbes en ***-eler*** doublent le ***l*** *(appeler → il appelle)* ou prennent un accent grave *(harceler → il harcèle)* selon leur conjugaison. → 200-201 Leurs dérivés gardent cette orthographe. Ce point fait partie des rectifications orthographiques (p. 315).

⊕ On écrit avec un accent circonflexe *la grêle.*

41 Avec *-ale* ou *-alle* ?

Les noms qui se terminent par ***-ale*** sont les plus nombreux :
capitale, chorale, cigale...
MAIS on écrit avec ***-alle*** :
- les mots d'une seule syllabe suivants : *balle, dalle, halle, malle, salle, stalle* ;
- et le mot *intervalle.*

Les verbes en ***-aler*** sont les plus nombreux : *avaler, régaler...*
On écrit donc avec un seul ***l*** : *il avale, il régale...*
MAIS on écrit avec ***ll*** les verbes dérivés de *balle, dalle, stalle.*
On écrit donc avec ***ll*** : *il dalle, il déballe, il emballe, il installe.*

42 Avec *-ule* ou *-ulle* ?

Les mots terminés par le son [yl] s'écrivent avec un seul ***l*** :
crédule, édicule, ridicule, tentacule...
SAUF *bulle, tulle, nulle* (adjectif féminin).

43 Avec *-ole* ou *-olle* ?

Les noms féminins terminés par le son [ɔl] s'écrivent avec un seul ***l*** :

auréole, casserole, coupole, école, rougeole...

SAUF quelques mots dont *barcarolle, colle, corolle, girolle.*

➕ Des noms familiers, voi[…] familiers, s'écrivent aussi a[…] *guibolle, mariolle, tartignolle.*

N. ORTH. Le Conseil supérieur de la langue française propose de régulariser avec un seul ***l*** cette série, à l'exception du mot *colle* dont l'orthographe et la famille *(collage, coller, encoller)* sont bien connues. L'usage tranchera.

LA LETTRE *M* : AVEC *M* OU *MM* ?

44 Avec *mm*

On écrit avec ***mm*** :

- tous les adverbes en ***-amment*** ou ***-emment*** : *élégamment, évidemment* ;
- les mots qui commencent par ***im-*** (en particulier quand il s'agit du préfixe négatif) : *immense, immerger, immobile, immoral...*
SAUF *image, imam, imiter* et leurs dérivés ;
- les mots qui commencent par ***com-*** : *commande, comme, commerce, commettre, commode, commuter...*
SAUF *coma, comédie, comédon, comestible, comète, comice, comique, comité* ;

➕ Le mot italien *commedi[…] dell' arte* s'écrit avec ***mm***.

- les mots qui comportent l'élément ***-gramme*** dans ses deux sens :
– lettre, écriture, graphie : *anagramme, organigramme, programme* (« ce qui est écrit à l'avance »), *télégramme* ;
– unité de poids : *gramme, kilogramme.*

45 Avec un seul *m*

On écrit avec ***m*** :

- les mots qui comportent l'élément ***-game*** (qui signifie « mariage ») : *monogame, polygame* ;
- les mots qui commencent par ***am-*** : *amer, ami, amorce, amour...*
SAUF *ammoniac, ammoniaque, ammonite.*

46 Avec *m* ou *mm* dans une même famille de mots ?

Dans la famille du mot *homme*, on écrit :

AVEC *m*	AVEC *mm*
bonhomie	*bonhomme*
homicide, hominidé (mots savants, du latin *homo*)	*homme*
prud'homal, prud'homie	*prud'homme*

Dans la famille du mot *nom*, on écrit :

AVEC *m*	AVEC *mm*
dénomination	*dénommer*
innomé (ou aujourd'hui *innommé*)	*nommé*
nomination	*nommer*

N. ORTH. Le Conseil supérieur de la langue française propose de régulariser avec **mm** les mots *bonhommie, prud'hommal, prud'hommie* (et même d'écrire la série sans apostrophe). L'usage tranchera. Les dictionnaires enregistrent déjà comme première orthographe *innommé* avec **mm**.

LA LETTRE *N* : AVEC *N* OU *NN* ?

Le ***n*** est la lettre la plus difficile à maîtriser, mais certaines règles ou régularités peuvent aider à lever la difficulté.

Dans les dérivés des mots en -on

47 Avec *-oner* ou *-onner* ?

Tous les verbes du premier groupe dérivés d'un nom en ***-on*** s'écrivent avec ***-onner***.

fonction → *fonctionner*
patron → *patronner*
piston → *pistonner*

⊕ Le verbe *s'époumoner*, bien que formé sur *poumon*, n'a qu'un seul *n*.

REMARQUE

Les autres verbes en [ɔne] qui ne sont pas dérivés de mots en *-on* s'écrivent avec ***nn*** pour trois d'entre eux : *abonner, braconner, ordonner*, et avec un seul ***n*** pour les autres : *cloner* (formé sur *clone*), *ramoner, téléphoner* (formé sur *téléphone*), *trôner* (formé sur *trône*).

Attention, dans la famille des mots *son* et *ton* :

- on écrit *détonner* (« sortir du ton ») avec **nn** mais *détoner* (« exploser ») avec un seul ***n*** ;
- on écrit *sonner*, *sonnant* mais *dissoner*, *dissonant*.

48 Avec *-onage* ou *-onnage* ?

Tous les noms dérivés des verbes avec ***nn*** gardent les ***nn*** ;

carton → *cartonner* → *cartonnage*
chiffon → *chiffonner* → *chiffonnage*

SAUF *patron* → *patronner* → *patronage.*

Tous les noms dérivés des verbes avec un seul ***n*** gardent ce simple ***n***.

cloner → *clonage*
ramoner → *ramonage*

49 Avec *-onal* ou *-onnal* ?

Les mots en [ɔnal] et leurs dérivés s'écrivent avec un seul ***n***.

nation → *national* → *nationalisme, nationaliser*
région → *régional* → *régionalisme, régionaliser*
patron → *patronal*

⊕ Le mot *confessionnal*, qui vie de l'italien *confessionnale*, a gar le double *n* en français.

50 Avec *-onat* ou *-onnat* ?

On écrit :

AVEC *n*	**AVEC *nn***
diaconat (fonction de diacre)	*championnat*
patronat	*bâtonnat* (fonction de bâtonnier)
	pensionnat

51 Avec *-onel* ou *-onnel* ?

Tous les mots en [ɔnɛl] et leurs dérivés s'écrivent avec ***nn*** ;

fonction → *fonctionnel* → *fonctionnalité*
profession → *professionnel* → *professionnalisme*

MAIS le mot *traditionaliste* perd un ***n*** dans la série.

tradition → *traditionnel* → *traditionaliste.*

⊕ Le mot *colonel*, qui vient de l'italien *colonnello*, a perdu un *n* en français.

52 Avec *-onisme*, *-oniste* ou *-onnisme*, *-onniste* ?

Tous les mots dérivés de noms en ***-on*** s'écrivent avec ***nn***;
abstention → *abstentionnisme* → *abstentionniste*
impression → *impressionnisme* → *impressionniste*
projection → *projectionniste*
réception → *réceptionniste...*
SAUF *accordéoniste, feuilletoniste, violoniste*
et les dérivés de noms propres : *Japon* → *japonisme* → *japoniste.*

Dans les autres cas

53 Avec *nn*

On écrit avec ***nn*** :

- tous les mots de la famille de *an* : *année, anniversaire, annuel, annuité*;
- les féminins des noms et adjectifs en ***-en***, ***-ien***, ***-ion***, ***-on*** : *européenne, italienne, lionne, baronne...*

REMARQUE
Les féminins des mots *lapon, letton, nippon* s'écrivent indifféremment avec ***n*** ou ***nn***.

54 Avec un seul *n*

On écrit avec ***n*** :

- les féminins des noms et adjectifs masculins en ***-an***, ***-ian*** : *anglicane, médiane...*
SAUF *Jeanne, paysanne*;
- presque tous les mots qui se terminent par le son [an] : *banane, cane* (l'animal), *diaphane, douane, partisane...*
SAUF *canne* (l'objet), *élasthanne, fibranne, manne, panne, vanne.*

55 Avec *n* ou *nn* dans une même famille de mots ?

On écrit :

AVEC *n*	AVEC *nn*
dissoner, dissonance, consonance	*sonner, consonne*
donataire, donation, donateur	*donner, donne, maldonne*
honorer, honorable, honorifique	*honneur, déshonneur*
résonance	*résonner*

LES LETTRES *P*, *R* ET *S*

56 Avec *p* ou *pp* ?

Dans le cas de la lettre ***p***, il n'existe pas de grandes régularités que l'on pourrait dégager. Quelques particularités peuvent cependant se mémoriser.

- Les mots qui commencent par ***op-*** s'écrivent avec un seul ***p*** :
  opaque, opérer, opinion...

SAUF *opportun, opposer, oppresser, opprimer, opprobre.*

- Les mots qui commencent par ***sup-*** s'écrivent tous avec ***pp*** :
  supplier, supposer, supprimer...

SAUF tous les mots qui commencent par ***super-*** ou ***supr-*** : *superbe, superflu, supranational, suprématie.*

- **Quelques erreurs à éviter**

On écrit :

AVEC *p*	AVEC *pp*
agapes	*grappe*
attrape, attraper	*trappe*
chape	*échapper*
*chausse-trape**	*chausse-trappe**
tape, taper	*frappe, frapper*

N. ORTH. * Le Conseil supérieur de la langue française privilégie l'orthographe de *chausse-trappe* avec ***pp***, pour rapprocher ce mot de *trappe*, bien qu'ils ne soient pas de la même famille étymologique.

57 Avec *r* ou *rr* ?

Seul le dictionnaire peut lever les difficultés mais on peut mémoriser trois cas.

- On écrit avec ***rr*** les mots formés du préfixe négatif ***ir-*** et d'un mot commençant par ***r*** : *irrationnel, irréel, irrespirable...* → 134

- On écrit avec ***rr*** tous les mots de la famille de *char* et de sa variante étymologique *car* : *carrossable, carrosse, carrosserie, charrette, charrier, charrue...*

SAUF *chariot.*

N. ORTH. Le Conseil supérieur de la langue française propose d'écrire *charriot* avec ***rr*** pour rectifier cette anomalie.

- On écrit avec un seul ***r*** les verbes *courir* (et ses composés) et *mourir* ;
  courais, courant, mourais, mourant

SAUF au futur et au conditionnel présent.
  je courrai, je courrais, je mourrai, je mourrais

58 Avec *s* ou *ss* ?

- En règle générale, on écrit ***ss*** entre deux voyelles pour noter le son [s] :
  abaisser, angoisse, passage, passer...
- Les mots anciens formés avec les préfixes *de-* ou *re-* s'écrivent avec ***ss*** ;
  dessaisir, dessaler, dessécher, desserrer, desservir, dessoûler
  ressaisir, ressentir, resserrer, resservir, ressortir
  MAIS les mots récents et les mots nouveaux ou de formation libre ne prennent qu'un seul ***s***. →134
  désynchroniser, désyndicaliser
  resaler, resalir, resavonner
- Les autres mots formés d'un préfixe et d'un mot commençant par ***s*** s'écrivent avec un seul ***s*** : *antisocial, contresens, entresol, monosyllabe...*

⊕ On écrit *susurrer* avec un *s* et *rr*, *ressusciter* avec *ss* puis *sc*.
On écrit *resurgir* ou *ressurgir* avec *s* ou *ss*.

LA LETTRE *T*

59 Avec *-ète* ou *-ette* ?

- En règle générale, les noms féminins s'écrivent avec ***-ette*** : *allumette, brouette, calculette, maisonnette...*
  MAIS on écrit avec ***-ète*** les noms suivants : *arbalète, cacahuète, comète, diète, épithète, planète, saynète.*
- Les adjectifs et noms masculins en ***-et*** font leur féminin en ***-ète*** ou en ***-ette***. Voici les principaux :

-et* → *-ète	***-et* → *-ette***
complet → *complète*	*blet* → *blette*
désuet → *désuète*	*coquet* → *coquette*
discret → *discrète*	*douillet* → *douillette*
inquiet → *inquiète*	*fluet* → *fluette*
secret → *secrète*	*sujet* → *sujette*

et les mots de la même famille : *incomplet, indiscret, quiet.*

⊕ Les formations expressives comme *grassouillet, rondelet, simplet* font au féminin : *grassouillette, rondelette, simplette.*

60 Avec *-ote* ou *-otte* ?

- Les noms et adjectifs masculins en ***-ot*** font leur féminin en ***-ote*** ou en ***-otte***.

-ot* → *-ote	***-ot* → *-otte***
dévot → *dévote*	*maigriot* → *maigriotte*
idiot → *idiote*	*pâlot* → *pâlotte*
petiot → *petiote...*	*vieillot* → *vieillotte*

Les noms féminins en [ɔt] s'écrivent avec ***-ote*** : *belote, camelote, capote, échalote*...

SAUF

biscotte	*calotte*	*culotte*
bouillotte	*carotte*	*mascotte*
cagnotte	*cocotte*	*roulotte*

61 Les verbes en *-oter* ou *-otter*

Les verbes en [ɔte] s'écrivent le plus souvent avec un seul ***t*** : *chipoter, comploter, dorloter, gigoter, sangloter, siffloter*...
SAUF quand ils sont formés sur un mot en ***-otte*** : *botter* (de *botte*), *carotter, crotter, culotter*...

Quelques verbes n'entrent ni dans la première ni dans la deuxième catégorie : *ballotter, boulotter, flotter, frisotter, frotter, grelotter, trotter*.

N. ORTH. Dans son rapport, le Conseil supérieur de la langue française recommande aux lexicographes d'admettre les deux orthographes, avec ***t*** ou ***tt*** pour ces verbes, sauf quand le mot est très ancré dans l'usage : *frisoter* ou *frisotter, greloter* ou *grelotter*, mais on continue d'écrire : *flotter, frotter, trotter*.

Les accents

Outre les lettres de l'alphabet, nous disposons de signes, qu'on appelle parfois « signes auxiliaires », « signes orthographiques » ou « signes diacritiques », qui permettent de préciser un son ou de distinguer des homonymes.
L'accent est un signe qui se place sur une voyelle et qui peut en préciser la prononciation. Dans certains cas, l'accent permet de distinguer des homonymes. Il y a trois accents en français : l'accent aigu, l'accent grave et l'accent circonflexe.
Attention, les accents se placent aussi sur les capitales :
Les États-Unis d'Amérique; LIBERTÉ ÉGALITÉ FRATERNITÉ. → 108

L'origine des accents

• Le rôle de l'écrit est de restituer au plus près les mots d'une langue. Il faut donc être « lisible », rendre au mieux une prononciation et distinguer au mieux des mots homophones. Ainsi, *donne* doit être distingué de *donné*; *la* doit être distingué de *là*.

• Quand il a fallu écrire les premiers textes en français avec les lettres de l'alphabet latin, les scribes ont eu bien des difficultés à noter les différentes prononciations des mots français, comme pour les trois timbres du *e* : *fermé* comme dans *dé*; *ouvert* comme dans *dès* et *sourd*, atone comme dans *de*. Les scribes, qui étaient payés à la tâche, choisirent d'ajouter des lettres pour marquer les différentes prononciations : *es* ou *ez* pour le son *e fermé*, par exemple.

• C'est **l'imprimerie** qui a introduit les premiers accents, mais sans régularité ni réelle cohérence.

• À la même époque, **Robert Estienne**, auteur d'un dictionnaire latin-français (1538) et précurseur de tous nos dictionnaires, place régulièrement l'accent aigu sur le *e fermé*. Cela permet de distinguer *sonne* de *sonné*, *trompe* de *trompé*. On doit l'accent grave à **Pierre Corneille** pour noter le *e ouvert*.

• Il faudra attendre l'édition de 1740 du *Dictionnaire de l'Académie française* pour que ces « nouvelles orthographes » soient enregistrées.

L'ACCENT AIGU

L'accent aigu se place sur la lettre ***e***. Il indique que le ***e*** doit se prononcer *e fermé* [e], comme dans *éléphant*. Mais il n'y a pas toujours d'accent pour indiquer la prononciation du *e fermé*.

62 Avec ou sans accent aigu ?

Il y a toujours un accent aigu :

- au début du mot devant une consonne simple (sauf *x*) : *écrire, éteindre* ;
- à l'intérieur du mot, quand la syllabe qui suit ne comporte pas de ***e*** muet : *collégien, géant* ;
- sur un *e fermé* final ou suivi d'un autre ***e*** : *allée, beauté, blé, habileté* ;
- sur le ***e*** du participe passé des verbes en *-er* : *j'ai chanté, donné, mangé*.

Il n'y a jamais d'accent aigu :

- devant un ***x*** : *examen, texto* ;
- devant une consonne double : *effroi, ellipse, essai, terreur* ;
- devant les lettres finales muettes ***d***, ***f***, ***r***, ***z*** : *pied, clef, chanter, nez*.

L'ACCENT GRAVE

L'accent grave se place sur le ***a***, le ***e*** et le ***u***.
Sur le ***e***, il indique que le ***e*** doit se prononcer *e ouvert* [ɛ]. Mais il n'y a pas toujours d'accent pour indiquer cette prononciation du *e ouvert*.
Sur le ***a*** et le ***u***, il permet de distinguer des homonymes.

63 Avec ou sans accent grave sur le *e* ?

Il y a toujours un accent grave :

- quand la syllabe commence par une consonne suivie d'un ***e*** muet : *discrètement, ère, mère* ;
- devant un ***s*** final (distinct bien sûr du ***s*** du pluriel) : *accès, après, excès, procès*.

⊕ C'est Pierre Corneille qui a introduit l'accent grave pour préciser cette prononciation du *e ouvert*.

Il n'y a jamais d'accent grave :

- quand la consonne qui suit et qui se prononce termine la syllabe : *chef, cher, mer, merveille* ;
- devant une consonne double ou un groupe de consonnes : *belle, terre, tergiverser*.

64 L'accent grave sur le *a* et le *u* : *à* et *ù*

Sur le ***a*** et le ***u***, l'accent grave a été introduit pour distinguer des homonymes.

AVEC ACCENT		SANS ACCENT
à (préposition)	≠	*a* (du verbe *avoir*)
çà (adverbe de lieu)	≠	*ça* (pronom)
là (adverbe de lieu)	≠	*la* (article ou pronom)
où (pronom relatif ou adverbe de lieu)	≠	*ou* (conjonction = ou bien)

➕ On écrit aussi avec *à* les mots invariables *deçà, déjà, delà, holà, voilà*.

ACCENT AIGU OU ACCENT GRAVE : *É* OU *È* ?

On peut observer, dans une même famille de mots ou dans la conjugaison de certains verbes, une alternance entre *e fermé* [e] et *e ouvert* [ɛ] : *nous cédons, ils cèdent; fièvre, fiévreux.*

65 Les régularités

Cette alternance suit aujourd'hui deux grandes règles :

- on prononce et on écrit ***è*** quand la syllabe qui suit comporte un ***e*** muet : *il cède, fièvre*;
- on prononce et on écrit ***é*** quand la syllabe qui suit ne comporte pas de ***e*** muet : *céder, fiévreux.*

66 Les anomalies

La prononciation a évolué au cours du temps mais l'écrit a pu rester longtemps conforme à d'anciennes prononciations. C'est le cas pour le ***é*** de *il cédera* qui se lit depuis longtemps comme un ***è***. De même, l'orthographe avec un ***é*** de mots où l'on entend ***è***, comme *allégement, crémerie, événement,* n'est plus conforme à la prononciation.
On admet aujourd'hui les deux orthographes, avec ***é*** ou ***è***, de telle sorte que les règles énoncées plus haut ne souffrent plus d'exceptions.

N. ORTH. Il est aussi recommandé de munir d'un accent conforme à la prononciation les mots d'origine étrangère, de telle sorte que leur intégration au français ne crée pas d'autres exceptions : *scénario, sénior, révolver*.

➕ On peut écrire aujourd'hui *événement* ou *évènement*, *il cédera* ou *il cèdera*, *puissé-je* ou *puissè-je*.

L'ACCENT CIRCONFLEXE

L'accent circonflexe est une des principales difficultés du français parce qu'on ne peut pas lui attribuer un rôle bien défini, et parce qu'il n'a pas d'incidence déterminante sur la prononciation. Mais il fait partie de ce qu'on appelle « l'image du mot » et à ce titre certains veulent le conserver malgré les propositions de rectifications orthographiques.
Dans la plupart des cas, seul le recours au dictionnaire peut lever la difficulté.

Les origines de l'accent circonflexe

Introduit par les imprimeurs au cours du XVIe siècle, l'accent circonflexe a notamment été utilisé pour :

- noter une voyelle ou un **s** disparus : *âge* (de *eage*), *hôpital* (de *hospital*)

MAIS pas toujours : *soutenir* (de *soustenir*) ;

- transcrire un ***o*** grec : *diplôme*

MAIS pas toujours : *axiome* ;

- distinguer des homographes : *mûr* (à maturité) ≠ *mur* (cloison).

67 La place de l'accent circonflexe

L'accent circonflexe se place sur le ***a***, le ***e***, le ***i***, le ***o*** et le ***u*** de certains mots.

- Le ***ê*** se prononce le plus souvent *e ouvert* [ɛ] : *chêne, fenêtre*

MAIS pas toujours : *tête* se prononce [tɛt] et *têtu* se prononce avec un *é fermé* [tety].

- Le ***â*** se prononce *a long postérieur* [ɑ] (prononcé de l'arrière de la bouche) : *pâte*

MAIS on ne fait plus toujours la différence aujourd'hui entre *pâte* [pɑt] et *patte* [pat].

- Le ***ô*** peut noter le son *o long fermé* [o] : *côte, icône* ;

MAIS pas toujours : *côtelette* se prononce [kɔtlɛt] avec un *o ouvert*.
Dans de nombreux mots, on ne fait plus la différence aujourd'hui entre *o fermé* et *o ouvert* : *hôpital, hôtel*.

- Sur le ***i*** et le ***u***, l'accent n'indique aucune prononciation particulière : *île, sûr, traître*.

REMARQUE

La présence de l'accent circonflexe n'est pas toujours régulière à l'intérieur des mots d'une même famille : *grâce* **MAIS** *gracier* ; *jeûner* **MAIS** *déjeuner*. →74

68 L'accent circonflexe dans les formes verbales : *â, î, û*

On écrit avec un accent circonflexe :

- les terminaisons ***-âmes***, ***-âtes***, ***-îmes***, ***-îtes***, ***-ûmes***, ***-ûtes*** du passé simple : *nous chantâmes, vous chantâtes, nous finîmes, vous fîtes, nous eûmes, vous fûtes* ;
- les terminaisons ***-ât***, ***-înt***, ***-ît***, ***-ût*** du subjonctif imparfait : *qu'il aimât, qu'il vînt, qu'il vît, qu'il eût*, ce qui distingue ces formes de celles du passé simple, sans accent circonflexe ;

PASSÉ SIMPLE	SUBJONCTIF IMPARFAIT
il eut	*qu'il eût*
il fut	*qu'il fût*
il aima	*qu'il aimât*
il finit	*qu'il finît*
il vint	*qu'il vînt*

- les participes passés ***dû*** et ***crû*** au masculin singulier des verbes *devoir* et *croître* (mais *décru* ne prend pas d'accent), pour les distinguer des homonymes *du* et *cru* ;
- le participe passé ***mû*** au masculin singulier du verbe *mouvoir* ;
- le ***î*** devant le ***t*** des verbes en ***-aître*** et en ***-oître*** : *naître, connaître, paraître* ; *croître, accroître, décroître ;*
  Il paraît que la température décroît.
- le ***î*** devant le ***t*** des verbes *plaire, déplaire, complaire.*
  S'il vous plaît.

N. ORTH. Le Conseil supérieur de la langue française propose d'accepter les formes sans accent circonflexe dans ces trois derniers cas. L'usage tranchera.

69 L'accent circonflexe pour distinguer des homonymes : *â, ê, ô, û*

On écrit avec un accent circonflexe :

- le ***â***, le ***ê***, le ***ô***, le ***û*** de certains mots homophones pour les distinguer ;

AVEC ACCENT CIRCONFLEXE		SANS ACCENT CIRCONFLEXE
crû (de *croître*)	≠	*cru* (d'un vin)
jeûne (abstinence alimentaire)	≠	*jeune* (peu âgé)
mûr (à maturité)	≠	*mur* (cloison)
pêcher (pratiquer la pêche)	≠	*pécher* (commettre un péché)
sûr (certain)	≠	*sur* (préposition)
tâche (travail)	≠	*tache* (salissure)

➤

• le *ô* des pronoms possessifs *nôtre* et *vôtre* pour les distinguer des déterminants (ou adjectifs) possessifs *notre* et *votre*.

L'ASTUCE Pour savoir s'il s'agit de l'un ou de l'autre, il suffit de mettre le possessif au pluriel. Si on peut dire *nos*, il s'agit de *notre* sans accent.

	DÉTERMINANT	**PRONOM**
SINGULIER	*c'est notre livre*	*c'est le nôtre*
PLURIEL	*ce sont nos livres*	*ce sont les nôtres*

AVEC OU SANS ACCENT CIRCONFLEXE ? LES ERREURS LES PLUS FRÉQUENTES

70 *-âtre* ou *-iatre* ?

On écrit ***-âtre***, avec un accent circonflexe :

• la terminaison à valeur péjorative de certains noms ou adjectifs : *marâtre, bellâtre, acariâtre* ;

• la terminaison des dérivés d'adjectifs de couleur : *blanchâtre, rougeâtre.*

On écrit ***-iatre***, sans accent circonflexe, les noms de médecins spécialistes.

gériatre, pédiatre, psychiatre
Le nez du psychiatre est rosâtre.

71 *-êt* ou *-et* ?

On écrit avec ***-êt*** les mots suivants :

acquêt	*crêt*	*intérêt*
apprêt	*désintérêt*	*prêt* (nom masculin)
arrêt	*forêt*	*prêt* (adjectif)
benêt	*genêt*	*têt*

Tous les autres mots s'écrivent avec ***-et*** : *béret, billet, bracelet...*

72 *-ôme* ou *-ome* ?

On écrit avec ***-ôme*** les mots suivants :

arôme	*dôme*	*polynôme*
binôme	*fantôme*	*symptôme*
bôme	*môme*	*trinôme*
diplôme	*monôme*	

Les autres mots s'écrivent sans accent circonflexe.

aérodrome, axiome, chrome...

73 *-ôse* ou *-ose* ?

- On écrit avec *-ôse* les noms de mois du calendrier républicain : *nivôse, pluviôse, ventôse*.
- Les autres mots s'écrivent sans accent circonflexe : *arthrose, fructose, hypnose, névrose, psychose*...

74 À l'intérieur d'une même famille

Les mots d'une même famille peuvent ne pas tous porter l'accent.

- On écrit :

AVEC ACCENT	SANS ACCENT
arôme	*aromate, aromatiser, aromatique*
cône	*conique, conifère*
côte, côtier	*coteau*
fantôme	*fantomatique*
fût (d'un arbre)	*futaie*
grâce, disgrâce	*gracieux, gracier, disgracieux*
infâme	*infamie*
jeûner	*déjeuner*
pâtir	*compatir, compatissant*
pôle	*polaire*
râteau	*ratisser*
symptôme	*symptomatique*
trône, trôner	*introniser*

75 Lorsque les mots se ressemblent

- On écrit :

AVEC ACCENT	SANS ACCENT
boîte	*il boite*
carême	*barème*
château, gâteau, râteau	*bateau*
cône	*clone*
crû (de croître)	*cru* (d'un vin)
épître (lettre)	*pupitre, chapitre*
symptôme	*syndrome*
traîner	*drainer*

Les autres signes orthographiques

Outre les accents, nous disposons de signes orthographiques pour préciser une prononciation, marquer une élision ou donner son unité lexicale à un groupe de deux ou plusieurs mots. Parmi eux, on trouve la cédille, le tréma, quelques lettres particulières et quelques signes diacritiques empruntés aux langues étrangères, ainsi que l'apostrophe et le trait d'union.

LA CÉDILLE ET LE TRÉMA

76 La cédille sous le *c* : *ç*

La cédille se place sous la lettre ***c*** devant ***a***, ***o***, ***u*** pour indiquer la prononciation [s] : *ça, leçon, gerçure.*

La cédille a été empruntée aux Espagnols par les imprimeurs au XVIe siècle.

ATTENTION Les verbes en *-cer* prennent donc un *ç* devant *a* et *o* : *il avance,* mais *il avançait, nous avançons.*

REMARQUE

Il ne faut pas oublier le ç dans les tournures *ç'a été, ç'aura été, ç'aurait été.*

77 Le tréma

Le tréma est un signe qui se place sur le ***e***, le ***i*** et le ***u*** pour indiquer que la voyelle qui précède doit être prononcée séparément : *héroïne, Noël, Saül.*

Le tréma permet en particulier de différencier :
- ***gue*** *(aigue-marine)* de ***guë*** *(aiguë)* ;
- ***ai*** *(paire)* de ***aï*** *(haïr)* ;
- ***oi*** *(roi)* de ***oï*** *(héroïne)* ;
- ***oin*** *(coincer)* de ***oïn*** *(coïncider).*

On écrit avec un tréma *ambiguïté, contiguïté, exiguïté,* et sans tréma *ubiquité.*

Dans les noms propres, le tréma peut :
- soit jouer le même rôle de détachement des voyelles : *Noël, Saül* ;
- soit indiquer qu'une voyelle ne se prononce pas : *Staël* [stal].

N. ORTH. Le Conseil supérieur de la langue française propose :
– de toujours placer le tréma sur la voyelle ***u*** qui doit être prononcée après un **g** : *aiguë* → *aigüe* ;
– d'ajouter un tréma à quelques mots pour éviter des erreurs de prononciation : *arguer* → *argüer**, *gageure* → *gageüre*.
* Mais cette prononciation, qui rapproche *argüer* de *argument*, n'est plus que très rarement usitée. Le verbe *arguer*, sans tréma, semble avoir pris son autonomie.

LES LETTRES ET AUTRES SIGNES DIACRITIQUES

78 Le *e*, le *h* et le *u*

Dans certains cas, ces trois lettres jouent le même rôle qu'un signe auxiliaire de prononciation :

- le ***e*** associé au **g** permet d'avoir toujours le son [ʒ] de la lettre *j* : *nous mangeons* ;
- le ***h*** entre deux voyelles joue le rôle du tréma : *cahier* ;
- le ***u*** associé au **g** permet d'avoir toujours le son [g] : *guitare*.

Dans certains mots d'origine étrangère, le ***h*** associé au **g** permet d'avoir le son [g] de la lettre g : *ghetto, spaghettis*.

79 Le tilde, l'umlaut et le *l* barré

Dans les transcriptions de mots d'autres langues, on rencontre parfois ces trois signes :

- le **tilde** pour l'espagnol, par exemple : *un cañon* ;
- l'« **umlaut** » pour l'allemand, par exemple : *un land, des länder* ;
- le ***l* barré** pour le polonais : un *złoty* (monnaie) ;

mais il est recommandé de franciser ces mots : *un canyon, des lands, un zloty*.

L'APOSTROPHE ET LE PHÉNOMÈNE DE L'ÉLISION

L'apostrophe remplace la voyelle finale ***a*** ou ***e*** de certains mots grammaticaux lorsqu'ils précèdent un mot commençant par une voyelle ou un ***h*** muet. Ce phénomène s'appelle *l'élision*.

~~*le éléphant*~~ → *l'éléphant* ~~*la histoire*~~ → *l'histoire*

80 Les mots qui s'élident

Le, la, je, me, te, se, ne, de, ce et ***que*** et ses composés s'élident devant une voyelle ou un ***h*** muet.

l'hôpital (= le)	*il t'a vu* (= te)	*c'est* (= ce)
l'histoire (= la)	*il s'endort* (= se)	*qu'il vienne, quoi qu'il fasse,*
j'ai faim (= je)	*il n'a rien* (= ne)	*quoiqu'il fasse, parce qu'à Paris,*
il m'a vu (= me)	*si d'aventure* (= de)	*jusqu'à, jusqu'ici...*

Lorsque ne s'élide que devant *elle, en, il, on, un, une* : *lorsqu'ils viendront.* On écrit donc : *lorsque arrivent les vacances.*

Presque ne s'élide jamais :
On était presque arrivés.
SAUF dans le mot *presqu'île.*

Puisque s'élide toujours :

- devant *elle, en, il, on, un, une* : *puisqu'il le faut*;
- et de manière facultative devant une autre voyelle ou un ***h*** muet.
  puisqu'autrefois ou *puisque autrefois*

Si s'élide devant *il(s)* : *s'ils le disent.*

81 Il n'y a jamais d'élision

L'élision ne se fait pas :

- devant un ***h*** aspiré : *la haine, le haricot*;
- devant les nombres *un, huit* et *onze* : *de un à dix*;
  un enfant de onze ans
- devant des mots comme *oui, yaourt, énième* et quelques mots étrangers ;
- devant un mot que l'on cite.
  Il y a trop de « ils » dans ce texte.

REMARQUE
Quand il n'y a pas d'élision, il n'y a bien sûr pas de liaison : *le* | *héros.*

82 Les mots avec une apostrophe

Si on a pu écrire et qu'on rencontre encore parfois *grand'mère, grand'père, entr'apercevoir* ou *s'entr'aider,* l'apostrophe à l'intérieur du mot disparaît. Elle est remplacée par le trait d'union : *grand-mère, grand-père,* ou la « soudure » : *entrapercevoir, s'entraider.*

Quelques mots comportent encore une apostrophe. Ils sont peu nombreux : *aujourd'hui, presqu'île, prud'hommes, prud'homal, quelqu'un.*

LE TRAIT D'UNION

Ce petit trait ou tiret a plusieurs emplois, mais il permet toujours, comme son nom l'indique, d'« unir » plusieurs mots.

➕ C'est l'imprimeur Robert Estienne qui a inventé le trait d'union au XVIe siècle.

83 Le trait d'union dans les mots composés

Le trait d'union unit les éléments des mots composés.
aigre-doux, jaune-orangé, s'arc-bouter, un je-ne-sais-quoi, un presse-citron, un sous-titre

Le trait d'union permet :
- de passer d'une expression à un nom ;
  une illustration hors texte → un hors-texte
- de former librement des mots.
  Voilà Monsieur-qui-dit-toujours-non !

Certains mots peuvent s'écrire avec ou sans trait d'union.
un compte rendu ou *un compte-rendu*

Il y a toujours un trait d'union dans les mots composés avec *arrière, avant, demi, ex, mi, semi, sous* : *sous-effectif.*

Le trait d'union tend à disparaître :
- dans les mots composés d'éléments savants en ***-o*** ;
  oto-rhino-laryngologie → otorhinolaryngologie
- et dans les mots composés avec ***anti-*** ;
  antichar, antimite, antiviral, antivol

SAUF devant un ***i*** ou un ***u*** et s'il y a un risque de hiatus (rencontre de deux voyelles) qui pourrait entraîner une difficulté de lecture : *anti-inflammatoire, auto-immunitaire, intra-utérin.*

84 Le trait d'union dans les mots grammaticaux

On écrit avec un trait d'union les locutions qui commencent par ***au-*** et ***par-*** ;
au-dedans, au-dehors, au-delà, au-dessous, au-dessus, au-devant
par-dehors, par-delà, par-dessus, par-devant, par-là

MAIS on écrit sans trait d'union *en dehors, en dessous.*

Le trait d'union s'emploie devant les particules ***-ci*** et ***-là***.
ce livre-ci, celui-ci ; ce livre-là, celui-là

Le déterminant indéfini ***même*** se joint par un trait d'union à un pronom personnel ;
lui-même, eux-mêmes, vous-même

MAIS il s'emploie sans trait d'union dans les autres cas.
cela même, ici même, le jour même

85 Le trait d'union dans l'écriture des nombres

Dans l'écriture des nombres, le trait d'union s'emploie après les dizaines, sauf quand on emploie *et*. On écrit *vingt-deux* mais *vingt et un*.

N. ORTH. Le Conseil supérieur de la langue française propose de généraliser l'emploi du trait d'union à tous ces nombres composés : *vingt-et-un, cent-trois*.

86 Le trait d'union pour indiquer une relation

On met un trait d'union entre deux mots pour indiquer une relation.
un billet Paris-Marseille
un bon rapport qualité-prix
les relations franco-américaines

87 Le trait d'union devant un pronom

On met un trait d'union devant un pronom :
- lorsqu'il y a inversion du sujet : *Viendrez-vous ?* et de part et d'autre du ***t*** de liaison : *Viendra-t-elle ?*
- après un verbe à l'impératif, deux cas peuvent se présenter :

– il n'y a qu'un seul pronom ;
appelle-moi, dis-moi, donne-lui, parles-en, vas-y
– il y a deux pronoms.
allons-nous-en, donne-le-moi, donne-lui-en, fiez-vous-y

⊕ On écrit *va-t'en* avec un trait d'union et une apostrophe.

88 Le trait d'union devant un mot apposé

On rencontre de plus en plus souvent des noms employés comme des épithètes ou des appositions. Ces juxtapositions peuvent se faire avec ou sans trait d'union. Toutefois, quand le mot ainsi formé a pris son autonomie, le trait d'union s'impose.

On écrit avec ou sans trait d'union : *des phrases(-)types, des postes(-)clés* mais avec un trait d'union : *des cités-dortoirs*.

PONCTUATION ET ORTHOGRAPHE

Signes de ponctuation et autres signes

Lorsqu'on s'exprime à l'oral, on marque des pauses, on a des intonations différentes selon l'intention ou le sentiment qui sous-tendent la parole. À l'écrit, nous disposons de signes qui organisent les phrases, traduisent les pauses et les intonations de l'oral : ce sont les signes de ponctuation. D'autres signes nous permettent de distinguer certains mots, d'insérer une citation, un dialogue, une référence.

LES SIGNES DE PONCTUATION

Les signes qui terminent la phrase

89 Le point

- Le point indique la fin de la phrase. Il termine la phrase sauf si un autre point est choisi (point d'interrogation, d'exclamation ou points de suspension).
  Elle est partie tôt ce matin.
- Le point s'utilise parfois pour mettre en valeur une phrase sans verbe.
  Elle est partie tôt ce matin. Très tôt.
- Le point est facultatif à la fin d'un titre, d'un sous-titre ou d'un intertitre, même si ceux-ci commencent par une majuscule.
  Le cadavre du canal
  La police enquête sur ce mystère.

90 Le point d'interrogation

- Le point d'interrogation termine une phrase interrogative, une question.
  Viendrez-vous demain ?
  La phrase qui suit commence par une majuscule :
  Viendrez-vous demain ? Cela me ferait tant plaisir.

  SAUF

  • dans un discours rapporté ;
  Viendrez-vous ? me demanda-t-il.

- dans une énumération;
  Voulez-vous des fleurs ? des tulipes ? des roses ?
- si la phrase interrogative est elle-même insérée à l'intérieur d'une phrase.
  Un soir, tu t'en souviens ? il pleuvait à torrents.

Le point d'interrogation s'emploie aussi pour traduire l'intonation du doute, de l'incertitude:

- seul à la fin de la phrase;
  Peut-être qu'il viendra ?
- entre parenthèses après une phrase déclarative.
  Il dit qu'il viendra (?) peut-être.

Le point d'interrogation peut s'employer à la fin d'une phrase pour simplement traduire l'intonation d'une question.
Ah ! mais je croyais que vous viendriez ce soir ?

⊕ Il n'y a pas de point d'interrogation à la fin d'une interrogation indirecte: *Je me demandais s'il pourrait venir ce soir-là.*

91 Le point d'exclamation

Le point d'exclamation termine une phrase exclamative.
Quel beau temps !
La phrase qui suit ce point d'exclamation commence par une majuscule :
Quel beau temps ! Si on sortait ?

SAUF

- dans un discours rapporté;
  Quel beau temps ! s'exclama-t-il.
- dans une énumération;
  Il poussait des ah ! des oh !
- si la phrase exclamative est elle-même insérée à l'intérieur d'une phrase.
  Ce soir-là, quelle déception ! il pleuvait à torrents.

Le point d'exclamation se place après une interjection ou un mot-phrase exclamatif.
Ah ! Oh ! Que c'est beau !
Bravo !
Si la phrase qui suit n'est pas une exclamative, elle commence le plus souvent par une minuscule.
Eh bien ! je t'attends.

Placé entre parenthèses, le point d'exclamation marque l'ironie, le doute.
Il paraît qu'il n'a rien vu (!).

Le point d'exclamation peut s'employer à la fin d'une phrase pour simplement traduire l'intonation d'un ordre, d'un étonnement, d'un sentiment vif.

Il n'avait rien vu !
Viens ici !

> ✚ Point d'interrogation et point d'exclamation peuvent être doublés ou combinés pour traduire des sentiments complexes : *Qu'a-t-il dit là ?!*

92 Les points de suspension

Les points de suspension (trois petits points) se placent à la fin d'une phrase qu'on laisse volontairement inachevée, en suspens ;

Pierre était tout décontenancé et là, il... Mais c'est inutile que je vous raconte cette histoire.

en particulier pour ne pas clore une énumération.

Il y avait là des livres d'histoire, de géographie, de mathématiques, de littérature...

> ✚ On choisit *etc.* ou ... mais on ne met jamais de points de suspension après *etc.*

À l'intérieur d'une phrase, les points de suspension peuvent :

- traduire une pause dans l'expression, une hésitation, un moment où la pensée s'échappe ;

C'était un de ces hivers... je me souviens... le ciel était bleu.
Il voulait... ou plutôt il espérait la voir.
Moi, je... je ne suis pas sûr.

- remplacer une partie de phrase, en particulier dans une citation ; dans ce cas, les points de suspension sont placés entre parenthèses ou entre crochets ;

« M. Leuwen père [...] ne redoutait au monde que deux choses : les ennuyeux et l'air humide. » (Stendhal)

- remplacer une partie d'un mot qu'on ne veut pas donner en entier, par pudeur ou discrétion.

Et m... ! dit-il, exaspéré.
Il habitait S..., un village du Périgord.

Les signes qui organisent la phrase

93 La virgule

La virgule correspond le plus souvent à une pause légère à l'oral.

La virgule sépare les éléments juxtaposés d'une énumération (mots ou propositions).

Il y avait des pommes, des poires, des raisins et des fruits secs.
Il sautait, il riait, il criait de joie.

La virgule suit un élément mis en relief en tête de phrase, un mot mis en apostrophe.

Ce jour-là, il avait plu.
Lui, il n'ira pas.
Marie, reviens !

⊕ Après un complément circonstanciel placé en tête de phrase, la virgule est préférable, mais facultative, selon l'intention.
L'an dernier, nous sommes allés au Pérou.
Après trois jours le soleil revint.

On encadre avec deux virgules une précision ou une explication (apposition, incise, relative explicative).

Marie, sa mère, était là.
Je viendrai, je vous l'assure, demain.
Pierre, qui est mon ami, me comprendra.

La virgule se place avant certaines conjonctions ou certains adverbes qui introduisent une restriction: *mais, cependant, toutefois, néanmoins...* ou une explication: *par exemple, à savoir, en particulier...*

Il fait beau, mais il y a des nuages.
Il veut des cadeaux, par exemple des livres.

La virgule se place après des mots comme : *bref, en conclusion, en outre, premièrement.*

On ne met pas de virgule devant *et, ni, ou*;

Ni l'un ni l'autre ne sont venus.

SAUF si la conjonction de coordination est répétée.

Il n'y avait, ni fruits, ni glaces, ni desserts.
Il voulait des fruits, et des glaces, et des desserts.

D'une manière plus générale, la virgule peut s'employer librement pour marquer une pause et mettre en valeur un élément de la phrase.

Il voulait cela, et c'était tout.

ATTENTION On ne sépare jamais par une virgule simple le verbe de son sujet ou de son complément.
On n'écrira donc pas:

~~*Les fleurs que j'ai cueillies, sont belles.*~~
~~*J'ai bu ce soir avec des amis, du champagne.*~~

MAIS on écrira:
– sans virgule: *Les fleurs que j'ai cueillies sont belles*;
– avec deux virgules: *J'ai bu, ce soir avec des amis, du champagne*;
– ou sans aucune virgule: *J'ai bu ce soir avec des amis du champagne.*

94 Le point-virgule

Moins fort que le point, le point-virgule permet d'unir des phrases complètes qu'on veut associer logiquement.

Les enfants l'adoraient; elle le méritait.

Plus fort que la virgule, le point-virgule permet de séparer des parties assez longues d'une phrase, surtout quand elles sont déjà ponctuées par des virgules.

Un enfant peut être intelligent, astucieux, en avance; ce n'est jamais qu'un enfant.

95 Les deux points

Les deux points s'emploient pour introduire :

- une citation, un propos rapporté ;
  Qui a dit : « Je pense donc je suis. » ?
- une énumération ;
  Tout l'intéresse : la lecture, la musique, le sport.
- une explication, une justification, une conséquence.
  Ne t'approche pas du chien : il mord.

LES AUTRES SIGNES GRAPHIQUES

Les signes d'insertion

96 Les parenthèses

On emploie les parenthèses pour insérer, à l'intérieur d'une phrase, un élément explicatif, un exemple, un symbole, une abréviation, une date...

Il ne faut pas confondre Paris (la ville) et Pâris (le personnage de la mythologie).
L'eau (H_2O) est inodore.

On place entre parenthèses la référence d'une citation.

« Maître Corbeau, sur un arbre perché... » (La Fontaine)

Les parenthèses, à l'intérieur d'un mot, indiquent la possibilité d'une double lecture.

On recherche un(e) employé(e).

REMARQUE

Dans un index alphabétique, un dictionnaire, un élément entre parenthèses placé après un mot doit être rétabli dans la lecture avant ce mot : *Richter (échelle de)* se lira *échelle de Richter.*

97 Les guillemets

On emploie les guillemets pour encadrer une citation.
Connaissez-vous cette phrase « Ça vous chatouille ou ça vous gratouille ? », de Jules Romains ?
Si la citation comporte plusieurs paragraphes, on place les guillemets ouvrants au début de chaque paragraphe et on place les guillemets fermants à la fin de la citation. Quand il y a plusieurs lignes, on ne répète pas les guillemets au début de chaque ligne.

Les guillemets mettent en valeur un mot, une expression, un titre.
L'expression « tout de suite » s'écrit sans traits d'union.

On emploie les guillemets dans le style direct, pour rapporter des propos.
Il m'a dit : « Je viendrai demain. »

98 Les crochets

Les crochets jouent le même rôle que les parenthèses. Ils s'emploient en particulier à l'intérieur d'un passage déjà entre parenthèses :
Ces événements (ceux de la Révolution [de 1917]) l'ont marqué.
et, avec des points de suspension, pour indiquer qu'un passage est sauté dans une citation.

99 Le tiret

Le tiret long s'emploie dans un dialogue, chaque fois que l'interlocuteur change, avec un retour à la ligne.
— Tu crois que...
— Que dis-tu ?
— Je te demandais si...

Le tiret court s'emploie dans un texte structuré, une liste, un rapport. Il sépare les éléments d'une énumération, avec un retour à la ligne.
Les questions portent sur :
– le travail
– les méthodes
– le nombre d'intervenants

À l'intérieur d'une phrase, **le tiret long** (simple ou double), plus fort que la virgule ou les parenthèses, met en relief un membre de la phrase, une explication.
Le bruit cessa enfin — il avait duré deux heures.
Le tiret simple met en relief la phrase ou l'élément de phrase qui suit.
Tous les participants — cadres et employés — ont voté.
Le tiret double encadre une explication, des exemples.

Le tiret de coupure des mots s'appelle aussi **trait d'union**. → 103

La barre oblique et l'astérisque

100 La barre oblique

On emploie la barre oblique pour remplacer :

- *par* ou *à* avec des unités de mesure abrégées ;
  La vitesse est limitée à 90 km/h.
- la barre horizontale de fraction dans un texte courant ;
  Prendre 3/4 de litre de lait.
- le trait d'union, en particulier quand ce signe est déjà employé.
  l'alternance travail/repos
  un billet de train Paris-Montparnasse/Rennes
  une orientation sud-est/nord-ouest

La barre oblique peut indiquer une double possibilité.
se préparer à un examen et/ou un concours
un poste de moniteur/trice

101 L'astérisque

L'astérisque se place à la fin d'un mot en appel de note, seul ou entre parenthèses. Dans ce cas on ne doit pas dépasser trois astérisques par page.

⊕ Le mot *astérisque* est masculin, on dit : *un astérisque*.

Ce signe s'utilise aussi après l'initiale d'un nom propre pour garder l'anonymat : *Madame L****
MAIS on préfère aujourd'hui les points de suspension : *Madame L...*

Dans les ouvrages de grammaire, de linguistique, l'astérisque en début de mot indique une forme fautive ou une phrase agrammaticale.

- forme fautive : **aréoport*
  Le terme exact est *aéroport*.
- phrase agrammaticale : **là où il y va*
  On n'emploie pas *y* quand il y a déjà *où*.

LES CITATIONS

102 La présentation des citations

Une citation se place entre guillemets.
« L'enfer, c'est les autres », a dit Sartre.

L'indication de la référence se place après la citation, entre parenthèses.
« On a souvent besoin d'un plus petit que soi. » (La Fontaine)

Pour abréger une citation, on emploie :

- des points de suspension avant les guillemets fermants ;
  « Le ciel était gris de nuages... »
- des points de suspension entre parenthèses ou entre crochets lorsqu'on saute un passage.
  « Le projet de loi [...] sera débattu à l'automne », a affirmé le ministre.

LES COUPURES DE MOTS

103 Comment couper un mot en fin de ligne ?

On ne coupe jamais :

- un mot entre deux voyelles : ~~*thé*~~ | ~~*âtre*~~
  SAUF s'il y a un préfixe : *anti-* | *effraction* ;
- un mot après une seule lettre : ~~*é-*~~ | ~~*lectrique*~~ ;
- un nombre en chiffres : *10 000* ;
- entre un nombre et une unité de mesure, une abréviation ou le mot *siècle* : *10 km, xx*^{e} *s., xxi*^{e} *siècle* ;
- après une apostrophe : *il l'avait, presqu'île* ;
- un nom propre, qu'il soit ou non précédé d'une particule : *La Fontaine, de Gaulle.*

On peut couper un mot :

- entre deux syllabes simples ;
  adoration → *ado-* | *ration*
  malice → *ma-* | *lice*
- entre deux consonnes, en particulier quand il s'agit d'une consonne double ;
  différence → *dif-* | *férence*
  électrique → *élec-* | *trique*
  transporter → *trans-* | *porter*
- après un trait d'union dans les mots composés ;
  arc-en-ciel → *arc-* | *en-ciel*
  On coupe après le premier trait d'union s'il y en a deux.
  arrière-boutique → *arrière-* | *boutique*
- et dans certaines formes verbales à l'impératif.
  donne-m'en → *donne-* | *m'en*

REMARQUE

On ne coupe jamais une forme verbale à l'impératif devant *en* ou *y* : *prends-en, vas-y.*
On ne laisse pas une lettre ou deux lettres en début de ligne après une coupe.

Majuscules et minuscules

La lettre majuscule, ou simplement majuscule, est une lettre manuscrite plus grande que la minuscule. La majuscule a un dessin particulier, différent de celui de la minuscule.

a minuscule *A* majuscule

Dans un texte imprimé ou tapé sur un clavier, la lettre « bas de casse » correspond à la minuscule et la lettre « capitale » correspond à la majuscule.

a bas de casse A capitale

104 La majuscule

On met une majuscule :

- à l'initiale du premier mot d'une phrase ;
  La pluie tombe.
- après un point d'interrogation, un point d'exclamation ou trois points de suspension si, et seulement si, ceux-ci terminent la phrase ;
  Qu'allait-il faire ? Comment allait-il s'en sortir ?
  Que c'était beau ! Je n'en revenais pas.
  Le soir venait de tomber. L'humidité envahit la pièce.
  La première phrase est terminée ; la suivante commence par une majuscule.

MAIS on écrira sans majuscule :
C'est vrai ? me demanda-t-il.
Eh bien ! je ne m'y attendais pas.
Un, deux, trois... et hop !
C'est l'ensemble qui forme une phrase complète ; il n'y a pas de majuscule.

- à l'initiale des noms propres ;
  Marie Durand habite en France sur la planète Terre.

et de certains noms communs quand ils sont employés comme noms propres :
le Créateur, le journal « Le Monde », *vivre dans le Midi* (la région)

- aux noms des grandes périodes ou événements historiques ;
  l'Antiquité, le Moyen Âge, la Renaissance, la Révolution, la Première Guerre mondiale
- aux noms de marques (mots déposés) ;
  une Cocotte-Minute, un Kleenex

- à certains noms employés comme titres ;
  Votre Altesse, merci Docteur, cher Monsieur

MAIS on écrit sans majuscule :
  une altesse royale, monsieur votre père
  Il est docteur en médecine.

- aux noms d'habitants, de nationalités ou de peuples. →106

105 La minuscule

On écrit avec une minuscule :

- les noms de langues, de religions (et de ceux qui les professent) ; →106
- les noms de jours et de mois : *aujourd'hui, lundi 5 août,*

SAUF s'il s'agit d'une date historique : *fêter le 14 Juillet ;*

- les noms de vins, de fromages produits dans la région dont ils prennent le nom : *un bourgogne, un cantal ;*
- les termes génériques de géographie (*océan, mer, mont, golfe...*) :
  l'île de Ré, le lac Léman, le mont Blanc, l'océan Atlantique

SAUF s'ils font partie intégrante du nom propre ;
  Golfe-Juan, l'Île-de-France, le massif du Mont-Blanc

- les noms *monsieur, madame, mademoiselle* et tous les noms de grades, de titres et de fonctions quand ils sont employés dans une phrase ;
  J'ai rencontré monsieur le préfet ce matin.

SAUF par politesse ou par respect dans un courrier, une invitation.
  Je vous remercie, Monsieur le Préfet, de votre attention.

106 Les noms d'habitants, de peuples, de religions, de langues : avec ou sans majuscule ?

On écrit avec une majuscule les noms d'habitants, de nationalités ou de peuples ;
  un Français, un Parisien, un Sioux

MAIS pas l'adjectif correspondant.
  Il est français, il est parisien.

On écrit sans majuscule les noms de langues.
  parler anglais, français
  un cours d'anglais, de français

> ⊕ On écrit donc :
> *C'est un Anglais.*
> (avec une majuscule pour le nom
> *Il est anglais.*
> (avec une minuscule pour l'adjectif)
> *Il parle l'anglais.*
> (avec une minuscule pour le nom de la langue)

On écrit sans majuscule les noms de religions et de ceux qui les professent.
  le christianisme, l'islam, le judaïsme
  un chrétien, un musulman, un juif

107 Les points cardinaux : avec ou sans majuscule ?

Les points cardinaux s'écrivent avec une minuscule pour indiquer l'orientation, la direction.

une terrasse au sud; la face nord; vers l'ouest; des vents d'est

Les points cardinaux s'écrivent avec une majuscule pour désigner une région, un lieu géographique et dans les noms propres.

une maison dans le Sud; le pôle Nord; l'Amérique du Nord

Les points cardinaux s'abrègent en :

N. (nord) S. (sud)

E. (est) O. (ouest)

Et lorsqu'ils sont composés, on met un trait d'union.

N.-O. (nord-ouest)

S.-E. (sud-est)

108 Les majuscules : avec accent ou sans accent ?

Dans un texte manuscrit, il est courant de ne pas mettre d'accent aux lettres majuscules, en particulier lorsque ces lettres sont très ornées : *A*, *E*, *O*. Cela a des origines historiques : la calligraphie et les lettres enluminées existaient avant l'invention des accents. Mais aujourd'hui où les lettres majuscules s'inspirent plutôt des caractères d'imprimerie, le bon sens voudrait que ces majuscules soient accentuées.

Dans un texte imprimé ou tapé sur un clavier, l'accent sur les capitales est de rigueur. L'accent fait partie de l'orthographe du mot. L'absence d'accent gêne la lecture, peut créer des ambiguïtés, voire des contresens, en particulier quand il s'agit d'un titre, d'une inscription ou d'un slogan écrits en lettres capitales, ce qui est très fréquent.

LES RETRAITES AUGMENTENT

S'agit-il des pensions ou des personnes retraitées ?

UN HOMME TUE EN PLEINE RUE

Il tue ou est tué ?

⊕ Les majuscules ou les capitales doivent être accentuées, conformément à l'orthographe du mot : *À demain !*
LIBERTÉ ÉGALITÉ FRATERNITÉ

L'écriture des nombres

Les nombres peuvent s'écrire en toutes lettres, en chiffres arabes (1, 2, 3, 4...) ou en chiffres romains (I, II, III, IV...).
Le choix du mode d'écriture n'est pas indifférent : il répond presque toujours à un contexte particulier.

LES NOMBRES EN TOUTES LETTRES

109 Quand écrit-on les nombres en toutes lettres ?

Le bon usage veut que dans un texte non technique on écrive les nombres en toutes lettres, en particulier quand il s'agit de nombres peu complexes.

une armée de deux mille hommes
les contes des mille et une nuits
Il venait d'avoir dix-huit ans.

Mais on écrit presque toujours en chiffres les nombres complexes pour faciliter la lecture : *une pétition signée par 2575 personnes.*

Il est cependant impératif d'écrire les nombres en toutes lettres dans les documents officiels, les contrats, les chèques..., c'est-à-dire chaque fois qu'il y a un risque d'erreur ou de falsification possible.

110 Comment écrire les nombres en toutes lettres ?

En dehors des mathématiques, les nombres sont des adjectifs – ou déterminants – numéraux cardinaux. Ils s'emploient pour indiquer une quantité d'êtres ou d'objets.

Ce sont des mots simples et des mots composés :

- des mots simples : *un, deux, trois, cent, mille* ;
- des mots composés :

– par addition : *dix-huit* (10 + 8), *trente et un* (30 + 1) ;
– par multiplication : *deux cents* (2 x 100) ;
– par multiplication et addition : *deux cent trois* ((2 x 100) + 3).

On met normalement un trait d'union dans les composés inférieurs à *cent* : *vingt-deux, quarante-quatre, quatre-vingt-trois* ;
SAUF s'ils sont coordonnés par *et* : *vingt et un, trente et un, soixante et onze.*

N. ORTH. Le Conseil supérieur de la langue française recommande de simplifier cette règle en admettant le trait d'union entre chaque élément du nombre composé : *neuf-cent-vingt-et-un.*

111 *Cent*, *vingt* et *mille* : avec ou sans *s* ?

D'une manière générale les nombres sont invariables. Seuls les nombres *vingt* et *cent* peuvent, sous certaines conditions, prendre un ***s***.

Cent

- On écrit ***cents*** avec un ***s*** quand il est multiplié par un nombre, qu'aucun nombre ne le suit et qu'il indique une quantité (numéral cardinal).

  deux cents pages

  Cent est multiplié par *deux* (2 x 100).

- On écrit ***cent*** sans ***s*** dans tous les autres cas.

  tous les cent ans

  Cent n'est ni multiplié ni suivi d'un autre nombre.

  une maison de cent vingt ans

  Cent est ici suivi d'un nombre (*vingt*) et il n'est pas multiplié.

  une maison de deux cent vingt ans

  Cent est ici multiplié (par *deux*) mais suivi d'un autre nombre (*vingt*).

  Ouvrez vos livres page deux cent.

  Deux cent est ici un numéral ordinal, qui indique l'ordre (la deux centième page) et non la quantité.

ATTENTION aux erreurs de prononciation :
– *cent ans* se lit *cent* [-t-] *ans* donc *cent euros* se lit *cent* [-t-] *euros* ;
– *deux cents ans* se lit *deux cents* [-z-] *ans* donc *deux cents euros* se lit *deux cents* [-z-] *euros*.

Vingt

- ***Vingt*** ne prend un ***s*** que dans ***quatre-vingts*** si aucun nombre ne le suit et s'il s'agit d'une quantité (numéral cardinal).

  quatre-vingts ans

  Vingt est ici multiplié par *quatre* (80 = 4 x 20).

MAIS on écrit :

quatre-vingt-deux ans (80 + 2)

Ouvrez vos livres page quatre-vingt.

Quatre-vingt est ici un numéral ordinal, qui indique l'ordre (la quatre-vingtième page) et non la quantité.

Mille

- L'adjectif numéral ***mille*** ne prend **jamais de** *s*.
  cinq mille neuf cent quatre-vingt-douze

ATTENTION *Million* et *milliard* ne sont pas des adjectifs mais des noms. Ils prennent donc la marque du pluriel : *trois milliards et deux cents millions de personnes*.

LES NOMBRES EN CHIFFRES ARABES

112 Écrire en chiffres arabes

Pour une meilleure lisibilité dans l'écriture des grands nombres, on sépare par un blanc les tranches de trois chiffres en partant de l'unité.

18 233 1 158 233
158 233 10 158 233

En France, les décimales sont séparées du nombre entier par une virgule (ou par un point dans les pays anglo-saxons). Quand elles sont nombreuses, les décimales sont aussi séparées par tranche de trois chiffres.

π = 3,141 592 653 589...

On ne sépare pas un nombre de 4 chiffres par un blanc, en particulier pour un millésime, un numéro, un nombre de pages ou une date.

l'an 1789, code 2304, page 1305, le 5 août 2012

LES NOMBRES EN CHIFFRES ROMAINS

113 Qu'écrit-on en chiffres romains ?

On écrit en chiffres romains :

- les subdivisions d'un ensemble imprimé (volume, tome, fascicule, chapitre) ;
  Prendre l'encyclopédie, tome II.

MAIS aujourd'hui, ces subdivisions sont souvent numérotées en chiffres arabes ;

- les arrondissements d'une ville : *Paris XIV* ;
- les numéros d'ordre des rois, des empereurs, des régimes ;
  *Henri IV, Louis XV, Napoléon III, la V*e *République*
- les siècles et parfois les dates.
  C'était au XXe *siècle.*

114 Comment écrire en chiffres romains ?

Nous disposons de sept signes pour écrire tous les nombres entiers en chiffres romains.
Ces signes sont des lettres capitales.

I	V	X	L	C	D	M
1	5	10	50	100	500	1000

Un trait horizontal sur une lettre-chiffre la multiplie par mille.
$\overline{\text{V}}$ se lit *cinq mille.*

Pour former les nombres, on procède par addition et par soustraction :

- par addition quand une lettre-chiffre est égale ou supérieure à la suivante ;
  3 → III (I + I + I)
  6 → VI (V + I)
  103 → CIII (C + III)
- par soustraction quand une lettre-chiffre est inférieure à la suivante.
  4 → IV (I ôté de V)
  98 → XCVIII (X ôté de C) + (V + III)

REMARQUE

On n'ajoute jamais plus de trois lettres-chiffres semblables.
On écrit donc :
- III pour 3 ;
- IV pour 4 (= 1 ôté de 5) ;
- CD pour 400 (= 100 ôté de 500) et non quatre fois la lettre C.

LES DATES

115 Comment écrire la date ?

La date s'écrit en minuscules :
Lyon, le 15 juillet 2011 ; rendez-vous lundi 10 mars
SAUF pour désigner une fête, un événement historique.
fêter le 14 Juillet ou *le Quatorze Juillet*

La date peut s'abréger avec des points, des traits d'union ou des barres obliques en suivant l'ordre jour-mois-année.
le 12-9-2012

La date s'écrit en toutes lettres dans des textes officiels.
Fait à Paris, le douze avril mille neuf cent quatre-vingt-dix-neuf.

LES TROIS FAÇONS D'ÉCRIRE LES NOMBRES

116 L'écriture des nombres en chiffres et en lettres

1	un	I
2	deux	II
3	trois	III
4	quatre	IV
5	cinq	V
6	six	VI
7	sept	VII
8	huit	VIII
9	neuf	IX
10	dix	X
11	onze	XI
12	douze	XII
13	treize	XIII
14	quatorze	XIV
15	quinze	XV
16	seize	XVI
17	dix-sept	XVII
18	dix-huit	XVIII
19	dix-neuf	XIX
20	vingt	XX
21	vingt et un	XXI
22	vingt-deux	XXII
23	vingt-trois	XXIII
24	vingt-quatre	XXIV
25	vingt-cinq	XXV
26	vingt-six	XXVI
27	vingt-sept	XXVII
28	vingt-huit	XXVIII
29	vingt-neuf	XXIX

30	trente	XXX
40	quarante	XL
50	cinquante	L
60	soixante	LX
70	soixante-dix	LXX
80	quatre-vingts	LXXX
90	quatre-vingt-dix	XC
100	cent	C
200	deux cents	CC
300	trois cents	CCC
400	quatre cents	CD
500	cinq cents	D
600	six cents	DC
700	sept cents	DCC
800	huit cents	DCCC
900	neuf cents	CM
1 000	mille	M
2 000	deux mille	MM
10 000	dix mille	$\overline{X}$
100 000	cent mille	$\overline{C}$
1 000 000	un million	$\overline{M}$

Abréviations, sigles et symboles

L'abréviation permet d'écrire ou de nommer de manière plus courte. Il existe plusieurs types d'abréviations qui répondent à plusieurs procédés abréviatifs. Certaines abréviations sont devenues des mots à part entière. Ces mots ont pu eux-mêmes donner naissance à de nouveaux mots comme *bio, érémiste, laser, radar, smic, smicard*.

LES TYPES D'ABRÉVIATIONS

117 L'abréviation uniquement écrite d'un mot

- On écrit une ou plusieurs lettres mais on prononce le mot entier : *M.* pour *monsieur*, *p.* pour *page*.
- L'abréviation est suivie d'un point abréviatif : *av.* pour *avenue* ;
  SAUF quand la dernière lettre de l'abréviation est aussi la dernière lettre du mot abrégé : *bd* pour *boulevard*, *M*[e] pour *maître*.
- Au pluriel, il peut exister des formes spécifiques : *M*[es] pour *maîtres*, *MM.* pour *messieurs*, *pp.* pour *pages*.

118 L'abréviation orale et écrite d'un mot

- Le plus souvent on supprime la fin du mot : *bac* pour *baccalauréat*, *météo* pour *météorologie* ou *météorologique*, *stéréo* pour *stéréophonie* ou *stéréophonique*, *télé* pour *télévision*.
- L'abréviation du nom prend la marque du pluriel : *des profs, des psys, des télés*.
- L'abréviation de l'adjectif est le plus souvent invariable, mais l'usage hésite parfois.

  des bacs pro, des bulletins météo, des produits bio ou *bios*
  Ils sont très pro ou *pros.*

REMARQUE
Plus le mot est installé dans la langue courante, plus il tend à se régulariser et donc à prendre la marque du pluriel : il n'est plus perçu comme une abréviation.

119 L'abréviation d'un groupe de mots : le sigle et l'acronyme

Le sigle

- Le sigle est constitué des initiales de plusieurs mots.
  taxe sur la valeur ajoutée → T.V.A.
  habitation à loyer modéré → H.L.M.
- Le sigle s'écrit en lettres capitales, il ne prend pas d'accent et il est invariable. On écrit : *des* CD et non, comme on le voit trop souvent dans les publicités, *des* ~~CDs~~.

L'acronyme

L'acronyme est un sigle qui se prononce comme un mot ordinaire. Il peut être toujours perçu :

- comme une abréviation : CAPES *(certificat d'aptitude au professorat de l'enseignement secondaire)* ;
- ou comme un mot ordinaire, qu'on écrit en capitales ou en minuscules : *smic, sicav,* SAMU, *fiv, sida.*

⊕ L'usage des points et des majuscules tend à disparaître : *une hlm, le smic.*

REMARQUE

Dans ce cas, le développement du groupe de mots à l'origine de l'acronyme est devenu une simple étymologie : *salaire minimum interprofessionnel de croissance, société d'investissement à capital variable, service d'aide médicale d'urgence, fécondation in vitro, syndrome d'immuno-déficience acquise.*

120 Les symboles

Un symbole peut être un signe (@ pour *arobase*), une lettre (*m* pour *mètre*) ou un groupe de lettres (*na* symbole du *sodium*). Le symbole est commun à toutes les langues. Les abréviations d'unités de mesure sont des symboles.

Les symboles ne sont jamais suivis d'un point et ne prennent jamais la marque du pluriel.

k pour *kilo*
kg pour *kilogramme*
km pour *kilomètre*

⊕ On écrit sans *s* :
Il a parcouru 100 km.
Et non comme on le voit trop souvent : *100* ~~*kms.*~~

LES ABRÉVIATIONS USUELLES

121 Principales abréviations

TITRES

docteur	Dr ou D^{r}
madame	Mme ou Mme
mesdames	Mmes ou Mmes
mademoiselle	Mlle ou Mlle
mesdemoiselles	Mlles ou Mlles
maître	Me ou M^{e}
maîtres	Mes ou M^{es}
monsieur	M.
messieurs	MM.
professeur	Pr ou P^{r}

CORRESPONDANCE, ADRESSES

arrondissement	arr.
avenue	av.
boulevard	bd ou boul.
faubourg	fg
place	pl.
boîte postale	B.P.
en ville	E.V.
aux bons soins de	c/o *(care of)*
Compagnie	Cie
Établissements	Ets ou E^{ts}
Société	Sté ou S^{té}
notre référence	N/Réf.
par ordre	p. o.
pièce jointe	p. j.
post-scriptum	P.-S.
pour copie conforme	p.c.c.
s'il vous plaît	S.V.P.
répondre s'il vous plaît	R.S.V.P.
tourner s'il vous plaît	T.S.V.P.
téléphone	tél.
adresse électronique	mél.

TEXTES DIVERS

c'est-à-dire	c.-à-d.
et cetera	etc.
confer	cf.
idem	id.
page	p.
pages	pp.
numéro	n°
avant midi	a.m. ***(ante meridiem)***
après midi	p.m. ***(post meridiem)***
avant Jésus-Christ	av. J.-C.
après Jésus-Christ	apr. J.-C.
siècle	s.
environ	env.
saint	St
sainte	Ste
Notre-Dame	N.-D.

UNITÉS DE MESURE

(il n'y a jamais de point)

litre	l
mètre	m
kilomètre	km
gramme	g
kilogramme	kg
heure	h
minute	min
seconde	s

SYMBOLES

copyright	©
marque déposée	®
paragraphe	§
et commercial	&
arobase	@

VOCABULAIRE ET ORTHOGRAPHE

Les mots

L'ensemble des mots d'une langue constitue le vocabulaire, le lexique de cette langue. Les dictionnaires en présentent un inventaire plus ou moins étendu. Quand on parle, on utilise aussi d'autres mots : diminutifs affectifs, onomatopées, abréviations, etc. que les dictionnaires n'enregistrent pas, et des noms propres qui ne sont pas comptés comme mots de la langue, mais qui peuvent devenir – ou donner naissance à – des noms ou adjectifs du vocabulaire général (*don juan, marxiste, français, italien*, etc.).

LES ORIGINES DU VOCABULAIRE FRANÇAIS

122 Le fonds primitif

Le vocabulaire français s'est constitué à partir d'un fonds latin (le latin parlé par les Romains qui conquirent la Gaule) auquel se sont ajoutés, lors des Grandes Invasions, des mots germaniques et franciques. Ce fonds est appelé «**fonds primitif du français**». C'est lui qui fournira les mots essentiels de la vie quotidienne.

Les **Serments de Strasbourg** (en 842) sont une des premières attestations de l'existence d'une langue romane (issue du latin des Romains) : l'ancien français.

123 L'enrichissement du vocabulaire

Du Moyen Âge à nos jours, le vocabulaire s'enrichit. À chaque époque, des mots nouveaux apparaissent, témoins de l'évolution des sociétés, des idées, des sciences et des techniques. Ces mots nouveaux sont principalement de trois sortes.

Les emprunts au latin classique et aux langues étrangères

• Les notions abstraites, juridiques, administratives *(abolir, abstrait, administration...)*, qui n'existaient pas en ancien français, langue plus concrète, sont empruntées au latin classique. Des mots savants *(misanthrope, arithmétique, archéologie, athée...)* sont empruntés au grec par ou sans l'intermédiaire du latin des érudits. La médecine, la botanique emprunteront aussi au latin et au grec leur terminologie.

Ces mots qui nous sont venus d'ailleurs

- Les voyages et les échanges internationaux, les conflits et les guerres ont fait « voyager » les mots d'une langue à l'autre.
- Voici des exemples de mots qui ne sont plus perçus comme des mots étrangers :

– *zéro, chiffre, amiral, algèbre* viennent de l'arabe ;
– *redingote, sport, partenaire, paquebot* viennent de l'anglais ;
– *chocolat, tomate* viennent d'une langue aztèque ;
– *valse, cible, renne, accordéon* viennent de l'allemand ;
– *banque, ambassade, aquarelle* viennent de l'italien ;
– *abricot, camarade, embargo* viennent de l'espagnol.

- Ce phénomène est toujours présent aujourd'hui : la communication est mondialisée, les cultures peuvent s'interpénétrer et l'anglais devient une langue internationale. Les commissions de terminologie proposent des équivalents français aux anglicismes. Certains fonctionnent (*logiciel* pour *software*), d'autres non (*mercatique* pour *marketing*), et le terme anglais s'implante et s'intègre au français. Mais, à côté de ces anglicismes, nombre de mots d'origine étrangère enrichissent notre connaissance du monde et les mots de notre vocabulaire.

Ces mots qui nous viennent d'ailleurs

Voici quelques exemples de mots qui sont plus ou moins perçus aujourd'hui comme des mots étrangers :
– *poussah, wok, taoïsme, mah-jong* viennent du chinois ;
– *couscous, babouche, barda, baobab, burnous, méchoui* viennent de l'arabe ;
– *judo, kaki, surimi, sushi* viennent du japonais ;
– *diktat, edelweiss* viennent de l'allemand.

Le recours aux racines grecques et latines

De très nombreux termes « savants », scientifiques et techniques, sont formés depuis la deuxième moitié du XVIIIe siècle à partir d'éléments essentiellement grecs et latins. → 137

Les formations françaises

Former un mot à partir d'un mot déjà existant, tel est le principe qui, depuis le latin, permet de créer de nouveaux mots. On a ainsi forgé à la fin du siècle dernier le verbe *déconstruire* à partir de *construire*, mot qui prend un sens distinct de *démolir* ; ou les mots *évènementiel* à partir de *évènement*, *compassionnel* à partir de *compassion* ; *dérèglementer* à partir de *réglementer*, etc. → 134-135

LE VOCABULAIRE D'AUJOURD'HUI

124 L'étendue du vocabulaire

Si l'on considère qu'un mot du vocabulaire français est une unité de la langue telle qu'elle figure à la nomenclature d'un dictionnaire de français, on peut définir les trois ordres de grandeur suivants.

Un **vocabulaire usuel**, commun à tous les usagers du français, d'environ 25 à 30 000 mots. Il s'agit presque toujours de mots polysémiques (qui ont plusieurs sens) et de leurs dérivés.

Un **vocabulaire général** d'environ 50 000 mots qui, en plus du vocabulaire usuel courant, comporte :

- des termes plus spécialisés relevant de tous les domaines du savoir : médecine, finance, sports, biologie, techniques diverses, etc. La compréhension de ces termes, véhiculés par les médias, l'enseignement, les ouvertures au monde que nous connaissons aujourd'hui, est devenue nécessaire à l'homme du XXIe siècle ;
- des régionalismes, des mots de la publicité, des nouvelles technologies qui viennent aussi enrichir le vocabulaire courant, de même que des termes familiers, argotiques ou populaires qui quittent la rue ou les « milieux » pour pénétrer le vocabulaire dit courant (*bouquin, ripou, meuf, thune*).

Un **vocabulaire plus étendu** d'environ 80 à 100 000 mots dans les grands dictionnaires comme le *Trésor de la langue française*, le *Grand Dictionnaire encyclopédique Larousse* ou le *Grand Robert*. Ces dictionnaires intègrent à leur nomenclature un plus grand nombre de termes scientifiques et techniques, de mots littéraires ou vieillis, de régionalismes, de mots de la francophonie, etc.

À ces 100 000 mots, il faudrait ajouter une bonne partie de chacun des lexiques ou **dictionnaires particuliers réservés aux spécialistes** (lexique de la cordonnerie, de la menuiserie, vocabulaire de la psychanalyse, dictionnaire de mathématiques, de médecine, encyclopédie de botanique, etc.). Ainsi, compter « tous » les mots d'une langue est impossible.

REMARQUE

Certains, en particulier dans des annonces publicitaires (pour des dictionnaires en ligne, des correcteurs d'orthographe, des jeux de lettres, etc.), annoncent des 400 ou 500 000 mots. Il ne s'agit pas de mots au sens où nous l'entendons ici, mais de « formes ». Ainsi le verbe *voir* compte dans un dictionnaire pour un mot, mais compte pour 40 mots (toutes les formes conjuguées) dans ces messages publicitaires.

125 Vocabulaire général et orthographe

Si personne ne peut connaître tous les mots du vocabulaire général, on peut toutefois acquérir des automatismes qui permettront d'avoir une bonne orthographe.

• Lire : la lecture est bien sûr la base de l'apprentissage de l'orthographe puisqu'elle permet de fixer l'« image » du mot associée au « sens » du mot.

• Consulter un dictionnaire général ou un dictionnaire de difficultés en vérifiant le sens du mot proposé.

• Connaître l'orthographe des mots grammaticaux. → 127

• Connaître l'orthographe et le sens des principaux éléments de formation des mots (préfixes, suffixes et racines latines ou grecques). → 134-137

• Penser aux familles de mots. → 130

• S'intéresser aux « curiosités » : les homonymes et les paronymes, ces mots qui se ressemblent, mais dont le sens est bien différent. → 151-172

Du point de vue du sens

Du point de vue du sens, on distingue deux grands ensembles de mots : les mots lexicaux et les mots grammaticaux.

126 Les mots lexicaux

Les mots lexicaux désignent des êtres, des objets, des actions, des états, etc., pour lesquels on peut formuler une définition. Ce sont les noms, les adjectifs, les verbes, les adverbes.

Leur nombre peut augmenter au fur et à mesure que des objets nouveaux, des notions nouvelles, des faits de société nouveaux apparaissent et ont besoin d'être nommés. Ces mots nouveaux s'appellent des « néologismes ».

127 Les mots grammaticaux

Les mots grammaticaux ou mots-outils n'ont pas de sens précis par eux-mêmes mais ils permettent de dire le genre du nom, d'établir des relations grammaticales entre les mots ou les phrases, ou de représenter un autre mot, une autre phrase. Ce sont les déterminants, les prépositions, les conjonctions, et les pronoms. Leur nombre est limité.

Connaître l'orthographe de ces mots grammaticaux et de quelques adverbes très courants est essentiel car, en organisant la phrase, ils permettent de lui donner son sens.

Nous donnons ci-dessous une liste de mots grammaticaux invariables et d'adverbes sur lesquels les hésitations sont les plus fréquentes.

à	préposition *(une tasse à café; aller à Paris)* qu'il ne faut pas confondre avec ***a*** du verbe *avoir (il a)*
après	avec un accent grave comme dans *près (≠ loin)*
beaucoup	avec un ***p*** muet
bientôt	avec un accent circonflexe comme dans *tôt*
ça	sans accent au sens de « cela »
çà	avec un accent grave pour indiquer le lieu : *çà et là*
c'est-à-dire	avec des traits d'union
d'abord	avec une apostrophe
davantage	en un mot
deçà/delà	avec un ***à***
déjà	avec un ***à***
dès (que)	avec un accent grave
désormais	avec un accent aigu et avec ***ais*** comme dans *mais*
dorénavant	avec ***ant*** comme dans *avant*
eh bien	avec ***eh***
encore	avec un ***e*** final
environ	sans ***s*** au sens de « à peu près »
hormis	avec un ***s***
là	avec un accent grave pour indiquer le lieu *(il est là, là-bas, là-haut...)* et comme particule *(celui-là, ce livre-là)*
malgré	en un mot
néanmoins	sans ***t***
ou	sans accent au sens de « ou bien »
où	avec un accent grave pour indiquer le lieu
parmi	sans ***s***
peut-être	avec un trait d'union
près	avec un accent au sens de « à côté de » ou « sur le point de », qu'il ne faut pas confondre avec l'adjectif *prêt, prête*
quand	avec un ***d*** pour indiquer le temps, qu'il ne faut pas confondre avec *quant à*
quant à	avec un ***t*** au sens de « en ce qui concerne »
quelque	sans ***s*** au sens de « à peu près » devant l'expression d'un nombre : *Quelque 10 000 hommes se pressaient sur la place de la République.* Ne pas confondre avec *quel que/quelle que*, mots variables toujours suivis du verbe *être (devoir être, pouvoir être)* au subjonctif : *quel que soit votre choix; quels que soient, puissent être vos choix.*
quelques	avec un ***s*** au sens de « plusieurs »
soi-disant	avec le pronom *soi* (sans ***t***)
tout à fait	sans traits d'union, comme *tout à l'heure, tout à coup*

toutefois	en un mot
voilà	avec un accent grave
volontiers	avec un *s*

Du point de vue de la forme

Du point de vue de la forme, on distingue trois grands ensembles de mots (ou unités du lexique) : les mots simples, les mots composés et les locutions.

128 Les mots simples et les mots composés

Ce sont ces mots qui figurent à la nomenclature des dictionnaires de français.

Les mots simples sont constitués d'une seule suite de lettres entre deux blancs. Ce sont les plus nombreux.

arc, garde, il, qui, château...

Les mots composés sont constitués de plusieurs mots traditionnellement liés par un trait d'union.

arc-en-ciel, garde-malade...

129 Les locutions et les expressions

Une locution est un groupe de mots qui équivaut à un mot composé sans trait d'union. Elle joue le même rôle qu'un mot simple, quelle que soit sa nature :
- *à cause de, quant à, afin de* sont des locutions prépositives ;
- *bon marché, bon enfant* sont des locutions adjectives ;
- *sans cesse* est une locution adverbiale ;
- *prendre garde* est une locution verbale ;
- *pomme de terre, chemin de fer* sont des locutions nominales (équivalant à un nom).

REMARQUE
On nomme parfois « mots composés sans trait d'union » ces locutions nominales.

Une expression est un ensemble de mots dont le sens global est indépendant du sens propre de chacun des mots qui la composent.

Tomber des nues. (= être étonné)
Mettre la puce à l'oreille de quelqu'un. (= l'alerter)

Excepté quelques cas comme *pomme de terre, quant à* ou *chemin de fer*, ces locutions et expressions n'ont pas d'entrées autonomes dans les dictionnaires. On trouvera *bon enfant* à *enfant, chou rouge* à *chou, quelque chose* à *chose*, etc.

La formation des mots

On entend par formation des mots l'ensemble des systèmes ou procédés qui permettent de former des mots nouveaux, que ce soit à partir de mots déjà existants (*construire* → *déconstruire* ; *écologie* + *emballage* → *écoemballage* ; *macro-* + *économie* → *macroéconomie*) ou à partir d'éléments ayant chacun leur propre signification (*psycho-* + *-pathe* → *psychopathe*).
Tous ces procédés attestent de la créativité et de la vitalité du français. Tous permettent d'avoir, s'ils sont connus, une idée, une intuition de l'orthographe des mots ainsi formés.

LES PROCÉDÉS

Les procédés les plus anciens (et toujours les plus courants aujourd'hui) de formation des mots sont la dérivation et la composition. À ceux-ci s'ajoutent l'abréviation, en particulier le sigle, et le mot-valise, procédés assez productifs en français contemporain.

REMARQUE

L'emprunt, le nom propre, le nom de marque sont à l'origine de mots nouveaux, mais ce ne sont pas des « procédés » de formation des mots.
Ainsi, rien ne peut nous conduire à déduire l'orthographe d'un mot anglais comme *addict*, d'un nom issu d'un nom propre comme *diesel* ou d'un nom de marque comme *frigidaire*.
Mais ces mots peuvent à leur tour, grâce aux procédés de formation, donner naissance à d'autres mots : *addictif, addictologie, diéséliste* par dérivation ou *frigo* par abréviation, par exemple.

130 La dérivation

Ce procédé permet de former un mot à partir d'un autre mot par l'ajout d'un élément appelé, selon le cas, *préfixe* ou *suffixe*. Le mot obtenu est un « dérivé ». **L'ensemble des dérivés d'un mot constitue sa famille.**

Le **préfixe** se place au début du mot. Il modifie le sens du mot de base sans changer sa catégorie grammaticale : ***dé-***, ***re-***, ***sur-***... sont des préfixes.

⊕ On appelle *mot de base* le mot à partir duquel on forme d'autres mots.

Ainsi, à partir du verbe *organiser*, on peut former le verbe *désorganiser*.

organiser → *désorganiser*
verbe → verbe

La catégorie grammaticale du mot n'est pas modifiée, c'est toujours un verbe, mais on a créé un mot de sens contraire.
On trouvera les principaux préfixes au paragraphe →134.

Le suffixe se place à la fin du mot ou de son radical. Il peut modifier sa catégorie grammaticale : ***-(a)tion***, ***-able***, ***-ement***, ***-isme***, ***-iste***... sont des suffixes.
Ainsi, à partir du mot de base *capital*, on a formé le mot *capitalisme* ; un nom a donné un autre nom (ici un nom de doctrine ou de système) ;

capital → *capitalisme*
nom → nom

ou à partir du radical du verbe *organiser*, on a formé le nom *organisation*.

organiser → *organisation*
verbe → nom

La catégorie grammaticale du mot est modifiée ; ce n'est plus un verbe, c'est un nom et le mot créé indique l'action ou le résultat de l'action exprimée par le verbe de base.
On trouvera les principaux suffixes au paragraphe →135.

> ⊕ Le *radical* est la partie du mot qui porte son sens, qui ne bouge pas quel que soit le suffixe.

Un dérivé peut bien sûr être formé à partir d'un autre dérivé : le mot obtenu comporte à la fois un préfixe et un suffixe.

organiser → *désorganiser* → *désorganisation*

131 La composition

Ce procédé permet de former un mot à partir de deux ou plusieurs mots ou éléments qui ont chacun leur sens propre. Le mot ainsi formé est un composé.

Le composé peut être formé de deux ou plusieurs mots qui peuvent s'écrire :
– avec un trait d'union : *chou-fleur, porte-monnaie, après-midi, garde-fou, perce-neige* ;
– sans trait d'union : *chou rouge, pomme de terre, chemin de fer* ;
– soudés : *portefeuille, autoradio, bonhomme.*

> ⊕ On réserve couramment le terme de *mot composé* aux seuls mots écrits avec un trait d'union : *presse-citron, arc-en-ciel.*

REMARQUE
On écrit encore avec une apostrophe : *aujourd'hui* ou *prud'homme*.

Le composé peut être formé d'une juxtaposition d'éléments savants (racines grecques ou latines) ou de mots français et d'éléments savants. Ce sont surtout des mots scientifiques ou spécialisés qui s'écrivent :

– presque toujours soudés : *orthographe, polychrome, régicide, insecticide*;
– quelquefois avec un trait d'union : *oto-rhino-laryngologie, broncho-pneumonie.*
Mais on tend à écrire tous ces mots soudés.
On trouvera les principales racines grecques et latines au paragraphe → 137.

132 Les abréviations et les sigles

Les abréviations

Certaines abréviations peuvent devenir des mots autonomes qui, à leur tour, vont permettre de former d'autres mots, en particulier par composition.

cinématographe → cinéma → ciné; et *ciné → cinéphile*
automobile → auto; et *auto → autoradio*

Les sigles

Un sigle est un mot formé à partir des initiales de plusieurs mots.

• Les mots R.M.I. (revenu minimum d'insertion), SMIC (salaire minimum interprofessionnel de croissance), C.A.P.E.S. (certificat d'aptitude au professorat de l'enseignement secondaire) ou O.N.U. (Organisation des Nations unies) sont des sigles (noms communs ou noms propres).
Ces sigles sont des mots à part entière qui peuvent à leur tour donner naissance à d'autres mots, en particulier par dérivation.

• Du point de vue de l'orthographe, on distingue alors deux cas de figure :
– le sigle se prononce en détachant chaque lettre : R.M.I., C.G.T. et le dérivé s'écrit *RMIste* ou *érémiste, CGTiste* ou *cégétiste*;
– le sigle se prononce comme un mot ordinaire, c'est un **acronyme**, et le dérivé s'écrit aussi comme un mot ordinaire : *capésien, smicard, onusien.*

⊕ Un *acronyme* est un sigle qui se prononce comme un mot ordinai[re] *sida, sicav, laser* sont à l'origine des acronymes mais ils ne sont plus perçus comme des abréviations.

133 Les mots-valises

Un mot-valise est un mot formé à partir de deux mots dont au moins un est tronqué.

• La caractéristique du mot-valise est qu'il porte en lui le sens des deux mots dont il est formé.

adulescent (*adu*[lte + ado]*lescent*)
alicament (*ali*[ment + médi]*cament*)

• L'orthographe du mot-valise se déduit par l'appréhension du sens et de l'orthographe de chacun des deux mots dont il est formé.

⊕ En 1848, Victor Hugo avait dé[jà] créé ce qu'on appelle aujourd'hu[i] un mot-valise : *foultitude* à partir des mots *foule* et *multitude*.

LES ÉLÉMENTS DE FORMATION DES MOTS

De très nombreux mots du vocabulaire courant sont formés à l'aide de préfixes et de suffixes.
De très nombreux mots du vocabulaire technique, spécialisé ou scientifique sont formés à partir d'éléments tirés du latin ou du grec. Bien connaître ces racines grecques et latines est un atout majeur pour la maîtrise de l'orthographe.

Les préfixes et les suffixes

134 Les principaux préfixes

Ce sont les préfixes du vocabulaire courant, que l'on considère aujourd'hui comme des préfixes français, par opposition aux éléments savants.
Ces préfixes peuvent présenter des difficultés qui portent essentiellement sur trois points : l'emploi ou non du trait d'union, le redoublement ou non de la consonne entre le préfixe et le mot de base, la confusion possible entre deux préfixes.
La liste qui suit présente ces difficultés.

a-

• est suivi d'une consonne double quand le mot commence par une consonne telle que ***c, f, g, s*** ou ***t*** : *accoutumer, affamer, agglomérer, assoiffer, atterrir.*

REMARQUE
Il faut distinguer deux préfixes ***a-***. Le premier – dont il est question dans la règle ci-dessus –, est issu du latin *ad,* qui exprime l'idée de passage, de mouvement (*apeurer, aboutir, atténuer*) ; le second, moins fréquent, provient du latin *ab* et a un sens privatif (*anonyme, anormal, atypique*).

anti-

• se joint sans trait d'union à un mot : *anticoagulant, antiéconomique,* **SAUF** devant un ***i*** ou un mot déjà composé : *anti-inflammatoire, anti-sous-marin* ;

• s'emploie librement avec un trait d'union pour marquer l'opposition, le désaccord : *il est anti-tout.*

auto-

• se joint sans trait d'union à un nom : *autocollant,* **SAUF** si ce mot commence par un ***i*** : *une maladie auto-immune.*

bi-

• se joint sans trait d'union à un mot : *un avion bimoteur, un bicentenaire* ;

• peut prendre la forme ***con-*** : *concourir, confiance* ;

• est suivi d'une consonne double quand le mot commence par une consonne comme ***l, m*** ou ***r*** : *collègue, commémorer, correspondre.*

co-

• se joint sans trait d'union à un mot : *coauteur, coexister* ;

• peut prendre la forme ***con-*** : *concourir, confiance* ;

• est suivi d'une consonne double quand le mot commence par une consonne comme l, m ou r : *collègue, commémorer, correspondre.*

dé-

• on écrit ***dé-*** devant une consonne : *défaire, démaquiller* ;

• on écrit ***dés-*** devant une voyelle ou un ***h*** muet : *désinfecter, déshabiller* ;

• on écrivait ***des-*** devant un mot commençant par ***s***, ce qui doublait la consonne ***s*** : *desservir, desserrer* ; **MAIS** les mots récents ou nouveaux se forment avec ***dé-*** et n'ont donc qu'un seul ***s*** : *désensibiliser, désolidariser, désocialiser.*

demi-

• le préfixe ***demi-***, toujours suivi d'un trait d'union, est invariable : *un demi-litre, une demi-heure, trois demi-litres, trois demi-journées.*

en-

• s'écrit ***em-*** devant un mot commençant par m : *emmêler, emménager, emmener, emmitoufler.*

euro-

• les mots formés avec ***euro-*** (abréviation de *Europe* ou *européen*) s'écrivent en un seul mot : *eurodéputé*, ou avec un trait d'union devant un ***o*** ou un ***i*** : *euro-obligation, euro-industrie* ;

• dans un adjectif composé avec ***euro-***, il y a toujours un trait d'union : *les relations euro-américaines.*

ex-

• est toujours suivi d'un trait d'union quand il a le sens d'« anciennement » : *un ex-ministre, son ex-mari.*

extra-

• se joint aujourd'hui sans trait d'union à un mot, quel que soit son sens (« très » ou « en-dehors ») : *extrafin, extrafort, extraconjugal, extraterrestre,* **SAUF** devant un ***u*** : *une grossesse extra-utérine.*

in- (im-, il-, ir-)

• on écrit ***in-*** devant une voyelle : *inaudible*, et devant un mot commençant par ***n*** : *innommable* ;

• on écrit ***il-*** devant un mot commençant par ***l*** : *illogique, illimité* ;

• on écrit ***im-*** devant un mot commençant par ***b, p*** ou ***m*** : *imbuvable, impossible, immature* ;

• on écrit ***ir-*** devant un mot commençant par ***r*** : *irréel, irréalisable* ;
MAIS les mots récents ont tendance à garder l'élément ***in-*** prononcé [ɛ̃] devant un ***l*** ou un ***r***. De même l'élément ***im-*** devant un mot commençant par ***m*** se prononce [ɛ̃] dans les mots nouveaux : *immangeable.*

macro- et ***micro-***

• se joignent sans trait d'union à un mot, **SAUF** si ce mot commence par ***i*** ou par ***o*** : *macroéconomie, macro-instruction, microfilm, micro-informatique...*

mi-

• se joint par un trait d'union à un mot : *des cheveux mi-longs, les yeux mi-clos, à la mi-août, à mi-jambe, à mi-voix, des mi-bas, des mi-temps.*

mini-

• se joint sans trait d'union à un nom : *minibus, minichaîne, minidisque, minijupe,* **SAUF** si ce nom commence par une voyelle : *mini-ordinateur* ;

⊕ Attention, *mini* est invariable, qu'il s'agisse du préfixe : *des mini-chaînes* ou de l'adjectif : *des jupes mini.*

• s'emploie librement avec un trait d'union devant un nom quelconque : *un mini-cahier.*

multi-

• se joint sans trait d'union à un mot : *un four multifonction, une assurance multirisque, un programme multitâche,* **SAUF** si ce mot commence par une voyelle : *un produit multi-usage.*

⊕ On recommande de n'écrire le mot avec un *s* que lorsqu'il est au pluriel : *un complexe multisalle, des complexes multisalles ; un jeu multijoueur, des jeux multijoueurs ; un* (bateau) *multicoque, des multicoques.*

néo-

• se joint sans trait d'union à un mot : *néoclassique, néonazi,* **SAUF** si ce mot commence par ***i*** ou s'il s'agit d'un dérivé de nom propre : *néo-impressionnisme, néo-calédonien, néo-zélandais* (= de Nouvelle-Zélande).

non-

• s'emploie librement comme préfixe négatif :
– sans trait d'union devant un adjectif : *un avantage non négligeable* ;
– avec un trait d'union devant un nom : *un non-livre, un non-écrivain* ;
MAIS si le mot formé a pris son autonomie, on écrit ***non-*** :
– avec un trait d'union devant un nom ou un verbe :
la non-violence, une fin de non-recevoir, un point de non-retour ;
– avec ou sans trait d'union devant un adjectif :
les pays non-alignés, une manifestation non(-)violente.

pluri-

• se joint sans trait d'union au mot qui suit : *pluriannuel, pluridimensionnel, pluridisciplinaire, pluriethnique, plurilinguisme, pluripartisme.*

post-

- se joint sans trait d'union à un mot : *postcure, postdaté, postmoderne,* **SAUF** s'il s'agit d'une expression latine : *post-mortem, post-scriptum.*

pré-

- se joint sans trait d'union à un mot : *préadolescent, précuit.*

pro-

- se joint sans trait d'union à un mot : *proaméricain, prochinois,* **SAUF** si celui-ci commence par ***o*** ou ***i***, s'il s'agit d'un nom propre ou s'il est employé librement : *Il est pro-Bescherelle ?*

re- (ré-, r-, res-)

- on écrit ***ré-*** ou ***r-*** devant une voyelle ou un ***h*** muet : *réorganiser, rhabiller, rouvrir, réhabiliter, rajouter, réadaptation.* Il n'y a pas de règle stricte et quelquefois on trouve les deux possibilités : *rajuster* ou *réajuster*, *récrire* ou *réécrire* ;
- on écrit ***re-*** devant un ***h*** aspiré ou une consonne : *recommencer, recalculer, rehausser, remeubler, restructurer* ;

MAIS devant un mot qui commence par ***s*** + voyelle, on écrit :
– ***res-*** en doublant le ***s*** : *ressortir, ressauter, resserrer* ;
– ou ***re-*** sans doubler le ***s*** dans les mots récents ou formés librement : *resaler, resalir.*

⊕ Certains mots peuvent s'écrire des deux manières : *resurgir* ou *ressurgir*.

semi-

- se joint toujours par un trait d'union à un mot : *semi-conducteur, semi-consonne.*

super-

- se joint sans trait d'union à un mot : *supercarburant, supermarché, superproduction, superpuissance,* **SAUF** dans *super-huit.*

⊕ Employé comme adjectif, *super* reste invariable : *des produits super, des super produits.*

sur- et ***sous-***

- ***sur-*** se joint sans trait d'union à un mot : *sureffectif, surproduction, suréquipé,* contrairement aux mots formés avec ***sous-*** qui s'écrivent avec un trait d'union : *sous-effectif, sous-production, sous-équipé.*

135 Les principaux suffixes

Du point de vue de leur rôle dans la formation des mots, on classe les suffixes en quatre catégories. Les suffixes sont très nombreux. Nous n'en donnons ici que des exemples. On trouvera dans le chapitre consacré aux mots dérivés les règles d'orthographe qui permettent de lever les difficultés liées aux mots suffixés. → 139-150

Les suffixes de noms

Ils permettent de passer d'un verbe, d'un adjectif ou d'un autre nom à un nom.

arroser → *arrosage*
démembrer → *démembrement*
décorer → *décoration, décorateur*
profond → *profondeur*
abricot → *abricotier*

Les suffixes d'adjectifs

Ils permettent de passer d'un verbe ou d'un nom à un adjectif.

blesser → *blessant, blessé*
accepter → *acceptable*
exploser → *explosif*
président → *présidentiel*
budget → *budgétaire*
abdomen → *abdominal*

REMARQUE

Ces adjectifs peuvent à leur tour devenir des noms : *une personne blessée* → *un blessé; un matériau explosif* → *un explosif; un produit calmant* → *un calmant.*

⊕ On appelle *adjectif verbal* l'adjectif formé à partir d'un verbe. On trouvera les procédés de formation de l'adjectif verbal en *-ant* au paragraphe → 139.

Les suffixes de verbes

Ils permettent de passer d'un nom, d'un adjectif ou d'un autre verbe à un verbe.

réforme → *réformer*
supplice → *supplicier*
grand → *grandir*
simple → *simplifier*
égal → *égaliser*
craquer → *craqueler*
vivre → *vivoter*
chanter → *chantonner*

Les suffixes d'adverbes

Il n'y a qu'un seul suffixe qui permet de passer de l'adjectif à l'adverbe, c'est le suffixe ***-ment*** (→ 145 pour les règles de formation de l'adverbe en ***-ment***).

ferme → *fermement*
élégant → *élégamment*
prudent → *prudemment*

REMARQUE

L'adjectif peut s'employer tel quel comme adverbe, sans suffixe : *parler franc, vrai; coûter cher; boire frais,* etc.

Les éléments savants

136 Des éléments tirés du grec et du latin

Ces éléments, ou racines, se rencontrent tant dans des mots déjà anciens, en général repris au grec (*misanthrope*), que dans des mots récents, forgés de toutes pièces pour les besoins d'une science ou d'une technique (*arthroscopie*). Ils peuvent se trouver au début, à l'intérieur ou à la fin du mot. Ils se combinent les uns aux autres pour former des mots spécialisés, techniques ou scientifiques qui, lorsqu'ils sont répandus, pénètrent la langue courante (*cardiologue*).

Bien les connaître permet d'écrire correctement un mot spécialisé dont on comprend le sens, ou inversement de comprendre le sens d'un mot technique qu'on lit pour la première fois. Ainsi, on écrira sans erreur le mot *philanthrope* si l'on sait qu'il est construit sur *phil-* qui signifie « qui aime » et *anthrop(o)-* qui signifie « être humain ». De même on comprendra le sens du mot *arthroscopie* si l'on sait que *arthro-* signifie « articulation » et *-scop(ie)* « examen, regard ».

REMARQUE
On peut aussi former des mots nouveaux (des ***néologismes***) du vocabulaire courant à partir de ces éléments : la ***bébécratie*** serait le pouvoir des bébés. De nombreux mots récents se sont ainsi créés : ***téléphage*** (qui « mange » des programmes télé), ***accidentogène*** (qui crée des accidents).

137 Les principales racines grecques et latines

Dans le tableau qui suit, nous présentons une sélection de ces éléments sous leur forme développée : *agro-, anthropo-, grapho-* pour pouvoir les nommer, mais ils se trouvent le plus souvent tronqués : *cardio-* devient *cardi-* dans *cardialgie* ou *-card(e)* dans *péricarde*. C'est pourquoi on nomme couramment ces éléments des « racines ».
Les éléments accompagnés du signe * sont d'origine latine, tous les autres sont d'origine grecque.

ÉLÉMENT	SENS	EXEMPLES
a		
aéro	air	*aéroport, aérosol*
agro	champ de l'agriculture	*agrochimie, agroalimentaire*
algie	douleur	*lombalgie, antalgique*
allo	autre	*allogreffe, allopathie*
andro	homme, mâle	*androgène, androïde*
anté*	avant	*anténatal, antéposé*
anthropo	être humain	*anthropologie, anthropométrie*
aqua*	eau	*aquaculture, aquaplaning*
archéo	très ancien	*archéologie*
arthro	articulation	*arthrose*
b		
biblio	livre	*bibliothèque, bibliobus*
bio	vie	*biographie, biologique*

ÉLÉMENT	SENS	EXEMPLES
c		
calor*	chaleur	*calorifuge*
cardio	cœur	*cardiaque, cardiologue*
carni*	chair	*carnivore*
céphale	tête	*céphalopode, bicéphale*
chromo	couleur	*monochrome, polychrome*
chrono	temps	*chronologie, chronomètre*
cide*	qui tue	*insecticide, homicide*
circum*	autour	*circumpolaire, circumterrestre*
chiro	main	*chiromancie, chiropracteur*
cole*	de la culture, qui habite	*vinicole* *arboricole*
cosmo	univers, monde	*cosmopolite*
cratie	puissance, pouvoir	*démocratie, technocratie*
cyclo	cercle	*bicyclette, hémicycle*
cyte	cellule	*cytologie, ovocyte*
d		
dactylo	doigt	*dactylographier*
démo	peuple	*démocratie, démographie*
dermo	peau	*dermatologue, épiderme*
didacte	enseigner	*autodidacte, didactique*
digito	doigt	*digicode, digital*
dis*	différent, séparé, sans	*dissymétrie, dissemblable*
doxe	opinion	*orthodoxe, paradoxe*
drome	piste de course	*hippodrome, vélodrome*
dynamo	force	*dynamique, dynamomètre*
dys	mauvais, difficile	*dyslexie, dysfonctionnement*
e		
éco	maison, environnement	*écologie, écosystème*
épi	à la surface de	*épicentre, épiderme*
équi*	égal	*équidistant*
f		
fère*	qui porte	*mammifère*
fique*	qui produit	*frigorifique*
fuge*	qui fuit ou fait fuir	*vermifuge, centrifuge*
g		
game	mariage	*bigamie, polygame*
gastro	estomac	*gastéropode, gastrite*
gène	qui crée	*anxiogène, cancérogène, allergène*

Le signe * indique l'origine latine de l'élément.

VOCABULAIRE & ORTHOGRAPHE

ÉLÉMENT	SENS	EXEMPLES
géo	terre	*géographie, géologue*
gone	angle, coin	*hexagone, pentagone, polygone*
grapho	écrire	*biographie, orthographe*
gyne	femme	*gynécée, gynécologie, misogynie*
h		
hélio	soleil	*héliogravure, héliotrope*
hém(ato)	sang	*hématologie, hémostatique*
hémi	moitié	*hémisphère*
hétéro	autre	*hétérogène*
hippo	cheval	*hippocampe, hippodrome*
homo	semblable	*homéopathie*
hydro	eau	*hydroélectrique, hydravion*
hyper	au-dessus, le plus haut degré	*hypertension*
hypno	sommeil	*hypnose, hypnotique, hypnotiser*
hypo	au-dessous, base, fondement	*hypotension, hypothèse*
i		
iatre	médecin	*gériatre, pédiatre, psychiatre*
icono	image	*iconoclaste, iconographie*
iso	égal	*isocèle, isotherme*
ite	inflammation	*otite, arthrite*
k		
kiné	mouvement	*kinésithérapeute*
l		
litho	pierre	*lithographie, paléolithique*
logo	parole, discours, science	*dialogue, biologie, généalogie*
m		
macro	grand, global	*macrostructure*
manie	folie	*cleptomanie, mythomanie*
méga	très grand	*mégalopole, mégalomanie*
méta	changement, transformation, ce qui dépasse, englobe	*métamorphose, métaphysique, métalangage*
métro	mesure	*métronome, périmètre*
micro	petit	*microbe, microphone, microscope*
miso	haine	*misanthrope, misogyne*
mono	seul, un	*monarchie, monologue, monopole*
morpho	forme	*métamorphose, morphologie*
myo	muscle	*myocarde, myopathie*
mytho	fable, légende	*mythologie*

ÉLÉMENT	SENS	EXEMPLES
n		
nécro	cadavre, mort	*nécrologie, nécrophage, nécropole*
néo	nouveau	*néologisme, néoréalisme*
neuro	nerf	*neurologue, neurosciences*
o		
oïde	qui a la forme de	*ovoïde, androïde*
oligo	rare, peu nombreux	*oligarchie, oligo-éléments*
ome	maladie, tumeur	*angiome, fibrome*
omni*	tout	*omnisport, omnivore*
onyme	nom	*anonyme, pseudonyme, synonyme*
ortho	droit	*orthodoxe, orthographe*
ose	maladie non inflammatoire	*névrose, arthrose*
oto	oreille	*otite, otalgie, oto-rhino*
ovo*	œuf	*ovipare, ovocyte, ovulation*
p		
paléo	ancien	*paléolithique*
pan	tout	*panthéisme*
para	à côté de	*parascolaire, parapsychologie*
patho	affection, maladie	*pathologique, psychopathe*
péd	enfant	*pédagogie, pédiatre*
pédi*	pied	*orthopédie, pédicure*
péri	autour de	*périmètre, périphérique*
phago	manger	*anthropophage, phagocyte*
philo	qui aime	*bibliophile, philanthrope,*
phobe	qui craint	*agoraphobe, claustrophobe*
phone	voix, son	*mégaphone, phonétique, téléphone*
phore	qui porte	*photophore, sémaphore*
photo	lumière	*photosensible, photographie*
physio	nature	*physiologie, physionomie*
pneumo	souffle, poumon	*pneumatique, pneumonie*
podo	pied	*podologue*
poli	ville, cité	*nécropole*
poly	plusieurs, nombreux	*polygone, polysémie, polyvalent*
psycho	âme, esprit	*psychiatre, psychologue*
pyro	feu	*pyrogravure, pyromane*
r		
radio*	rayon	*radioactivité, radiologie*
rhino	nez	*rhinite, rhinocéros*

Le signe * indique l'origine latine de l'élément.

VOCABULAIRE & ORTHOGRAPHE

ÉLÉMENT	SENS	EXEMPLES
s		
scope	examiner	*microscope, télescope*
séma	signe, sens	*sémaphore, polysémie*
soma	corps	*somatique, psychosomatique*
t		
techn	savoir-faire, habileté	*technocrate*
télé	au loin	*télépathie, téléphone, télescope*
théo	dieu	*athée, polythéisme, théologie*
thèque	lieu de rangement	*bibliothèque, vidéothèque*
thérapie	soin, cure	*chimiothérapie, psychothérapie*
thermo	chaleur	*thermomètre, isotherme*
thèse	action de poser	*hypothèse, synthèse*
tomie	couper, séparer	*trachéotomie*
topo	lieu	*topologie, toponyme*
typo	marque, caractère	*typographie*
v, x, z		
vore*	qui mange	*carnivore, herbivore, omnivore*
xéno	étranger	*xénophile, xénophobe*
zoo	animal	*zoologie*

Le signe * indique l'origine latine de l'élément.

138 Les préfixes numériques latins et grecs

Ces préfixes se trouvent dans des mots scientifiques mais aussi dans des mots courants.

LATIN			GREC	
uni	*unicellulaire*	1	***mono***	*monochrome*
bi	*bicéphale*	2	***di***	*dialcool*
tri	*triangle*	3	***tri***	*trialcool*
quadri	*quadrilatère*	4	***tétra***	*tétraèdre*
quinque	*quinquagénaire*	5	***penta***	*pentagone, pentathlon*
sexa	*sexagénaire*	6	***hexa***	*hexagone*
sept(em)	*septuagénaire*	7	***hepta***	*heptagone, heptathlon*
octo	*octogénaire*	8	***octo***	*octogone*
nona	*nonagénaire*	9	***ennea***	*ennéagone*
déci	*décimal*	10	***déca***	*décagone*

REMARQUE

Dans les systèmes d'unités de mesure, ***déci-*** divise par dix (*un **décilitre*** = 1/10 de litre) et ***déca-*** multiplie par dix (*un **décalitre*** = 10 litres).

L'orthographe des mots dérivés

Placés au début des mots, les préfixes ne modifient pas l'orthographe du mot de base : *coller* → *décoller, recoller, contrecoller.* →134 Mais, à la fin des mots, l'ajout d'un suffixe peut créer des difficultés orthographiques. Ces difficultés portent sur l'orthographe du suffixe lui-même (-*tion* ou -*sion*) et/ou sur la fin du radical du mot de base (*fabriquer* → *fabrication*).

LES MOTS DÉRIVÉS DE VERBES

139 L'adjectif en *-ant* ou *-ent*

De très nombreux adjectifs qualificatifs ont le même suffixe ***-ant*** que le participe présent des verbes dont ils sont issus.

du papier absorbant, un foyer accueillant, un voyage dépaysant, un fruit croquant, un évènement marquant

➕ On appelle aussi *adjectif verbal* cet adjectif issu d'un verbe.

Mais quelquefois l'adjectif verbal n'a pas la même orthographe que le participe présent. La différence peut porter sur le suffixe ou sur la fin du radical.

- **Sur le suffixe** : le participe est en ***-ant*** et l'adjectif est en ***-ent***.

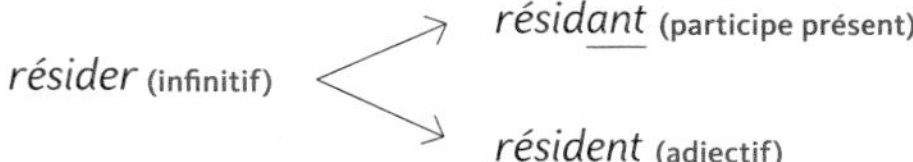

- **Sur le radical** : la fin du radical du verbe est modifiée dans l'adjectif.

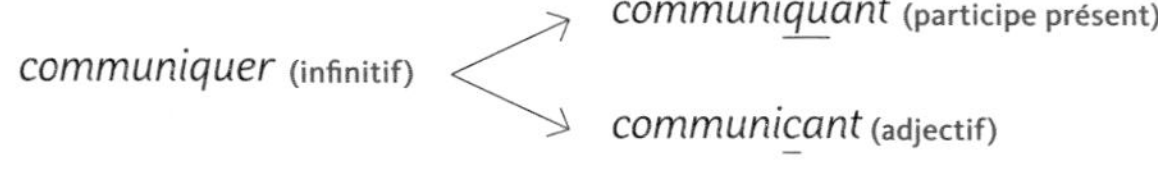

➤

L'adjectif n'a pas non plus la même forme que le participe présent pour les verbes en ***-ger***, ***-guer*** et ***-quer*** et quelques autres verbes.
Voici les verbes sur lesquels les hésitations sont les plus fréquentes.

LES VERBES EN -GER, -GUER, -QUER		
VERBE	**PARTICIPE PRÉSENT**	**ADJECTIF**
converger	*convergeant*	*convergent*
diverger	*divergeant*	*divergent*
émerger	*émergeant*	*émergent*
négliger	*négligeant*	*négligent*
fatiguer	*fatiguant*	*fatigant*
naviguer	*naviguant*	*navigant*
communiquer	*communiquant*	*communicant*
provoquer	*provoquant*	*provocant*
suffoquer	*suffoquant*	*suffocant*
LES AUTRES VERBES		
adhérer	*adhérant*	*adhérent*
convaincre	*convainquant*	*convaincant*
différer	*différant*	*différent*
équivaloir	*équivalant*	*équivalent*
exceller	*excellant*	*excellent*
influer	*influant*	*influent*
résider	*résidant*	*résident*

140 Les noms dérivés en *-ant* ou *-ent*

Les noms en ***-ant*** dérivés de verbes en ***-quer*** conservent l'orthographe du participe présent avec ***qu*** : *attaquant, trafiquant, piquant...* SAUF *fabricant*.

Les noms en ***-ant*** ou ***-ent***, dérivés des autres verbes, suivent :

- l'orthographe de l'adjectif quand il y en a un ;
  un produit adoucissant pour le linge → *un adoucissant pour le linge*
  (adoucissant : adjectif → nom)
  un produit équivalent → *un équivalent*
  (équivalent : adjectif → nom)

• l'orthographe du participe présent quand il n'y a pas d'adjectif.

gérer → *gérant* → *un gérant*
verbe participe présent nom

Les exemples de noms formés ainsi sur le participe présent sont les plus nombreux : *accédant, accompagnant, arrivant, battant, assistant...*

⊕ Une seule exception : *président*, qui s'écrit avec *-ent*.

141 Les dérivés des verbes en *-guer* : *gu* ou *g* ?

Tous ces verbes conservent le ***u*** dans leurs formes conjuguées et au participe présent : *naviguer, naviguons, naviguant*.

Mais leurs dérivés perdent le ***u*** quand le suffixe commence par un ***a*** ;

naviguer → *navigation, navigable, navigateur*
fatiguer → *fatigant, fatigable*
irriguer → *irrigation, irrigable*
tanguer → *tangage*

SAUF *baguage*, du verbe *baguer*, qui garde le ***u*** pour le distinguer du nom *bagage* (valise).

⊕ On écrit donc *conjugaison, conjugable* sans *u* après le *g*.

142 Les dérivés des verbes en *-quer* : *qu* ou *c* ?

Tous ces verbes conservent le ***qu*** dans leurs formes conjuguées et au participe présent : *fabriquer, fabriquais, fabriquant*.

Mais devant un ***a***, leurs dérivés s'écrivent soit avec ***qu***, soit avec un ***c***. Et quelquefois les deux orthographes sont possibles.

braquer → *braquage*
suffoquer → *suffocation*
truquer → *truquage* ou *trucage*

On peut toutefois observer certaines régularités :

• tous les noms en ***-ation***, ***-ateur*** s'écrivent avec un ***c*** ;

indiquer → *indication, indicateur*
abdiquer → *abdication*
évoquer → *évocation, évocateur*

• les noms en ***-age*** s'écrivent avec ***qu***, avec ***c***, ou avec l'un et/ou l'autre :
– on écrit avec ***qu*** : *braquage, claquage, craquage, laquage, piquage...* ;
– on écrit avec ***c*** : *blocage* (et ses dérivés *déblocage, antiblocage*), *flicage, plasticage* ;

⊕ Quand il existe un mot de base avec un *c*, le verbe s'écrit avec *qu* et le nom dérivé s'écrit avec *c* : *plastic* (l'explosif), *plastiquer, plasticage*.

➤

– on écrit *trucage* ou *truquage* mais l'orthographe avec un ***c*** est privilégiée car le mot vient de *truc* ;
– on écrit *plaquage* dans le vocabulaire du sport et *placage* dans les autres emplois.

143 Les noms en *-(e)ment* dérivés de verbes en *-er*

Ils se forment aujourd'hui régulièrement sur la 3e personne du singulier du présent de l'indicatif.

allonger → *allonge* → *allongement*
amuser → *amuse* → *amusement*
achever → *achève* → *achèvement*
alléger → *allège* → *allègement*

➕ On a écrit *allégement* avec un accent aigu mais on privilégie aujourd'hui l'accent grave, conforme à la prononciation.

Dans certains cas, on peut hésiter entre deux orthographes : avec ***è*** ou une consonne double pour noter le son [ɛ] dans les dérivés de verbes en ***-eter*** et ***-eler*** ; avec ***y*** ou ***i*** pour les dérivés des verbes en ***-ayer***, ***-oyer***, ***-uyer***.

Avec *è* ou une consonne double ?
En réalité, la règle est toujours la même : le dérivé en ***-(e)ment*** se forme sur la 3e personne du singulier de l'indicatif présent et c'est la conjugaison du verbe qui est mal connue.

- Les verbes en ***-eter***

Seuls deux verbes ont un dérivé en ***-(e)ment*** : le dérivé s'écrit avec ***è***.

caqueter → *caquète* → *caquètement*
haleter → *halète* → *halètement*

- Les verbes en ***-eler***

Une série prend l'accent grave, une autre double le ***l***.

AVEC *è*

ciseler → *cisèle* → *cisèlement*
démanteler → *démantèle* → *démantèlement*
écarteler → *écartèle* → *écartèlement*
harceler → *harcèle* → *harcèlement*
marteler → *martèle* → *martèlement*

AVEC *ll*

amonceler → *amoncelle* → *amoncellement*
ensorceler → *ensorcelle* → *ensorcellement*
morceler → *morcelle* → *morcellement*
museler → *muselle* → *musellement*
niveler → *nivelle* → *nivellement*

Ce point fait partie des propositions de rectifications orthographiques (p. 315).

Avec *y* ou *i* ?

• Les noms dérivés des verbes en ***-ayer***

On peut les écrire comme dans la conjugaison du verbe avec un ***y*** ou un ***i*** suivi d'un ***e*** muet. →204

payer → *paie* ou *paye* → *paiement* ou *payement*
enrayer → *enraie* ou *enraye* → *enraiement* ou *enrayement*

• Les noms dérivés des verbes en ***-oyer***

Ce sont les plus nombreux et ils s'écrivent toujours avec un ***i*** suivi d'un ***e*** muet, comme dans la conjugaison du verbe. →205

aboyer → *aboie* → *aboiement*
louvoyer → *louvoie* → *louvoiement*
redéployer → *redéploie* → *redéploiement...*

• Les verbes en ***-uyer***

Ils n'ont aucun dérivé en ***-(e)ment***. Mais s'ils en avaient, ils s'écriraient avec un ***i***, conformément à leur conjugaison.

144 Les noms dérivés en *-sion* ou *-tion*

Seul le recours au dictionnaire permet de lever les difficultés liées au choix entre ***-tion*** et ***-sion***.
Toutefois on peut relever trois grandes régularités.

Le suffixe le plus courant est ***-tion***.

admirer → *admiration*
supposer → *supposition*
diminuer → *diminution*
insérer → *insertion*
converser → *conversation*
finir → *finition...*

Les noms dérivés des verbes en ***-sser*** sont en ***-ssion***.

agresser → *agression*
presser → *pression*
transgresser → *transgression...*

SAUF

cesser → *cessation*
casser → *cassation*
passer → *passation*

Les noms dérivés des verbes comme *tendre, tordre, omettre, permettre*... sont en ***-sion*** ou ***-ssion***.

tendre → *tension*
tordre → *torsion*
omettre → *omission*
permettre → *permission*

On peut aussi remarquer que tous les mots dans lesquels on entend « pulsion » et « version » s'écrivent avec *-sion* : *impulsion, compulsion, répulsion, propulsion, perversion, aversion, conversion, subversion.*

LES MOTS DÉRIVÉS D'ADJECTIFS

145 Les adverbes en *-ment*, *-amment*, *-emment*

Le choix du suffixe dépend le plus souvent de la forme de l'adjectif.

logique → *logiquement*
élégant → *élégamment*
évident → *évidemment*

L'adverbe en *-ment*

Il se forme le plus souvent à partir du féminin de l'adjectif.
Trois cas peuvent se présenter.

- L'adjectif a la même forme au masculin et au féminin : on ajoute ***-ment***.

ADJECTIF		ADVERBE
logique	→	*logiquement*
propre	→	*proprement*

Mais le ***e*** peut prendre l'accent aigu.

aveugle → *aveuglément*
intense → *intensément*

- L'adjectif n'a pas la même forme au masculin et au féminin : on ajoute ***-ment*** au féminin de l'adjectif.

ADJECTIF MASCULIN		ADJECTIF FÉMININ		ADVERBE
fier	→	*fière*	→	*fièrement*
vif	→	*vive*	→	*vivement*
grand	→	*grande*	→	*grandement*
doux	→	*douce*	→	*doucement*
lent	→	*lente*	→	*lentement*
fou	→	*folle*	→	*follement*

• L'adjectif masculin se termine par ***é***, ***i*** ou ***u***: on ajoute simplement ***-ment***, sans penser au féminin.

ADJECTIF MASCULIN		ADVERBE
aisé	→	*aisément*
hardi	→	*hardiment*
poli	→	*poliment*
vrai	→	*vraiment*
absolu	→	*absolument*
résolu	→	*résolument...*

Mais il y a des exceptions :

gai	→	*gaiement* (ou plus rarement *gaîment*)
assidu	→	*assidûment*
continu	→	*continûment*
cru	→	*crûment*
du	→	*dûment*
goulu	→	*goulûment*
indu	→	*indûment...*

L'adverbe en *-amment* ou *-emment*

Toujours prononcé avec la finale [amɑ̃], cet adverbe se forme à partir du masculin de l'adjectif en ***-ant*** ou en ***-ent***.

• Si l'adjectif se termine par ***-ant***, l'adverbe s'écrit avec ***-amment***.

• Si l'adjectif se termine par ***-ent***, l'adverbe s'écrit avec ***-emment***.

ADJECTIF EN *-ant*			ADJECTIF EN *-ent*		
bruyant	→	*bruyamment*	*différent*	→	*différemment*
obligeant	→	*obligeamment*	*intelligent*	→	*intelligemment*
brillant	→	*brillamment*	*prudent*	→	*prudemment*
courant	→	*couramment...*	*violent*	→	*violemment...*

Quelques cas particuliers

Certains adverbes en ***-ment***, ***-amment***, ***-emment*** sont dérivés d'adjectifs disparus ou formés sur des radicaux différents : *notamment, précipitamment, sciemment, brièvement*, etc. Seul le dictionnaire peut lever la difficulté.

L'ASTUCE Avec *m* ou *mm*?
Quand la terminaison de l'adverbe se prononce [amɑ̃], on écrit *-amment* ou *-emment* avec *mm*. Dans tous les autres cas, il n'y a qu'un seul *m*.

146 Les noms dérivés en *-ance* ou *-ence*

Les noms en ***-ance*** ou ***-ence*** suivent l'orthographe de l'adjectif sur lequel ils sont formés.

- Si l'adjectif se termine par ***-ant***, le nom s'écrit avec ***-ance***.
- Si l'adjectif se termine par ***-ent***, le nom s'écrit avec ***-ence***.

ADJECTIF		**NOM**
brillant	→	*brillance*
concurrent	→	*concurrence*
élégant	→	*élégance*
suffisant	→	*suffisance*
divergent	→	*divergence*
adhérent	→	*adhérence...*

SAUF

existant	→	*existence*
exigeant	→	*exigence*

147 Les noms dérivés d'adjectifs en *-eux*

Tous les noms en ***-té*** formés sur un adjectif en ***-eux***, ***-euse*** s'écrivent avec ***-osité***.

dangereux, euse → *dangerosité*
frileux, euse → *frilosité*
généreux, euse → *générosité*

LES MOTS DÉRIVÉS DE NOMS

148 Les dérivés de noms en *-que* : *-quaire* ou *-caire* ?

Les noms et adjectifs en ***-aire*** dérivés de noms en ***-que*** s'écrivent, soit en conservant le ***qu***, soit en changeant le ***qu*** en ***c***.

AVEC *qu*			**AVEC *c***		
disque	→	*disquaire*	*bibliothèque*	→	*bibliothécaire*
moustique	→	*moustiquaire*	*banque*	→	*bancaire*
relique	→	*reliquaire*	*hypothèque*	→	*hypothécaire*

149 Les dérivés de noms en *-ce* : *-ciel* ou *-tiel* ?

Les adjectifs formés sur un nom en ***-ice*** s'écrivent avec ***-ciel***.

artifice → *artificiel*
cicatrice → *cicatriciel*
indice → *indiciel*
sacrifice → *sacrificiel*

Les adjectifs formés sur un nom en ***-ence*** s'écrivent avec ***-tiel***.

concurrence → *concurrentiel*
confidence → *confidentiel*
existence → *existentiel*...

SAUF

révérence → *révérenciel*

Un seul adjectif est formé sur un nom en ***-ance***. Il s'écrit avec ***-ciel***.

circonstance → *circonstanciel*

REMARQUE

On voit apparaître de nouveaux adjectifs en ***-tiel*** formés sur un nom en ***-ment***.

évènement → *évènementiel*
incrément → *incrémentiel*

150 Les dérivés de noms en *-on*

Ils s'écrivent soit, avec un seul ***n***, soit avec ***nn***. → 47-52

Homonymes et paronymes

De nombreuses erreurs d'orthographe sont dues à la confusion entre des mots qui se ressemblent, mais qui n'ont pas le même sens.
On appelle couramment *homonymes* les mots qui se prononcent de la même manière mais qui n'ont pas la même orthographe : *ver, verre, vers, vert, vair*.
On appelle *paronymes* des mots de forme plus ou moins voisine et qui, de ce fait, sont souvent pris l'un pour l'autre : *acception* et *acceptation*, *éruption* et *irruption*.

L'HOMONYMIE

Au sens strict, le terme *homonyme* recouvre deux notions bien distinctes : les homophones et les homographes.

⊕ Le mot *homonyme* est formé de l'élément *homo-*, qui signifie « semblable », et de l'élément *-onyme*, qui signifie « nom ».

151 Homonyme, homophone ou homographe ?

Les mots *ver, vers, verre, vert* sont plus exactement des homophones (des mots qui ont le même « son »), et c'est d'eux qu'il s'agit quand on parle couramment d'homonymes.

Les homographes sont des mots qui ont la même orthographe mais pas le même sens, comme les mots *tour, cousin, avoir*, etc.

- Leur liste est très longue et il n'y a pas de confusion orthographique entre les deux termes.

  un tour (sur soi-même) ≠ *une tour* (de château)
  mon cousin (ma cousine) ≠ *un cousin* (l'insecte)
  un avoir (chez un commerçant) ≠ *avoir* (le verbe)

- C'est pour distinguer ce type d'homonymes qu'on a utilisé les accents. → 64-69

  un mur (une paroi) ≠ *un fruit mûr* (adjectif)
  a (du verbe avoir) ≠ *à* (la préposition)...

REMARQUE
On parle aussi d'homonymie entre un mot et une forme verbale (*un temps, il tend; un conseil, il conseille*) ou entre deux formes verbales (*je préside, tu présides, il préside, ils président*). Ces cas ne sont pas pris en compte ici. On trouvera au tableau des terminaisons verbales les réponses à ce type de questions. → 177-179

152 Homonymes grammaticaux et homonymes lexicaux

De même qu'on distingue les « mots grammaticaux » et les « mots lexicaux » (→ 126-127), on distingue les homonymes grammaticaux et les homonymes lexicaux : *ce* et *se* sont des homonymes grammaticaux ; *ancre* et *encre* sont des homonymes lexicaux.

Les homonymes grammaticaux sont en nombre fini : ils peuvent donc se maîtriser et nous en dressons un inventaire raisonné. → 153-170

Les homonymes lexicaux sont trop nombreux pour qu'on en fasse la liste : nous n'avons retenu que ceux sur lesquels les erreurs sont les plus fréquentes. → 171

LES HOMONYMES GRAMMATICAUX

Nous les présentons ici par ordre alphabétique. À l'exception du couple *à/a* pour lequel les erreurs sont très fréquentes, nous n'avons pas retenu les homonymies qui relèvent de l'apprentissage méthodique élémentaire de la grammaire et de la conjugaison (*on/ont, son/sont, mais/m'est*, etc.).

153 *a* ou *à* ?

On écrit ***a*** quand on peut dire *avait*.
Il s'agit du verbe (ou de l'auxiliaire) *avoir*.

Il a faim. → *Il avait faim.*
Il a travaillé. → *Il avait travaillé**.
* Si un verbe suit, il est au participe passé.

On écrit ***a*** dans les locutions latines : *a contrario, a priori, a posteriori*.

On écrit ***à*** avec un accent dans les autres cas.
Il s'agit d'une préposition qu'on peut le plus souvent remplacer par une autre.

à Paris (dans Paris)
un manteau à capuche (avec capuche)
*un travail à faire, à finir, à boucler**
* Si un verbe suit, il est à l'infinitif.

154 *ça*, *ç'a* ou *çà* ?

On écrit ***ça*** ou ***ç'*** quand on peut dire *cela*.

Je veux ça. (= cela)
Ç'a été un plaisir de vous voir.

On écrit ***çà*** pour indiquer le lieu dans l'expression *çà et là*.

155 ce ou se ?

On écrit ***ce*** :

- quand au féminin on dirait *cette* ;

  Je veux ce cahier. → *Je veux cette feuille.*
- quand on peut dire *ceci, cela* ou *la chose qui.*

  Ce n'est pas grave. → *Cela n'est pas grave.*

  Voilà ce qui me plaît. → *Voilà la chose qui me plaît.*

Ce est un déterminant ou un pronom démonstratif.

On écrit ***se*** quand on peut conjuguer et dire *me* ou *te*.

Il se tait. → *Je me tais, tu te tais.*

Se est un pronom réfléchi.

156 ces ou ses ?

On écrit ***ces*** quand au singulier on dirait *ce* ou *cette*.
C'est un déterminant démonstratif.

Regardez ces livres. → *Regardez ce livre.*

On écrit ***ses*** quand au singulier on dirait *son* ou *sa*.
C'est un déterminant possessif.

Ce sont ses dessins et ses gravures. → *C'est son dessin et sa gravure.*

157 davantage ou d'avantage ?

L'adverbe de quantité ***davantage*** s'écrit en un mot. On peut le remplacer par l'adverbe *plus*.

J'en voudrais davantage. (= plus)

Dans ***d'avantage***, il s'agit du nom *avantage*. On peut le remplacer par *bénéfice, profit, privilège...*

Il n'y a pas d'avantage à agir ainsi. (= de bénéfice)

158 la ou là ?

On écrit ***là*** pour indiquer le lieu :

C'est là.

Ci et là.

On écrit ***là*** quand il s'agit de la particule : *celle-ci* et *celle-là*.

On écrit ***la*** quand on pourrait dire *les* :

Prends-la. → *Prends-les.*

⊕ Attention à ne pas confondre *la* et *l'a* (*la* ou *le* + *a*) du verbe *avoir*.
On écrit *l'a* si on peut dire *les a*.
Il l'a vu. → *Il les a vus.*

159 *leur* ou *leurs* ?

Le pronom personnel s'écrit toujours ***leur***. On pourrait dire *lui* au singulier.
Je leur parle. Parle-leur. → *Je lui parle. Parle-lui.*

Le déterminant possessif s'écrit ***leur*** quand il est au singulier.
On pourrait dire *notre*.
Ils sont partis avec leur voiture. (= il n'y en a qu'une)
→ *Nous sommes partis avec notre voiture.*

Le déterminant possessif s'écrit ***leurs*** quand il est au pluriel.
On pourrait dire *nos*.
Ils sont partis avec leurs voitures. (= il y en a plusieurs)
→ *Nous sommes partis avec nos voitures.*

160 *notre* ou *nôtre* ?

On écrit ***notre*** quand on pourrait dire *mon*.
C'est notre chien. → *C'est mon chien.*
Il s'agit du déterminant possessif.

On écrit ***nôtre*** quand on pourrait dire *mien, le mien*.
C'est le nôtre. → *C'est le mien.*
Il s'agit du pronom possessif.

161 *ou* ou *où* ?

On écrit ***ou*** quand on peut dire *ou bien*.
Une pomme ou une poire ?

On écrit ***où*** pour indiquer le lieu.
Où vas-tu ?
Là où je vais, tu n'iras pas.

162 *parce que* ou *par ce que* ?

On écrit ***parce que*** pour exprimer la cause (on pourrait employer *puisque, étant donné que*).
Il est ému parce que c'est triste.

On écrit ***par ce que*** en trois mots pour indiquer l'agent, le moyen (on pourrait dire *par tout ce que*).
Il est ému par ce qu'il voit.
Par ce que j'ai de plus précieux, je te le promets.

163 pourquoi ou pour quoi ?

Pourquoi, en un mot, interroge sur la cause.
Pourquoi est-il parti ?

C'est pourquoi introduit une conséquence.
Il est malade, c'est pourquoi il est absent.

Pour quoi en deux mots peut être remplacé par *pour quelle chose, dans quel but.*
Bonjour, madame, c'est pour quoi ?
Pour quoi faire ? (= pour faire quoi ?)
C'est ce pour quoi il est venu. (= la chose pour laquelle il est venu)

164 quand ou quant ?

On écrit ***quant*** avec un ***t*** uniquement dans l'expression *quant à* qui signifie « en ce qui concerne… ».
Quant à moi, je pense que…

Dans tous les autres cas, on écrit ***quand***, qui indique – ou interroge sur – le temps.
Il est parti quand je suis arrivé. (= au moment où)
Quand viendrez-vous ? (= à quel moment ?)

⊕ On prononce aussi de la même manière *qu'en*, où *qu'* peut toujours être remplacé par la forme sans apostrophe *que* ou *quoi*.
Je ne sais qu'en penser (= quoi en penser).
Qu'en penses-tu ? (= que penses-tu de cela ?)

165 quel(s) que, quelle(s) que ou quelque(s) ?

Quel que, en deux mots, se place toujours devant le verbe *être* (le verbe *pouvoir* et quelquefois le verbe *devoir*) au subjonctif.
Quelles que soient vos intentions…
Quelles que puissent être vos intentions…
Quelle qu'ait été votre décision…
Prenez une décision, quelle qu'elle soit.
Faites un choix, quel qu'il soit.

Quelque, adverbe, se place toujours devant un adjectif pour indiquer la concession ;
Quelque gentil qu'il soit…
ou devant l'expression d'un nombre pour indiquer l'approximation.
Les quelque deux cents personnes qui…

Quelque(s), déterminant indéfini, au singulier ou au pluriel, se place avant un nom.
Quelques joies qu'il ait connues…
de quelque manière que ce soit

Quelques, déterminant indéfini pluriel, s'emploie toujours devant un nom pluriel pour indiquer la pluralité.
J'ai quelques amis. (= plusieurs, un certain nombre)

Et quelques est toujours au pluriel.
Il y avait deux cents personnes et quelques.

166 quelle(s) ou qu'elle(s) ?

Quelle belle fleur ! → *Quelles belles fleurs !*
Qu'elle est belle ! → *Qu'elles sont belles !*

On écrit ***quelle(s)*** en un mot quand, au masculin, on dirait *quel(s)*.
Quel beau bouquet ! → *Quelle belle fleur !*
Quels beaux bouquets ! → *Quelles belles fleurs !*

On écrit ***qu'elle(s)*** en deux mots quand, au masculin, on dirait *qu'il(s)*.
Qu'il est beau ! → *Qu'elle est belle !*
Qu'ils sont beaux ! → *Qu'elles sont belles !*

167 quoique ou quoi que ?

Quoique, en un mot, signifie « malgré le fait que ».
On peut remplacer *quoique* par *bien que*.
On sortira quoiqu'il fasse mauvais. (= bien qu'il fasse mauvais)

Quoi que en deux mots signifie « quelle que soit la chose que ».
Quoi qu'il fasse, quoi qu'il dise, on sortira.

Quoi que en deux mots s'emploie dans les expressions *quoi qu'il en soit* et *quoi que ce soit*.

168 soi ou soit ?

On écrit ***soi*** dans *soi-disant* et quand à la première personne on pourrait dire *moi*.
Il est soi-disant innocent. (= il se dit tel)
Que chacun rentre chez soi.

On écrit ***soit*** :

- dans les énoncés, les hypothèses ;
  Soit deux droites parallèles.
- quand on peut dire *ou bien*.
  Soit il vient avec nous, soit il s'en va.

169 tout ou tous ?

Tout est un adverbe qu'on peut remplacer par *très, totalement*.
Elle est tout étonnée.
Mais, dans certaines conditions, il peut se mettre au féminin. → 338
Elle est toute contente.

Tout (toute, tous, toutes) est un déterminant indéfini quand il signifie *n'importe quel, l'ensemble des, la totalité des*.
L'accord de *tout* est traité au paragraphe → 338.

170 votre ou vôtre ?

On écrit **votre**, déterminant possessif, quand on pourrait dire *ton*.
C'est votre chien. → *C'est ton chien.*

On écrit **vôtre** quand il s'agit du pronom possessif : on pourrait dire *le vôtre, le tien*.
C'est le vôtre. → *C'est le tien.*

LES HOMONYMES LEXICAUX

La liste qui suit présente les mots sur lesquels les erreurs sont les plus fréquentes. Ils sont à connaître par cœur.
Les autres homonymes sur lesquels on pourrait aussi hésiter se trouvent dans le dico des mots difficiles en fin d'ouvrage.

171 Les principaux homonymes lexicaux

a

acquis (*pour acquis*)
acquit (*par acquit de conscience*)

affaire (*avoir affaire à*)
à faire (*avoir quelque chose à faire*)

amande (le fruit)
amende (la contravention)

ancre (l' ~ du bateau)
encre (l' ~ pour écrire)

b

bientôt (dans peu de temps)
bien tôt (très tôt)

but (*dans le but de, de but en blanc*)
butte (*être en butte à*)

c

cane (femelle du canard)
canne (bâton)

censé (supposé)
sensé (avec du bon sens)

cession (du verbe *céder*)
session (séance)

chair (corps, viande)
chère (nourriture)
chaire (tribune)

comptant (*payer ~*)
content (*avoir son ~ de*)

cor (*à cor et à cri*)
corps (*un corps à corps*)

côte (rivage, os, pente)
cote (niveau, mesure)

d

date (le jour)
datte (le fruit)

délacer (défaire les lacets)
délasser (détendre)

dessein (but)
dessin (de *dessiner*)

différend (désaccord)
différent (autre)

e

empreint (*le visage empreint de...*)
emprunt (à la banque)

exprès, expresse (*colis exprès*)
express (*un train ~*)

f

flamand (de Flandres)
flamant (flamant rose)

fonds (de commerce)
fond (*un bon fond*)

for (*en son for intérieur*)
fort (de Briançon)

g

gêne (difficulté)
gène (génétique)

glaciaire (*l'ère glaciaire*)
glacière (pour le pique-nique)

golf (sport)
golfe (bord de mer)

goûter (de *goût*)
goutter (de *goutte*)

h

héraut (messager du Moyen Âge)
héros (d'une aventure)

i

intercession (entremise)
intersession (période)

j

jarre (récipient)
jars (animal)

jeune (jeunesse)
jeûne (jeûner)

m

martyr (personne)
martyre (supplice)

mas (maison)
mât (d'un bateau)

mur (cloison)
mûr (à maturité)

n

numéraux (pluriel de *numéral*)
numéro (chiffre)

---

p

panser (une blessure)
penser (à quelque chose)

pause (arrêt)
pose (attitude, montage)

pécher (*commettre un péché*)
pêcher (à la ligne)
pêcher (l'arbre)

plastic (l'explosif)
plastique (la matière)

pore (de la peau)
port (en informatique)
port (de pêche)

près de (sur le point de)
prêt à (préparé pour)

---

r

raisonner (avec logique)
résonner (faire du bruit)

repaire (abri)
repère (pour se repérer)

ris (de veau)
riz (céréale)

---

s

satire (texte moqueur)
satyre (la personne)

sceller (fermer)
seller (un cheval)

sceptique (qui doute)
septique (*fosse septique*)

sein (*au sein de*)
seing (*sous seing privé*)

session (séance)
cession (de *céder*)

---

t

tache (salissure)
tâche (travail)

tain (*glace sans tain*)
teint (*fond de teint*)

teinter (colorer)
tinter (faire du bruit)

tribu (groupe humain)
tribut (*apporter son tribut à*)

---

v

voie (chemin)
voix (pour parler)

voir (le verbe)
voire (et même)

LES PARONYMES

Les paronymes sont des mots qui se ressemblent et que l'on prend souvent l'un pour l'autre.

l'éruption d'un volcan ≠ faire irruption dans une pièce

➕ Le mot *paronyme* est formé de l'élément *para-*, qui signifie « à côté » et de l'élément *-onyme*, « nom ».

172 Les principaux paronymes

La liste qui suit présente les mots sur lesquels les erreurs sont les plus fréquentes.

abjurer (sa foi)
adjurer (supplier)

acception (sens d'un mot)
acceptation (dire oui)

affection (trouble, mal)
infection (de *infecter*)

à l'attention de (sur un courrier)
à l'intention de (pour)

aménager (arranger)
emménager (quelque part)

amoral (sans morale)
immoral (contraire à la morale)

collision (choc)
collusion (entente secrète)

compréhensible (qu'on comprend)
compréhensif (qui comprend, admet)

conjecture (hypothèse)
conjoncture (situation générale)

décade (dix jours)
décennie (dix ans)

effraction (bris)
infraction (au règlement)

éminent (remarquable)
imminent (tout proche)

éruption (de boutons, d'un volcan)
irruption (entrée soudaine)

évoquer (*faire penser à*)
invoquer (*faire appel à*)

inclinaison (pente)
inclination (penchant)

naturaliser (donner la nationalité)
nationaliser (une entreprise)

oppresser (étouffer)
opprimer (dominer, écraser)

partial (pas neutre)
partiel (pas complet)

percepteur (des impôts)
précepteur (d'un élève)

péremption (*date de péremption*)
préemption (*droit de préemption*)

perpétrer (un crime)
perpétuer (continuer)

rebattre (les oreilles)
rabattre (un couvercle)

recouvrer (la santé)
recouvrir (couvrir)

social (un être *social* vit en société)
sociable (un être *sociable* se lie facilement)

suggestion (idée)
sujétion (dépendance)

vénéneux (champignon vénéneux)
venimeux (serpent venimeux)

CONJUGAISON ET ORTHOGRAPHE

Comprendre la conjugaison

On appelle « conjugaison » l'ensemble des formes que peut prendre un verbe. Pour la plupart des verbes, 48 formes sont possibles.
On distingue les formes « conjuguées » des modes personnels (indicatif, subjonctif et impératif), dans lesquelles le verbe peut être à la 1re, 2e ou 3e personne du singulier et du pluriel, et les formes « non conjuguées » des modes impersonnels que sont l'infinitif et les participes (présent et passé).

LES NOTIONS DE BASE

173 Radical et terminaisons

Une forme verbale présente toujours deux parties : **le radical** qui porte le sens du verbe et **la terminaison** qui indique la personne (1re, 2e ou 3e personne), le nombre (singulier ou pluriel), le mode (infinitif, indicatif, subjonctif...) et le temps (présent, imparfait, futur...). Voici quelques exemples à l'infinitif pour repérer le radical.

VERBE	RADICAL	TERMINAISONS
chanter	*chant-*	*er*
finir	*fin-*	*ir*
faire	*fai-*	*re*
bouillir	*bouill-*	*ir*
acquérir	*acquér-*	*ir*

174 Verbe régulier ou irrégulier ?

Dans la conjugaison d'un verbe régulier, le radical ne change pas ; seule la terminaison varie, selon deux modèles : celui du verbe *chanter* (→ 196) ou celui du verbe *finir* (→ 208).

chanter *nous chantons ; nous chantions ; nous chantâmes...*
finir *nous finissons ; nous finissions ; nous finîmes...*

REMARQUE

Le radical peut toutefois porter une différence orthographique liée à la prononciation :
- un accent sur le ***e*** pour les verbes comme *semer (il sème)* ou *céder (il cède)* ;
- une cédille sous le ***c*** pour les verbes comme *placer (nous plaçons)* ;
- un ***e*** après le ***g*** pour les verbes comme *manger (nous mangeons).*

Dans la conjugaison d'un verbe irrégulier, le radical peut varier ou rester inchangé, et les terminaisons peuvent présenter des particularités propres à un petit groupe de verbes ou même à un seul verbe.

• Ainsi, le verbe *cueillir* garde toujours le radical *cueill-* mais les terminaisons sont :

– soit celles des verbes comme *chanter* ;
je cueille, tu cueilles, il cueille... au présent

– soit celles du verbe *finir*.
je cueillis, ils cueillirent... au passé simple

• Des verbes comme *bouillir* ou *peindre* ont deux radicaux et des terminaisons qui leur sont propres.

bouillir → bou-/bouill- : l'eau bout, l'eau bouillira
peindre → pein-/peign- : il peint, nous peignons

• Un verbe comme *aller* a quatre radicaux et des terminaisons qui lui sont propres :

all- : *aller, allons, allais, allant...*
v- : *vais, va...*
i- : *ira, irai...*
aill- : *aille...*

175 Verbes impersonnels et verbes défectifs

Quelques verbes, en particulier les verbes « météorologiques » *comme pleuvoir, neiger, venter...* et le verbe *falloir*, ne s'emploient qu'à la 3e personne avec le pronom sujet *il*. Ce sont des **verbes impersonnels**.

Il pleut. Il neige. Il vente. Il faut que...

REMARQUES

1. Le verbe *pleuvoir* peut s'employer au figuré à la 3e personne du pluriel :
Les coups pleuvaient sur lui.

2. Un grand nombre de verbes peuvent s'employer en tournure impersonnelle :
Il se trouve que, il est vrai que, il fait beau...

On dit d'un verbe qu'il s'agit d'un **verbe défectif** lorsque certaines des formes de sa conjugaison (personne, temps ou mode) n'existent pas ou ne sont pas usitées. Ainsi, *frire, clore, choir* sont des verbes défectifs.

176 Classer les verbes

On classe traditionnellement les verbes en trois groupes.

• Le **1er groupe** comprend les verbes du type *chanter*. Ce sont les plus nombreux (plusieurs milliers). C'est aussi dans ce groupe de verbes réguliers que se rangent tous les nouveaux verbes dont la langue s'enrichit aujourd'hui.

• Le **2e groupe** comprend les verbes du type *finir*. Environ 300 verbes se conjuguent sur ce modèle. Depuis le verbe *alunir*, construit sur le modèle de *atterrir*, cette conjugaison n'accueille plus de nouveaux verbes.

• Le **3e groupe** comprend une série limitée de verbes irréguliers (un peu plus d'une centaine et leurs dérivés). On dit parfois que cette conjugaison est « morte » parce qu'elle n'accueille plus de nouveaux verbes.

On peut aussi classer les verbes selon leur finale.

• Les verbes qui se terminent par les deux lettres ***er*** : réguliers (*chanter*) et irréguliers (*aller*, *envoyer*).

• Les verbes qui se terminent par les deux lettres ***ir*** : réguliers (*finir*) et irréguliers (*partir*, *ouvrir*, *voir*, *pouvoir*...).

• Les verbes qui se terminent par les deux lettres ***re*** : tous irréguliers (*faire*, *dire*, *pendre*, *battre*, *croire*...).

C'est sur ce mode de classement que nous avons choisi de présenter les tableaux de conjugaison des verbes.

LES TERMINAISONS

Panorama des terminaisons verbales

Les tableaux qui suivent montrent que, dans leur grande majorité, les terminaisons sont semblables pour tous les verbes. Quelques cas très particuliers (comme *vous dites*, *vous faites*) sont uniquement notés sous les tableaux de conjugaison des verbes concernés, l'attention étant portée ici sur la connaissance des similitudes qui permettra de conjuguer presque tous les verbes français.

177 Les terminaisons de l'indicatif*

		PRÉSENT		IMPARFAIT	FUTUR	PASSÉ SIMPLE		
		VERBES EN *-ER* SAUF *ALLER*	TOUS LES AUTRES VERBES SAUF QUELQUES VERBES*	TOUS LES VERBES	TOUS LES VERBES	VERBES EN *-ER*	TOUS LES AUTRES VERBES	SAUF *TENIR* ET *VENIR*
SINGULIER	1re PERS.	***-e***	*-s*	***-ais***	***-rai***	***-ai***	*-is* *-us*	*-ins*
	2e PERS.	***-es***	*-s*	***-ais***	***-ras***	***-as***	*-is* *-us*	*-ins*
	3e PERS.	***-e***	*-t*	***-ait***	***-ra***	***-a***	*-it* *-ut*	*-int*
PLURIEL	1re PERS.	***-ons***	***-ons***	***-ions***	***-rons***	***-âmes***	***-îmes*** ***-ûmes***	***-înmes***
	2e PERS.	***-ez***	***-ez***	***-iez***	***-rez***	***-âtes***	***-îtes*** ***-ûtes***	***-întes***
	3e PERS.	***-ent***	***-ent***	***-aient***	***-ront***	***-èrent***	***-irent*** ***-urent***	***-inrent***

Aux **trois personnes du singulier du présent,** certains verbes du **3e groupe** prennent d'autres terminaisons que celles, -s, -s, -t, indiquées dans le tableau. Ainsi :

- les verbes *cueillir, ouvrir, souffrir* (et leurs dérivés) se terminent par ***-e, -es, -e*** ;
- les verbes *pouvoir, valoir et vouloir* se terminent par ***-x, -x, -t*** ;
- les verbes en ***-dre*** comme *rendre* se terminent par ***-ds, -ds, -d*** ;
- le verbe *vaincre* et ses dérivés se terminent par ***-cs, -cs, -c***.

Attention également aux verbes ***avoir***, ***être*** et ***aller*** qui présentent une conjugaison particulière au présent. → 194, 195, 207

* Les grammairiens classent aujourd'hui, pour des raisons de forme et de sens, le **conditionnel dans l'indicatif**. Pour tous les verbes, les terminaisons du conditionnel sont :
-rais, -rais, -rait, -rions, -riez, -raient.

178 Les terminaisons des autres modes personnels : impératif, subjonctif

À l'exception des verbes *avoir*, *être*, *aller* et des verbes du type *cueillir* et *ouvrir*, tous les verbes ont les mêmes terminaisons.

		IMPÉRATIF		SUBJONCTIF PRÉSENT	SUBJONCTIF IMPARFAIT	
		VERBES EN *-ER* SAUF *ALLER**	LES AUTRES VERBES SAUF *CUEILLIR* *OUVRIR***	TOUS LES VERBES	VERBES EN *-ER*	LES AUTRES VERBES SAUF *VENIR* ET *TENIR****
SINGULIER	1re PERS.			***-e***	***-asse***	***-isse*** ***-usse***
	2e PERS.	***-e***	***-s***	***-es***	***-asses***	***-isses*** ***-usses***
	3e PERS.			***-e***	***-ât***	***-ît*** ***-ût***
PLURIEL	1re PERS.	***-ons***	***-ons***	***-ions***	***-assions***	***-issions*** ***-ussions***
	2e PERS.	***-ez***	***-ez***	***-iez***	***-assiez***	***-issiez*** ***-ussiez***
	3e PERS.			***-ent***	***-assent***	***-issent*** ***-ussent***

* *va, allons, allez.*

** *cueille, cueillons, cueillez ; ouvre, ouvrons, ouvrez.*

*** *vinsse, vînt, vinssions, vinssent ; tinsse, tînt, tinssions, tinssent.*

179 Les terminaisons des modes impersonnels : infinitif et participes

La connaissance des trois formes impersonnelles du verbe – infinitif, participe présent et participe passé – aide très souvent à retrouver la conjugaison d'un verbe.

	INFINITIF	PARTICIPE PRÉSENT	PARTICIPE PASSÉ
1er GROUPE	***-er*** *chanter*	***-ant*** *chantant*	***-é*** *chanté*
2e GROUPE	***-ir*** *finir*	***-issant*** *finissant*	***-i*** *fini*
3e GROUPE	***-ir*** *cueillir, partir...* *venir, courir* **SAUF** *acquérir**	***-ant***	***-i*** ou ***-u*** *cueilli, parti* *venu, couru* ***-s*** *acquis*
	-oir *voir, devoir, vouloir...* **SAUF** *asseoir**	***-ant***	***-u*** *vu, dû, voulu...* ***-s*** *assis*
	-re *faire, dire, conduire...* *lire, croire, plaire...* *peindre, perdre, connaître...* **SAUF** *prendre, mettre, dissoudre*	***-ant***	***-t*** ou ***-u*** *fait, dit, conduit* *lu, cru, plu* *peint, perdu, connu* ***-s*** *pris, mis, dissous*

* et les verbes qui leur sont associés (*conquérir, requérir, surseoir, surprendre...*).

Les terminaisons pièges

Les erreurs les plus fréquentes portent sur des formes identiques à l'oral mais bien distinctes à l'écrit. Quelques « trucs » peuvent permettre de lever ces difficultés, mais la compréhension du choix de la bonne forme verbale permettra de ne plus hésiter.

180 -er, -ez ou -é ?

Ces trois terminaisons, à la prononciation identique, sont respectivement :

- *-er* pour **l'infinitif** ;
  Je vais chanter.
- *-ez* pour **la 2e personne du pluriel** de l'indicatif ou de l'impératif présent ;
  Vous chantez ? mais chantez donc, allez !
- *-é* pour **le participe passé**.
  J'ai chanté.

-er : le verbe est toujours à l'infinitif :

- quand on le nomme ou qu'on le cite ;
  Chanter est un verbe du 1er groupe.
  Le verbe « aller » est un verbe très irrégulier.
- après les verbes *aller, pouvoir, devoir* et *falloir* ;
  Je peux, je dois, je vais chanter.
  Il faut chanter.
- après une préposition (*à, de, pour...*) ;
  Je commence à, je me mets à, je finis de... chanter.
- après les verbes de mouvement.
  Je pars, je cours, je vole ... chercher du pain.

-ez : le verbe se termine par ***-ez*** quand son sujet (énoncé ou sous-entendu) est *vous*.

Pierre et Paul, chantez quelque chose !
Alors, vous nous chantez quelque chose ?

-é : le verbe est toujours au participe passé après les auxiliaires *avoir* ou *être*.

Il a toujours aimé le théâtre.
Il est allé au théâtre.

Pour vérifier, il suffit de remplacer le verbe sur lequel on hésite par un verbe comme *faire, mettre* ou *prendre* dont les formes s'entendent différemment comme dans les exemples suivants.

Il a toujours aim(?) le théâtre.
On dirait : *Il a toujours fait du théâtre.*
Donc, on écrit *aimé* au participe passé avec ***-é.***
→ *Il a toujours aimé le théâtre.*

Il veut achet(?) ce disque.
On dirait : *Il veut mettre ce disque.*
Donc, on écrit *acheter* à l'infinitif avec ***-er.***
→ *Il veut acheter ce disque.*

Vous aim(?) écout(?) de la musique ?
On dirait : *Vous faites faire de la musique.*
Donc, on écrit : *aimez* au présent avec ***-ez***, et *écouter* à l'infinitif avec ***-er***.
→ *Vous aimez écouter de la musique ?*

181 *-er* ou *-ez* : infinitif ou impératif ?

Pour donner une consigne, un ordre, une recette, on peut employer l'infinitif ou l'impératif.
Tourner à gauche à l'embranchement. Tournez à gauche à l'embranchement.
L'impératif, qui s'adresse à quelqu'un, est plus personnalisé ; l'infinitif, qui ne s'adresse à personne en particulier, est plus général et neutre.

ATTENTION Choisir entre l'infinitif et l'impératif.
Le mélange des deux formes, l'une à l'infinitif et l'autre à l'impératif, est impossible dans une même consigne. On ne pourra donc pas écrire (comme on le rencontre trop souvent) :
~~*Prendre à gauche à l'embranchement puis tournez à droite au feu*~~.
On choisira :
– soit les deux verbes à l'infinitif : *Prendre à gauche... puis tourner* ;
– soit les deux verbes à l'impératif : *Prenez à gauche... puis tournez.*

182 *-rai* ou *-rais* : futur ou conditionnel présent ?

Ces deux terminaisons de la 1re personne du singulier, à la prononciation identique, sont respectivement :
- ***-rai*** pour **le futur de l'indicatif** ;
  Demain, je chanterai, je viendrai, je le ferai. (c'est prévu)
- ***-rais*** pour **le conditionnel présent**.
  J'aimerais, je voudrais, je souhaiterais... que tu viennes. (si c'est possible)

Pour vérifier, il suffit de mettre le verbe à la 3e personne du singulier comme dans les exemples suivants.
Si c'était possible, j'aimer(?) que tu viennes.
À la 3e personne, on aurait dit :
Si c'était possible, il aimerait que tu viennes. (= conditionnel présent)
Donc, on écrira *j'aimerais* avec ***ais***.
→ *Si c'était possible, j'aimerais que tu viennes.*

Demain, je chanter(?), c'est sûr.
À la 3e personne, on aurait dit :
Demain, il chantera. (= futur)
Donc, on écrira *je chanterai* avec ***ai***.
→ *Demain, je chanterai, c'est sûr.*

183 *-ai* ou *-ais* : passé simple ou imparfait ?

Ces deux terminaisons de la 1re personne du singulier, à la prononciation identique, sont respectivement :

- *-ai* pour **le passé simple** des verbes en *-er* ;

  Ce soir-là, je lui chantai une chanson.

  Soudain, je décidai de...

- *-ais* pour **l'imparfait** de l'indicatif.

  Le soir, je lui chantais une chanson.

Pour vérifier, il suffit de mettre le verbe à la 3e personne.

Soudain, je décid(?) de...

À la 3e personne, on aurait dit :
Soudain, il décida de... (= passé simple)
Donc, on écrira *je décidai* avec ***ai***.

→ *Soudain, je décidai de...*

184 *-e* ou *-es* à l'impératif ?

Il n'y a pas de ***s*** à la 2e personne du singulier de l'impératif des verbes du 1er groupe en ***-er*** et des verbes du 3e groupe comme *cueillir, ouvrir, offrir, souffrir.*

Parle ! Téléphone-moi ! Envoie-moi une carte ! Ouvre la porte ! Cueille des fleurs.

Toutefois devant *en* et *y*, on ajoute un ***s*** qui permet la liaison.

Cueille des fleurs, cueilles-en beaucoup !

⊕ Quand le verbe à l'impératif se termine par un *e* muet, quel que soit son groupe, il n'y a pas de *s* à l'impératif.

185 *-e* ou *-t* au subjonctif ?

Seuls les verbes *avoir* et *être* ont un ***t*** à la 3e personne du singulier du subjonctif présent. Tous les autres verbes se terminent par un ***e***, y compris les formes qui se terminent par un son-voyelle, comme *qu'il voie.*

On écrit donc *qu'il ait, qu'il soit* avec un ***t*** ;
MAIS *qu'il croie, envoie, rie, conclue, extraie,* etc. avec un ***e***, comme *qu'il chante, qu'il finisse, qu'il aille,* etc.
Voir le tableau des terminaisons. → 178

186 Avec ou sans *i* : *-yons* ou *-yions*, *-ions* ou *-iions*, *-gnons* ou *-gnions* ?

Si l'on observe les tableaux →177 et 178, on remarque que les terminaisons de l'imparfait de l'indicatif et du subjonctif présent sont semblables à la 1re et à la 2e personne du pluriel : ***-ions*** et ***-iez***. Il ne faut pas oublier ce ***i*** quand on ne l'entend pas, en particulier pour les verbes en ***-ier***, ***-yer***, ***-gner***, ***-iller*** et quelques verbes du 3e groupe. On remarque aussi que la prononciation de ces formes ne se distingue pas de celle du présent de l'indicatif.

EXEMPLES	FORMES CONJUGUÉES	PARTICULARITÉS
crier		
(aujourd'hui)	*nous crions, vous criez* au présent	un seul ***i***
(autrefois)	*nous criions, vous criiez* à l'imparfait	deux fois ***i***
(il faut que)	*nous criions, vous criiez* au subjonctif	deux fois ***i***
payer		
(aujourd'hui)	*nous payons, vous payez* au présent	sans ***i***
(autrefois)	*nous payions, vous payiez* à l'imparfait	avec ***yi***
(il faut que)	*nous payions, vous payiez* au subjonctif	avec ***yi***
veiller		
(aujourd'hui)	*nous veillons, vous veillez* au présent	sans ***i***
(autrefois)	*nous veillions, vous veilliez* à l'imparfait	avec ***i***
(il faut que)	*nous veillions, vous veilliez* au subjonctif	avec ***i***
gagner		
(aujourd'hui)	*nous gagnons, vous gagnez* au présent	sans ***i***
(autrefois)	*nous gagnions, vous gagniez* à l'imparfait	avec ***i***
(il faut que)	*nous gagnions, vous gagniez* au subjonctif	avec ***i***
peindre		
(aujourd'hui)	*nous peignons, vous peignez* au présent	sans ***i***
(autrefois)	*nous peignions, vous peigniez* à l'imparfait	avec ***i***
(il faut que)	*nous peignions, vous peigniez* au subjonctif	avec ***i***
cueillir		
(aujourd'hui)	*nous cueillons, vous cueillez* au présent	sans ***i***
(autrefois)	*nous cueillions, vous cueilliez* à l'imparfait	avec ***i***
(il faut que)	*nous cueillions, vous cueilliez* au subjonctif	avec ***i***

Pour vérifier, il suffit de remplacer le verbe sur lequel on hésite par le verbe *faire*.
Si l'on peut dire :
– *nous faisons, vous faites* (indicatif présent), on écrit : *-ons, -ez*, donc sans ***i*** ;
– *nous faisions, vous faisiez* (indicatif imparfait), on écrit : *-ions, -iez*, donc avec ***i*** ;
– *que nous fassions, vous fassiez* (subjonctif présent), on écrit : *-ions, -iez*, donc avec ***i***.

ATTENTION Au subjonctif présent, il n'y a pas de *i* après le ***y*** pour les verbes *avoir* et *être* :
que nous ayons, que vous ayez ; que nous soyons, que vous soyez.

187 Avec ou sans accent circonflexe dans la terminaison : *vint* ou *vînt* ?

Si l'on consulte les tableaux → 177 et 178, on constate qu'à la 3e personne du singulier les terminaisons du passé simple et du subjonctif imparfait sont homophones. Il n'y a d'accent circonflexe qu'au subjonctif imparfait.

VERBES	INDICATIF PASSÉ SIMPLE	SUBJONCTIF IMPARFAIT	EXEMPLES	REMARQUES
EN *-ER*	***-a***	***-ât***	*il chanta, qu'il chantât* *il alla, qu'il allât*	tous les verbes en ***-er***
EN *-IR*	**-it**	***-ît***	*il finit, qu'il finît* *il ouvrit, qu'il ouvrît*	les plus nombreux
	-int ***-ut***	***-înt*** ***-ût***	*il vint, qu'il vînt* *il courut, qu'il courût*	**SAUF** *venir, tenir, courir, mourir*
EN *-OIR*	***-ut***	***-ût***	*il voulut, qu'il voulût* *il reçut, qu'il reçût* *il put, qu'il pût*	les plus nombreux
	-it	***-ît***	*il vit, qu'il vît*	**SAUF** *voir* et *asseoir*
EN *-RE*	**-it** ***-ut***	***-ît*** ***-ût***	*il prit, qu'il prît* *il lut, qu'il lût*	selon les verbes
AVOIR *ÊTRE*	***eut*** ***fut***	***eût*** ***fût***	*il eut, qu'il eût* *il fut, qu'il fût*	

Pour vérifier s'il s'agit du passé simple ou du subjonctif imparfait, il suffit d'essayer de mettre le verbe au **passé composé** ou au **présent du subjonctif**.

• Si le passé composé est possible, il s'agit du passé simple ; ce sont deux temps de l'indicatif.

passé composé → passé simple

Elle était si contente qu'elle le remerci(?) chaleureusement.

On peut dire au passé composé :
Elle était si contente qu'elle l'a remercié.
Donc, on écrira *elle le remercia* avec ***-a*** au passé simple.

→ *Elle était si contente qu'elle le remercia chaleureusement.*

• Si le passé composé est impossible, mais que le subjonctif présent est possible, il s'agit de l'imparfait du subjonctif ; ce sont deux temps du subjonctif.

présent du subjonctif → imparfait du subjonctif

Elle souhaitait qu'on le remerci(?) chaleureusement.

On ne peut pas dire au passé composé :
Elle souhaitait ~~qu'on l'a remercié.~~
Mais on peut dire au subjonctif présent :
Elle souhaitait qu'on le remercie.
Il s'agit bien d'un subjonctif.
Donc, on écrira *on le remerciât* avec ***-ât*** à l'imparfait du subjonctif.

→ *Elle souhaitait qu'on le remerciât.*

bien qu'il f(?)t l'aîné, quoiqu'il e(?)t raison

Au présent, on dirait :
bien qu'il soit l'aîné, quoiqu'il ait raison
Il s'agit bien du subjonctif.
Donc on écrira *il fût, il eût* avec ***-ût*** à l'imparfait du subjonctif.

→ *bien qu'il fût l'aîné, quoiqu'il eût raison*

COMMENT CONJUGUER UN VERBE ?

Les paragraphes qui suivent montrent que dans la plupart des cas :
– il suffit de connaître quelques formes de la conjugaison d'un verbe pour reconstituer toute cette conjugaison ;
– il suffit de connaître les terminaisons selon les groupes de verbes (tableaux →177 et 179) pour éviter les erreurs à l'oral et à l'écrit.
Cependant, certains verbes, très irréguliers – mais aussi très fréquents – doivent être appris dans leur totalité : *avoir, être, faire, aller, pouvoir, vouloir, savoir...*

Aux temps simples

188 À partir du présent de l'indicatif : le subjonctif présent, l'indicatif imparfait et le participe passé

La 3e personne du pluriel permet de retrouver la 1re personne du subjonctif présent que l'on peut ensuite conjuguer.

VERBE	INDICATIF PRÉSENT		SUBJONCTIF PRÉSENT
chanter	*ils chantent*	→	*que je chante*
finir	*ils finissent*	→	*que je finisse*
partir	*ils partent*	→	*que je parte*
acquérir	*ils acquièrent*	→	*que j'acquière*
courir	*ils courent*	→	*que je coure*
voir	*ils voient*	→	*que je voie*
recevoir	*ils reçoivent*	→	*que je reçoive*
devoir	*ils doivent*	→	*que je doive*
extraire	*ils extraient*	→	*que j'extraie*
taire	*ils taisent*	→	*que je taise*
croire	*ils croient*	→	*que je croie...*

La 1re personne du pluriel permet de retrouver le bon radical quand il s'agit d'un verbe irrégulier pour :

- les 1re et 2e personnes du pluriel du subjonctif présent ;

VERBE	INDICATIF PRÉSENT		SUBJONCTIF PRÉSENT
acquérir	*nous acquérons*	→	*que nous acquérions*
tenir	*nous tenons*	→	*que nous tenions*
voir	*nous voyons*	→	*que nous voyions...*

• tout l'imparfait de l'indicatif ;

VERBE	INDICATIF PRÉSENT		IMPARFAIT
envoyer	*nous envoyons*	→	*j'envoyais, tu envoyais*
acquérir	*nous acquérons*	→	*j'acquérais*
émouvoir	*nous émouvons*	→	*j'émouvais*
boire	*nous buvons*	→	*je buvais*
écrire	*nous écrivons*	→	*j'écrivais...*

• le participe présent.

VERBE	INDICATIF PRÉSENT		PARTICIPE PRÉSENT
asseoir	*nous asseyons*	→	*asseyant*
extraire	*nous extrayons*	→	*extrayant...*

189 À partir du participe passé : le passé simple

Le participe passé donne le bon radical et la bonne voyelle de la terminaison du passé simple.

VERBE	PARTICIPE PASSÉ		PASSÉ SIMPLE
partir	*parti*	→	*il partit, ils partirent*
bouillir	*bouilli*	→	*il bouillit, ils bouillirent* (et non *ils ~~bouillèrent~~*)
acquérir	*acquis*	→	*il acquit* (et non *il ~~acquérit~~*)
élire	*élu*	→	*il élut, ils élurent* (et non *ils ~~élirent~~*)
pouvoir	*pu*	→	*il put, ils purent...*

Seuls font exceptions les verbes *être, faire, naître* aux multiples radicaux ;

VERBE	PARTICIPE PASSÉ		PASSÉ SIMPLE
être	*été*	→	*il fut, ils furent*
faire	*fait*	→	*il fit, ils firent*
naître	*né*	→	*il naquit, ils naquirent*

et les verbes *ouvrir, voir, conduire, coudre, rendre, battre* et *vaincre.*

190 À partir du futur et de l'imparfait : le conditionnel présent

Le conditionnel présent est formé à partir du futur de l'indicatif avec les terminaisons ou les finales des terminaisons de l'imparfait.

chanter ↗ *je chanterai* / ↘ *je chantais* } → *je chanterais*

finir ↗ *je finirai* / ↘ *je finissais* } → *je finirais*

ouvrir ↗ *j'ouvrirai* / ↘ *j'ouvrais* } → *j'ouvrirais*

⊕ C'est parce qu'il combine à la fois l'idée de futur et l'idée de passé que le conditionnel présent s'emploie comme futur du passé : *Je savais ce jour-là qu'il viendrait le jour d'après.*

ATTENTION Bien former le conditionnel présent.
Les terminaisons du conditionnel présent des verbes irréguliers du 3e groupe sont ***-rais***, ***-rais***, ***-rait***, ***-rions***, ***-riez***, ***-raient*** et non ~~**-erais**~~, ~~**-erait**~~, ~~**-erions**~~, etc.
Il faut donc dire et écrire pour les verbes en ***-tre*** : *vous mettriez, vous battriez* et non ~~*metteriez, batteriez*~~.
En revanche, il ne faut pas oublier le ***e*** des verbes du 1er groupe en ***-ier***, ***-éer***, ***-uer***, ***-yer*** : *vous copieriez, vous créeriez, vous remueriez, vous nettoieriez.*

REMARQUE
Le risque d'erreur est le même au futur de l'indicatif : *vous battrez, vous mettrez, vous conclurez* (et non ~~*concluerez*~~), *vous copierez, vous créerez, vous remuerez, vous nettoierez.*

Aux temps composés

191 À partir de l'auxiliaire et du participe passé

Aux temps composés, c'est l'auxiliaire, *avoir* ou *être*, qui est conjugué.
Le verbe est au participe passé.
Voici un exemple aux temps composés du verbe *chanter*.

MODE	TEMPS	LA FORME CONJUGUÉE EST	L'AUXILIAIRE EST
INDICATIF	PASSÉ COMPOSÉ	*j'ai chanté*	au présent
	PLUS-QUE-PARFAIT	*j'avais chanté*	à l'imparfait
	PASSÉ ANTÉRIEUR	*j'eus chanté*	au passé simple
	FUTUR ANTÉRIEUR	*j'aurai chanté*	au futur
	CONDITIONNEL PASSÉ	*j'aurais chanté*	au présent
SUBJONCTIF	PASSÉ	*que j'aie chanté*	au présent
	PLUS-QUE-PARFAIT	*que j'eusse chanté*	à l'imparfait
IMPÉRATIF	PASSÉ	*aie chanté*	au présent
INFINITIF	PASSÉ	*avoir chanté*	au présent
PARTICIPE	PASSÉ	*ayant chanté*	au présent

Aux temps surcomposés, le verbe est toujours au participe passé et l'auxiliaire est à un temps composé. On rencontre essentiellement le passé surcomposé avec l'auxiliaire *avoir* au passé composé.

AU PASSÉ COMPOSÉ	AU PASSÉ SURCOMPOSÉ
quand j'ai chanté	*quand j'ai eu chanté*

Les conjugaisons

Les verbes ont été classés selon leurs lettres finales : ***ER***, ***IR*** et ***RE***.
Les verbes *avoir* et *être*, très particuliers, sont conjugués avant tous les autres. Certains verbes ne diffèrent d'un modèle principal que par une particularité graphique. Nous avons choisi de les faire figurer, sans tableau spécifique, à la suite de ce verbe-modèle, de façon à mettre en évidence leur propre particularité. Ainsi, le verbe *haïr* figure à la suite du modèle régulier *finir* avec une remarque sur l'emploi du tréma. → 209
Quelques verbes, rares, irréguliers et/ou défectifs (*gésir, ouïr, paître*...), ne sont pas présentés dans les tableaux qui suivent. Ce ne sont pas des modèles. On les trouvera dans le dico des mots difficiles figurant en fin d'ouvrage.

192 Présentation d'un tableau-type d'une conjugaison

Nous avons choisi de présenter les tableaux de conjugaison uniquement aux temps simples et en rapprochant les modes et les temps qui permettent de déduire et donc de mémoriser les formes conjuguées.

Ainsi, le mode indicatif est coupé en deux de façon à mettre en évidence les correspondances entre présent de l'indicatif et présent du subjonctif, entre passé simple et imparfait du subjonctif, entre indicatif futur et conditionnel présent. → 188-190

L'infinitif et les participes sont donnés d'emblée.

tenir

PARTICIPE PRÉSENT : *tenant* — PARTICIPE PASSÉ : *tenu, tenue*

INDICATIF	SUBJONCTIF	INDICATIF	IMPÉRATIF
PRÉSENT	PRÉSENT	IMPARFAIT	PRÉSENT
je tiens	que **je tienne**	je tenais	
tu tiens	que tu tiennes	tu tenais	tiens
il tient	qu'il tienne	il tenait	
nous tenons	que nous ten**ions**	nous ten**ions**	tenons
vous tenez	que vous teniez	vous teniez	tenez
ils tiennent	qu'ils tiennent	ils tenaient	
			INDICATIF
PASSÉ SIMPLE	IMPARFAIT	FUTUR	COND. PRÉSENT
je tins	que je tinsse	je tiendr**ai**	je tiendr**ais**
tu tins	que tu tinsses	tu tiendras	tu tiendrais
il tint	qu'il tînt	il tiendra	il tiendrait
nous tînmes	que nous tinssions	nous tiendrons	nous tiendr**ions**
vous tîntes	que vous tinssiez	vous tiendrez	vous tiendriez
ils tinrent	qu'ils tinssent	ils tiendront	ils tiendraient

193 Table des verbes conjugués

Verbes *avoir* et *être* → 194-195

Verbes qui se terminent par *ER* → 196-207

• verbes réguliers, type	*chanter*
– verbes en ***-e...er***	*geler, acheter, appeler, jeter*
– verbes en ***-é...er***	*céder*
– verbes en ***-yer***	*payer, nettoyer, essuyer*
• verbes irréguliers en ***-er***	*envoyer, aller*

Verbes qui se terminent par *IR* → 208-231

• verbes réguliers, type	*finir*
• verbes irréguliers en ***-ir***	
– avec ***-s***, ***-s***, ***-t***	*tenir, partir, courir, mourir, acquérir, fuir*
– avec ***-e***, ***-es***, ***-e***	*ouvrir, cueillir*
• verbes en ***-oir***	
– avec ***-s***, ***-s***,***-t***	*voir, recevoir, devoir, émouvoir, asseoir*
– avec ***-x***, ***-x***, ***-t***	*pouvoir, vouloir, valoir*
– verbes impersonnels	*falloir, pleuvoir*

Verbes qui se terminent par *RE* → 232-258

• verbes en ***-aire***	*faire, taire, extraire*
• verbes en ***-oire***	*croire, boire*
• verbes en ***-ire***	*conduire, dire, lire, écrire, rire*
• verbes en ***-dre***	
– en ***-endre***, ***-eindre***	*rendre, prendre, peindre*
– en ***-oudre***	*résoudre, coudre*
• verbes en ***-tre***	
– en ***-aître***, ***-oître***	*connaître, naître, accroître*
– en ***-ettre***, ***-attre***	*mettre, battre*
• autres verbes en ***-re***	*suivre, vivre, conclure, vaincre*

LES VERBES *AVOIR* ET *ÊTRE*

194 *avoir*

Employé comme auxiliaire, le verbe *avoir* sert à former les temps composés de très nombreux verbes à l'actif :
- des verbes intransitifs (sans COD) comme *être, marcher, courir...* ;
- des verbes transitifs (avec COD) comme *faire, devoir, manger, boire...*

Aux formes composées, le participe passé employé avec l'auxiliaire *avoir* suit des règles d'accord particulières. → 367

PARTICIPE PRÉSENT : *ayant* PARTICIPE PASSÉ : *eu, eue*

INDICATIF	SUBJONCTIF	INDICATIF	IMPÉRATIF
PRÉSENT	PRÉSENT	IMPARFAIT	PRÉSENT
j'ai	que **j'aie***	j'avais	
tu as	que tu aies	tu avais	aie
il a	qu'**il ait****	il avait	
nous avons	que **nous ayons*****	nous avions	ayons
vous avez	que vous ayez	vous aviez	ayez
ils ont	qu'ils aient	ils avaient	
			INDICATIF
PASSÉ SIMPLE	IMPARFAIT	FUTUR	COND. PRÉSENT
j'eus	que j'eusse	j'**aurai**	j'**aurais**
tu eus	que tu eusses	tu auras	tu aurais
il eut	qu'**il eût**	il aura	il aurait
nous eûmes	que nous eussions	nous aurons	nous aurions
vous eûtes	que vous eussiez	vous aurez	vous auriez
ils eurent	qu'ils eussent	ils auront	ils auraient

*Attention à ne pas oublier le ***e*** du subjonctif à la 1re personne du singulier.
Tout comme pour le verbe *être*, la 3e personne du subjonctif présent se termine par un ***t*.
Attention à ne pas ajouter de ***i inutile.

195 *être*

Employé comme auxiliaire, le verbe *être* sert à former les temps composés :
– de certains verbes intransitifs (sans COD) comme *devenir, rester, partir, venir...* ;
– des verbes pronominaux comme *se promener, s'enfuir, s'égarer...*

L'auxiliaire *être* s'emploie aussi pour former la voix passive.
Ses concurrents le rattrapent. → *Il est rattrapé par ses concurrents.*

PARTICIPE PRÉSENT : *étant* PARTICIPE PASSÉ : *été*

INDICATIF	SUBJONCTIF	INDICATIF	IMPÉRATIF
PRÉSENT	PRÉSENT	IMPARFAIT	PRÉSENT
je suis	que **je sois**	j'étais	
tu es	que tu sois	tu étais	sois
il est	qu'**il soit***	il était	
nous sommes	que **nous soyons****	nous étions	soyons
vous êtes	que vous soyez	vous étiez	soyez
ils sont	qu'ils soient	ils étaient	
			INDICATIF
PASSÉ SIMPLE	IMPARFAIT	FUTUR	COND. PRÉSENT
je fus	que je fusse	je **serai**	je **serais**
tu fus	que tu fusses	tu seras	tu serais
il fut	qu'**il fût**	il sera	il serait
nous fûmes	que nous fussions	nous serons	nous serions
vous fûtes	que vous fussiez	vous serez	vous seriez
ils furent	qu'ils fussent	ils seront	ils seraient

*Tout comme pour le verbe *avoir*, la 3e personne du subjonctif présent se termine par un ***t***.
Attention à ne pas ajouter de ***i* inutile.

LES VERBES QUI SE TERMINENT PAR *ER*

Les verbes en ***-er*** sont les plus nombreux. Ils sont réguliers et définissent les verbes du 1er groupe.
Deux verbes, les verbes *aller* et *envoyer*, sont des verbes irréguliers souvent classés dans le 3e groupe.

Les verbes en -er

Ces verbes sont ceux dont la conjugaison est la plus facile : un radical stable et des terminaisons régulières, que nous avons mises en évidence sur le tableau-modèle des verbes du 1er groupe ci-dessous : le verbe *chanter*.
Tous ces verbes ont un participe présent en ***-ant*** et un participe passé en ***-é***.
Quelques verbes présentent cependant des difficultés orthographiques liées :
– à la présence d'une voyelle à la finale du radical : *créer, crier, jouer* ;
– à la correspondance entre prononciation et graphie : ***c/ç***, ***g/ge***, ***e/è***...

196 *chanter*

PARTICIPE PRÉSENT : *chantant* PARTICIPE PASSÉ : *chanté, chantée*

INDICATIF	SUBJONCTIF	INDICATIF	IMPÉRATIF
PRÉSENT	PRÉSENT	IMPARFAIT	PRÉSENT
je chant**e**	que je chant**e**	je chant**ais**	
tu chant**es**	que tu chant**es**	tu chant**ais**	chant**e***
il chant**e**	qu'il chant**e**	il chant**ait**	
nous chant**ons**	que nous chant**ions**	nous chant**ions**	chant**ons**
vous chant**ez**	que vous chant**iez**	vous chant**iez**	chant**ez**
ils chant**ent**	qu'ils chant**ent**	ils chant**aient**	
			INDICATIF
PASSÉ SIMPLE	IMPARFAIT	FUTUR	COND. PRÉSENT
je chant**ai**	que je chant**asse**	je chant**erai**	je chant**erais**
tu chant**as**	que tu chant**asses**	tu chant**eras**	tu chant**erais**
il chant**a**	qu'il chant**ât**	il chant**era**	il chant**erait**
nous chant**âmes**	que nous chant**assions**	nous chant**erons**	nous chant**erions**
vous chant**âtes**	que vous chant**assiez**	vous chant**erez**	vous chant**eriez**
ils chant**èrent**	qu'ils chant**assent**	ils chant**eront**	ils chant**eraient**

*Attention, il n'y a pas de ***s*** à la 2e personne du singulier de l'impératif présent, **SAUF** devant *en* et *y* : *chante une chanson, chantes-en deux ; retourne là-bas, retournes-y.*

197 Les verbes en *-ger*, *-cer*, *-guer*

Les verbes en ***-ger*** prennent un ***e*** devant un ***a*** ou un ***o***, afin de conserver la prononciation [j] du **g**.

changer → *changeant*
change → *changeons*

Les verbes en ***-cer*** prennent un ***ç*** devant un ***a*** ou un ***o***, afin de conserver la prononciation [s] du ***c***.

placer → *plaçant*
place → *plaçons*

Les verbes en ***-guer*** conservent le ***u*** devant un ***a*** ou un ***o***, même si la prononciation ne l'exige pas.

conjuguer → *conjuguant*
conjugue → *conjuguons*

198 Les verbes en *-éer*, *-ier*, *-uer*

On fera attention, pour ces verbes, à bien distinguer le radical et les terminaisons : le ***é***, le ***i*** ou le ***u*** font partie du radical et non de la terminaison.

créer

Les verbes en ***-éer*** se retrouvent avec deux ***e*** à certaines formes et même avec trois ***e*** au participe passé féminin.

– participe passé : *créé, créée*
– indicatif futur : *il créera*
– conditionnel présent : *il créerait*

copier

Les verbes en ***-ier*** se retrouvent avec deux ***i*** à l'imparfait et au subjonctif présent.

Il ne faut pas oublier le ***e*** muet au futur et au conditionnel présent.

– indicatif imparfait : *nous copiions*
– subjonctif présent : *nous copiions*
– indicatif futur : *il copiera*
– conditionnel présent : *il copierait*

jouer, saluer

Il ne faut pas oublier le ***e*** muet au futur et au conditionnel présent pour les verbes en ***-uer***.

– indicatif futur : *il jouera, il saluera*
– conditionnel présent : *il jouerait, il saluerait*

199 Les verbes en *-gner*, *-iller*

peigner, piller
Il ne faut pas oublier le ***i***, qui ne s'entend pas, à l'indicatif imparfait et au subjonctif présent pour les verbes en ***-gner*** ou en ***-iller***.
– indicatif imparfait : *nous peignions, nous pillions*
– subjonctif présent : *que nous peignions, que nous pillions*

Les verbes en -e...er

Certains verbes, comme *acheter*, *geler* ou *semer*, prennent un accent grave sur le ***e***, conforme à la prononciation en [ɛ], quand la terminaison commence par un ***e*** muet.
D'autres verbes en ***-eter*** ou ***-eler***, comme *jeter* ou *appeler*, doublent la consonne pour obtenir le même son [ɛ]. Voir aussi les rectifications de l'orthographe (p. 315).

200 *acheter (geler, semer) : e/è*

PARTICIPE PRÉSENT : *achetant* PARTICIPE PASSÉ : *acheté, achetée*

INDICATIF	SUBJONCTIF	INDICATIF	IMPÉRATIF
PRÉSENT	PRÉSENT	IMPARFAIT	PRÉSENT
j'achète	que j'achète	j'achetais	
tu achètes	que tu achètes	tu achetais	achète*
il achète	qu'il achète	il achetait	
nous achetons	que nous achetions	nous achetions	achetons
vous achetez	que vous achetiez	vous achetiez	achetez
ils achètent	qu'ils achètent	ils achetaient	
			INDICATIF
PASSÉ SIMPLE	IMPARFAIT	FUTUR	COND. PRÉSENT
j'achetai	que j'achetasse	j'achète**rai**	j'achète**rais**
tu achetas	que tu achetasses	tu achèteras	tu achèterais
il acheta	qu'il achetât	il achètera	il achèterait
nous achetâmes	que nous achetassions	nous achèterons	nous achète**rions**
vous achetâtes	que vous achetassiez	vous achèterez	vous achèteriez
ils achetèrent	qu'ils achetassent	ils achèteront	ils achèteraient

*Attention, il n'y a pas de **s** à la 2e personne de l'impératif présent, SAUF devant *en* et *y* : *achète des fleurs, achètes-en une douzaine.*

201 *jeter* (*appeler**) : *-et/-ett* ou *-el/-ell*

PARTICIPE PRÉSENT : *jetant* PARTICIPE PASSÉ : *jeté, jetée*

INDICATIF	SUBJONCTIF	INDICATIF	IMPÉRATIF
PRÉSENT	PRÉSENT	IMPARFAIT	PRÉSENT
je jette	que je jette	je jetais	
tu jettes	que tu jettes	tu jetais	jette
il jette	qu'il jette	il jetait	
nous jetons	que nous jetions	nous jetions	jetons
vous jetez	que vous jetiez	vous jetiez	jetez
ils jettent	qu'ils jettent	ils jetaient	
			INDICATIF
PASSÉ SIMPLE	IMPARFAIT	FUTUR	COND. PRÉSENT
je jetai	que je jetasse	je jetterai	je jetterais
tu jetas	que tu jetasses	tu jetteras	tu jetterais
il jeta	qu'il jetât	il jettera	il jetterait
nous jetâmes	que nous jetassions	nous jetterons	nous jetterions
vous jetâtes	que vous jetassiez	vous jetterez	vous jetteriez
ils jetèrent	qu'ils jetassent	ils jetteront	ils jetteraient

*Le verbe *appeler* alterne sur ce modèle le ***l*** et le ***ll*** : *nous appelons, ils appellent*.

Les verbes en -é...er

Cette série comprend des verbes comme *célébrer, altérer, déléguer, préférer,* etc., qui présentent une alternance entre ***é*** et ***è***: *céder/il cède.*
L'accent aigu se change en accent grave devant un ***e*** muet en syllabe finale.
La prononciation actuelle appelle aussi l'accent grave au futur et au conditionnel présent alors que le ***e*** n'est pas en syllabe finale (*je cèderai, je cèderais*) comme pour *acheter*.

202 *céder : é/è*

PARTICIPE PRÉSENT : *cédant* PARTICIPE PASSÉ : *cédé, cédée*

INDICATIF	SUBJONCTIF	INDICATIF	IMPÉRATIF
PRÉSENT	PRÉSENT	IMPARFAIT	PRÉSENT
je cède	que je cède	je cédais	
tu cèdes	que tu cèdes	tu cédais	cède
il cède	qu'il cède	il cédait	
nous cédons	que nous cédions	nous cédions	cédons
vous cédez	que vous cédiez	vous cédiez	cédez
ils cèdent	qu'ils cèdent	ils cédaient	
			INDICATIF
PASSÉ SIMPLE	IMPARFAIT	FUTUR	COND. PRÉSENT
je cédai	que je cédasse	**je céderai/cèderai***	**je céderais/cèderais***
tu cédas	que tu cédasses	tu céderas/cèderas	tu céderais/cèderais
il céda	qu'il cédât	il cédera/cèdera	il céderait/cèderait
nous cédâmes	que nous cédassions	ns céderons/cèderons	nous céderions/cèderions
vous cédâtes	que vous cédassiez	vous céderez/cèderez	vous céderiez/cèderiez
ils cédèrent	qu'ils cédassent	ils céderont/cèderont	ils céderaient/cèderaient

*Au futur de l'indicatif et au conditionnel présent deux formes sont aujourd'hui admises : *céderai, céderais* avec l'accent aigu, forme traditionnelle, et *cèderai, cèderais* avec l'accent grave, conforme à la prononciation actuelle. Voir les rectifications de l'orthographe (p. 315).

203 *rapiécer, siéger, léguer*

Ces verbes se conjuguent comme *céder* pour l'alternance du ***é*** et du ***è*** et comme les verbes en ***-cer, -ger, -guer*** (→ 197) :
- *rapiécer* se conjugue comme *céder* et *placer* : *nous rapiéçons* ;
- *siéger* se conjugue comme *céder* et *manger* : *nous siégeons* ;
- *léguer* se conjugue comme *céder* et *conjuguer* : *nous léguons.*

Les verbes en -yer

Il s'agit des verbes en ***-ayer***, ***-oyer*** et ***-uyer***.
Devant le ***e*** muet de certaines terminaisons, les verbes en ***-ayer*** comme *payer* peuvent se conjuguer de deux façons : avec ***y*** ou avec ***i***.
Mais les verbes en ***-oyer*** ou ***-uyer*** comme *nettoyer*, *essuyer*, changent toujours le ***y*** en ***i***. → 205

204 payer : y ou i

PARTICIPE PRÉSENT : *payant* PARTICIPE PASSÉ : *payé, payée*

INDICATIF	SUBJONCTIF	INDICATIF	IMPÉRATIF
PRÉSENT	PRÉSENT	IMPARFAIT	PRÉSENT
je pay**e**/pa**ie**	que je pay**e**/pa**ie**	je payais	
tu payes/paies	que tu payes/paies	tu payais	paye/paie
il paye/paie	qu'il paye/paie	il payait	
nous payons	que nous pay**i**ons*	nous pay**i**ons*	payons
vous payez	que vous pay**i**ez*	vous pay**i**ez*	payez
ils payent/paient	qu'ils payent/paient	ils payaient	
			INDICATIF
PASSÉ SIMPLE	IMPARFAIT	FUTUR	COND. PRÉSENT
je payai	que je payasse	je pay**erai**/pai**erai**	je pay**erais**/pai**erais**
tu payas	que tu payasses	tu payeras/paieras	tu payerais/paierais
il paya	qu'il pay**â**t	il payera/paiera	il payerait/paierait
nous payâmes	que nous payassions	nous payerons/paierons	nous payerions/paierions
vous payâtes	que vous payassiez	vous payerez/paierez	vous payeriez/paieriez
ils payèrent	qu'ils payassent	ils payeront/paieront	ils payeraient/paieraient

*Attention à ne pas oublier le ***i*** à l'indicatif imparfait et au subjonctif présent.

205 nettoyer (essuyer) : y ou i

PARTICIPE PRÉSENT : *nettoyant* PARTICIPE PASSÉ : *nettoyé, nettoyée*

INDICATIF	SUBJONCTIF	INDICATIF	IMPÉRATIF
PRÉSENT	PRÉSENT	IMPARFAIT	PRÉSENT
je nettoi**e**	que je nettoi**e**	je nettoyais	
tu nettoies	que tu nettoies	tu nettoyais	nettoi**e**
il nettoie	qu'il nettoie	il nettoyait	
nous nettoyons	que nous netto**yi**ons*	nous netto**yi**ons*	nettoyons
vous nettoyez	que vous netto**yi**ez	vous netto**yi**ez	nettoyez
ils nettoient	qu'ils nettoient	ils nettoyaient	
			INDICATIF
PASSÉ SIMPLE	IMPARFAIT	FUTUR	COND. PRÉSENT
je nettoyai	que je nettoyasse	je netto**ierai****	je netto**ierais****
tu nettoyas	que tu nettoyasses	tu nettoieras	tu nettoierais
il nettoya	qu'il nettoy**â**t	il nettoiera	il nettoierait
nous nettoyâmes	que nous nettoyassions	nous nettoierons	nous nettoierions
vous nettoyâtes	que vous nettoyassiez	vous nettoierez	vous nettoieriez
ils nettoyèrent	qu'ils nettoyassent	ils nettoieront	ils nettoieraient

*Attention à ne pas oublier le ***i*** à l'indicatif imparfait et au subjonctif présent.
Au futur et au conditionnel, il ne faut pas oublier le ***e* : *nous nettoierons, essuierons, noierons*, etc., et il ne faut pas oublier non plus qu'il n'y a pas de *y* : on ne dit ni n'écrit ~~*nettoyera*~~, ~~*noyera*~~, etc.

Deux verbes irréguliers en -er : envoyer *et* aller

206 *envoyer*

PARTICIPE PRÉSENT : *envoyant* PARTICIPE PASSÉ : *envoyé, envoyée*

INDICATIF	SUBJONCTIF	INDICATIF	IMPÉRATIF
PRÉSENT	PRÉSENT	IMPARFAIT	PRÉSENT
j'envoi**e*** tu envoi**es** il envoi**e** nous envoyons vous envoyez ils envoient	que j'envoi**e** que tu envoi**es** qu'il envoi**e** que nous envo**yi**ons* que vous envo**yi**ez qu'ils envoient	j'envoyais tu envoyais il envoyait nous envo**yi**ons* vous envo**yi**ez ils envoyaient	 envoie envoyons envoyez
			INDICATIF
PASSÉ SIMPLE	IMPARFAIT	FUTUR	COND. PRÉSENT
j'envoyai tu envoyas il envoya nous envoyâmes vous envoyâtes ils envoyèrent	que j'envoyasse que tu envoyasses qu'il envoy**â**t que nous envoyassions que vous envoyassiez qu'ils envoyassent	**j'enverrai** tu enverras il enverra nous enverrons vous enverrez ils enverront	**j'enverrais** tu enverrais il enverrait nous enverrions vous enverriez ils enverraient

*Il ne faut pas oublier le ***i*** à l'indicatif imparfait et au subjonctif présent.

207 *aller*

PARTICIPE PRÉSENT : *allant* PARTICIPE PASSÉ : *allé, allée*

INDICATIF	SUBJONCTIF	INDICATIF	IMPÉRATIF
PRÉSENT	PRÉSENT	IMPARFAIT	PRÉSENT
je vais tu vas il va nous allons vous allez ils vont	que j'aille que tu ailles qu'il aille que nous allions que vous alliez qu'ils aillent	j'allais tu allais il allait nous allions vous alliez ils allaient	 va* allons allez
			INDICATIF
PASSÉ SIMPLE	IMPARFAIT	FUTUR	COND. PRÉSENT
j'allai tu allas il alla nous allâmes vous allâtes ils allèrent	que j'allasse que tu allasses qu'il allât que nous allassions que vous allassiez qu'ils allassent	j'**irai** tu iras il ira nous irons vous irez ils iront	j'**irais** tu irais il irait nous irions vous iriez ils iraient

*À l'impératif, *va* prend un **s** devant *y* : *vas-y*.

LES VERBES QUI SE TERMINENT PAR *IR*

De très nombreux verbes se terminent par les deux lettres ***IR***. Il s'agit des verbes réguliers du 2e groupe comme *finir* et de verbes irréguliers du 3e groupe.

Les verbes réguliers en -ir

Ces verbes du 2e groupe sont très nombreux. Ils se caractérisent par un radical qui ne change pas et des terminaisons régulières, que nous avons mises en évidence dans le tableau-modèle du verbe *finir*, ci-dessous.
Ils ont tous un participe présent en ***-issant*** et un participe passé en ***-i***.

208 *finir*

PARTICIPE PRÉSENT : *finissant* PARTICIPE PASSÉ : *fini, finie*

INDICATIF	SUBJONCTIF	INDICATIF	IMPÉRATIF
PRÉSENT	PRÉSENT	IMPARFAIT	PRÉSENT
je fin**is**	que je fin**isse**	je fin**issais**	
tu fin**is**	que tu fin**isses**	tu fin**issais**	fin**is**
il fin**it**	qu'il fin**isse**	il fin**issait**	
nous fin**issons**	que nous fin**issions**	nous fin**issions**	fin**issons**
vous fin**issez**	que vous fin**issiez**	vous fin**issiez**	fin**issez**
ils fin**issent**	qu'ils fin**issent**	ils fin**issaient**	
			INDICATIF
PASSÉ SIMPLE	IMPARFAIT	FUTUR	COND. PRÉSENT
je fin**is**	que je fin**isse**	je fin**irai**	je fin**irais**
tu fin**is**	que tu fin**isses**	tu fin**iras**	tu fin**irais**
il fin**it**	qu'il fin**ît**	il fin**ira**	il fin**irait**
nous fin**îmes**	que nous fin**issions**	nous fin**irons**	nous fin**irions**
vous fin**îtes**	que vous fin**issiez**	vous fin**irez**	vous fin**iriez**
ils fin**irent**	qu'ils fin**issent**	ils fin**iront**	ils fin**iraient**

209 *haïr*

Ce verbe garde le ***ï*** à toutes les formes, **SAUF** aux trois premières personnes de l'indicatif présent : *je hais, tu hais, il hait.*

PARTICIPE PRÉSENT : *haïssant* PARTICIPE PASSÉ : *haï, haïe*

Les verbes irréguliers en -ir *(1) : avec* -s,-s,-t *au présent*

Ces verbes font partie du 3e groupe. Les radicaux et les terminaisons varient. Ils ont un participe présent en ***-ant*** et un participe passé en ***-u***, ***-i***, ***-t*** ou ***-s***.

210 *tenir* (*venir*... et tous les verbes en *-enir*)

PARTICIPE PRÉSENT : *tenant* PARTICIPE PASSÉ : *tenu, tenue*

INDICATIF	SUBJONCTIF	INDICATIF	IMPÉRATIF
PRÉSENT	PRÉSENT	IMPARFAIT	PRÉSENT
je tiens	que je tienne	je tenais	
tu tiens	que tu tiennes	tu tenais	tiens
il tient	qu'il tienne	il tenait	
nous tenons	que nous tenions	nous tenions	tenons
vous tenez	que vous teniez	vous teniez	tenez
ils tiennent	qu'ils tiennent	ils tenaient	
			INDICATIF
PASSÉ SIMPLE	IMPARFAIT	FUTUR	COND. PRÉSENT
je tins	que je tinsse	je tiend**rai**	je tiend**rais**
tu tins	que tu tinsses	tu tiendras	tu tiendrais
il tint	qu'il tînt	il tiendra	il tiendrait
nous tînmes	que nous tinssions	nous tiendrons	nous tiend**rions**
vous tîntes	que vous tinssiez	vous tiendrez	vous tiendriez
ils tinrent	qu'ils tinssent	ils tiendront	ils tiendraient

211 partir (mentir, sortir, dormir, servir...)

Tous ces verbes perdent la consonne finale du radical (le ***t*** de *partir*, *mentir*, *sortir* ; le ***m*** de *dormir* ou le ***v*** de *servir*) au singulier de l'indicatif présent et de l'impératif. Ils la retrouvent dans toutes les autres formes.

PARTICIPE PRÉSENT : *partant* PARTICIPE PASSÉ : *parti, partie*

INDICATIF	SUBJONCTIF	INDICATIF	IMPÉRATIF
PRÉSENT	PRÉSENT	IMPARFAIT	PRÉSENT
je pars	que je parte	je partais	
tu pars	que tu partes	tu partais	pars
il part	qu'il parte	il partait	
nous partons	que nous partions	nous partions	partons
vous partez	que vous partiez	vous partiez	partez
ils partent	qu'ils partent	ils partaient	
			INDICATIF
PASSÉ SIMPLE	IMPARFAIT	FUTUR	COND. PRÉSENT
je partis	que je partisse	je partirai	je partirais
tu partis	que tu partisses	tu partiras	tu partirais
il partit	qu'il partît	il partira	il partirait
nous partîmes	que nous partissions	nous partirons	nous partirions
vous partîtes	que vous partissiez	vous partirez	vous partiriez
ils partirent	qu'ils partissent	ils partiront	ils partiraient

212 *courir*

PARTICIPE PRÉSENT : *courant* PARTICIPE PASSÉ : *couru, courue*

INDICATIF	SUBJONCTIF	INDICATIF	IMPÉRATIF
PRÉSENT	PRÉSENT	IMPARFAIT	PRÉSENT
je cour**s***	que je cour**e***	je courais	
tu cours	que tu cour**es**	tu courais	cour**s**
il cour**t***	qu'il cour**e***	il courait	
nous courons	que nous courions	nous courions	courons
vous courez	que vous couriez	vous couriez	courez
ils courent	qu'ils courent	ils couraient	
			INDICATIF
PASSÉ SIMPLE	IMPARFAIT	FUTUR	COND. PRÉSENT
je courus	que je courusse	je cou**rrai****	je cou**rrais****
tu courus	que tu courusses	tu courras	tu courrais
il courut	qu'il cour**û**t	il courra	il courrait
nous courûmes	que nous courussions	nous courrons	nous courrions
vous courûtes	que vous courussiez	vous courrez	vous courriez
ils coururent	qu'ils courussent	ils courront	ils courraient

*Bien noter : *je cours, il court* à l'indicatif présent, *que je coure, qu'il coure* au subjonctif présent.

Attention ! il n'y a deux ***r* qu'au futur et au conditionnel présent.

213 *mourir*

La conjugaison de ce verbe est comparable à celle du verbe *courir* (→ 212), à l'exception du participe passé et des trois premières personnes du singulier du présent de l'indicatif et du subjonctif.

PARTICIPE PRÉSENT : ***mourant*** PARTICIPE PASSÉ : ***mort, morte***

INDICATIF	SUBJONCTIF	INDICATIF	IMPÉRATIF
PRÉSENT	PRÉSENT	IMPARFAIT	PRÉSENT
je meurs*	que **je meure***	je mourais	
tu meurs	que **tu meures**	tu mourais	meurs
il meurt*	qu'**il meure***	il mourait	
nous mourons	que nous mourions	nous mourions	mourons
vous mourez	que vous mouriez	vous mouriez	mourez
ils meurent	qu'ils meurent	ils mouraient	
			INDICATIF
PASSÉ SIMPLE	IMPARFAIT	FUTUR	COND. PRÉSENT
je mourus	que je mourusse	je mou**rrai****	je mou**rrais****
tu mourus	que tu mourusses	tu mourras	tu mourrais
il mourut	qu'il mour**û**t	il mourra	il mourrait
nous mourûmes	que nous mourussions	nous mourrons	nous mourrions
vous mourûtes	que vous mourussiez	vous mourrez	vous mourriez
ils moururent	qu'ils mourussent	ils mourront	ils mourraient

*Bien noter : *je meurs, il meurt* à l'indicatif présent, *que je meure, qu'il meure* au subjonctif présent.
Attention ! il n'y a deux ***r* qu'au futur et au conditionnel présent.

214 *acquérir (conquérir, requérir)*

PARTICIPE PRÉSENT : *acquérant* PARTICIPE PASSÉ : *acquis, acquise*

INDICATIF	SUBJONCTIF	INDICATIF	IMPÉRATIF
PRÉSENT	PRÉSENT	IMPARFAIT	PRÉSENT
j'acquiers*	que **j'acquière***	j'acquérais	
tu acquiers	que **tu acquières**	tu acquérais	acquiers
il acquiert	qu'**il acquière**	il acquérait	
nous acquérons	que nous acquérions	nous acquérions	acquérons
vous acquérez	que vous acquériez	vous acquériez	acquérez
ils acquièrent	qu'ils acquièrent	ils acquéraient	
			INDICATIF
PASSÉ SIMPLE	IMPARFAIT	FUTUR	COND. PRÉSENT
j'acquis	que j'acquisse	j'acquer**rai****	j'acque**rrais****
tu acquis	que tu acquisses	tu acquerras	tu acquerrais
il acquit	qu'il acquît	il acquerra	il acquerrait
nous acquîmes	que nous acquissions	nous acquerrons	nous acquerrions
vous acquîtes	que vous acquissiez	vous acquerrez	vous acquerriez
ils acquirent	qu'ils acquissent	ils acquerront	ils acquerraient

*Bien noter : *j'acquiers* à l'indicatif présent et *que j'acquière* au subjonctif présent.
Attention ! il n'y a deux ***r* qu'au futur et au conditionnel présent.

215 *bouillir*

PARTICIPE PRÉSENT : *bouillant* PARTICIPE PASSÉ : *bouilli, bouillie*

INDICATIF	SUBJONCTIF	INDICATIF	IMPÉRATIF
PRÉSENT	PRÉSENT	IMPARFAIT	PRÉSENT
je bou**s**	que je bouille	je bouillais	
tu bou**s**	que tu bouilles	tu bouillais	**bous**
il bou**t**	qu'il bouille	il bouillait	
nous bouillons	que nous bouill**ions**	nous bouill**ions**	bouillons
vous bouillez	que vous bouill**iez**	vous bouill**iez**	bouillez
ils bouillent	qu'ils bouillent	ils bouillaient	
			INDICATIF
PASSÉ SIMPLE	IMPARFAIT	FUTUR	COND. PRÉSENT
je bouillis	que je bouillisse	je bouilli**rai**	je bouilli**rais**
tu bouillis	que tu bouillisses	tu bouilliras	tu bouillirais
il bouillit	qu'il bouillît	**il bouillira***	il bouillirait
nous bouillîmes	que nous bouillissions	nous bouillirons	nous bouillirions
vous bouillîtes	que vous bouillissiez	vous bouillirez	vous bouilliriez
ils bouillirent	qu'ils bouillissent	ils bouilliront	ils bouilliraient

*Attention au futur : *quand l'eau bouillira* et non ~~*bouera*~~.

216 *fuir* (*s'enfuir*)

Fuir et *s'enfuir* sont les seuls verbes à se conjuguer ainsi.

PARTICIPE PRÉSENT : *fuyant* PARTICIPE PASSÉ : *fui, fuie*

INDICATIF	SUBJONCTIF	INDICATIF	IMPÉRATIF
PRÉSENT	PRÉSENT	IMPARFAIT	PRÉSENT
je fuis	que je **fuie**	je fuyais	
tu fuis	que tu fuies	tu fuyais	**fuis**
il fuit	qu'il fuie	il fuyait	
nous fuyons	que nous fu**yi**ons*	nous fu**yi**ons*	fuyons
vous fuyez	que vous fu**yi**ez	vous fu**yi**ez	fuyez
ils fuient	qu'ils fuient	ils fuyaient	
			INDICATIF
PASSÉ SIMPLE	IMPARFAIT	FUTUR	COND. PRÉSENT
je fuis	que je fuisse	je fui**rai**	je fui**rais**
tu fuis	que tu fuisses	tu fuiras	tu fuirais
il fuit	qu'il fuît	il fuira	il fuirait
nous fuîmes	que nous fuissions	nous fuirons	nous fuirions
vous fuîtes	que vous fuissiez	vous fuirez	vous fuiriez
ils fuirent	qu'ils fuissent	ils fuiront	ils fuiraient

*Bien noter le ***i*** à l'indicatif imparfait et au subjonctif présent : *nous fuyions, vous fuyiez.*

Les verbes irréguliers en -ir *(2) : avec* -e, -es, -e *au présent*

Ces verbes se conjuguent comme *chanter* à certains temps et comme *finir* à d'autres. Les deux verbes-modèles sont *ouvrir* et *cueillir* (→ 218).

217 *ouvrir (offrir, souffrir)*

PARTICIPE PRÉSENT : *ouvrant* PARTICIPE PASSÉ : *ouvert, ouverte*

INDICATIF	SUBJONCTIF	INDICATIF	IMPÉRATIF
PRÉSENT	PRÉSENT	IMPARFAIT	PRÉSENT
j'ouvre	que j'ouvre	j'ouvrais	
tu ouvres	que tu ouvres	tu ouvrais	ouvre*
il ouvre	qu'il ouvre	il ouvrait	
nous ouvrons	que nous ouvrions	nous ouvrions	ouvrons
vous ouvrez	que vous ouvriez	vous ouvriez	ouvrez
ils ouvrent	qu'ils ouvrent	ils ouvraient	
			INDICATIF
PASSÉ SIMPLE	IMPARFAIT	FUTUR	COND. PRÉSENT
j'ouvris	que j'ouvrisse	j'ouvri**rai**	j'ouvri**rais**
tu ouvris	que tu ouvrisses	tu ouvriras	tu ouvrirais
il ouvrit	qu'il ouvrît	il ouvrira	il ouvrirait
nous ouvrîmes	que nous ouvrissions	nous ouvrirons	nous ouvririons
vous ouvrîtes	que vous ouvrissiez	vous ouvrirez	vous ouvririez
ils ouvrirent	qu'ils ouvrissent	ils ouvriront	ils ouvriraient

*Il n'y a pas de ***s*** à la 2e personne de l'impératif **SAUF** devant le pronom *en* : *ouvre les huîtres, ouvres-en douze.*

218 *cueillir* (*accueillir*, *recueillir*)

PARTICIPE PRÉSENT : *cueillant* PARTICIPE PASSÉ : *cueilli, cueillie*

INDICATIF	SUBJONCTIF	INDICATIF	IMPÉRATIF
PRÉSENT	PRÉSENT	IMPARFAIT	PRÉSENT
je cueille	que je cueille	je cueillais	
tu cueilles	que tu cueilles	tu cueillais	cueill**e***
il cueille	qu'il cueille	il cueillait	
nous cueillons	que nous cueill**ions****	nous cueill**ions****	cueillons
vous cueillez	que vous cueill**iez**	vous cueill**iez**	cueillez
ils cueillent	qu'ils cueillent	ils cueillaient	
			INDICATIF
PASSÉ SIMPLE	IMPARFAIT	FUTUR	COND. PRÉSENT
je cueillis	que je cueillisse	je cueille**rai**	je cueille**rais**
tu cueillis	que tu cueillisses	tu cueilleras	tu cueillerais
il cueillit	qu'il cueill**î**t	il cueillera	il cueillerait
nous cueillîmes	que nous cueillissions	nous cueillerons	nous cueillerions
vous cueillîtes	que vous cueillissiez	vous cueillerez	vous cueilleriez
ils cueillirent	qu'ils cueillissent	ils cueilleront	ils cueilleraient

*Il n'y a pas de ***s*** à la 2e personne de l'impératif **SAUF** devant le pronom *en* : *cueille des fleurs, cueilles-en douze.*

Il ne faut pas oublier le ***i* à l'indicatif imparfait et au subjonctif présent : *nous cueillions, vous cueilliez.*

Les verbes en -oir (1) *: avec* -s, -s, -t *au présent*

À l'exception du verbe *asseoir*, tous les verbes en ***-oir*** ont un participe passé en ***-u***.

219 voir (revoir, entrevoir)

Ces verbes se conjuguent avec *-s*, *-s*, *-t* à l'indicatif présent, mais *-e*, *-es*, *-e* au subjonctif présent.

PARTICIPE PRÉSENT : *voyant* PARTICIPE PASSÉ : *vu, vue*

INDICATIF	SUBJONCTIF	INDICATIF	IMPÉRATIF
PRÉSENT	PRÉSENT	IMPARFAIT	PRÉSENT
je vois	que je voie*	je voyais	
tu vois	que tu voies	tu voyais	vois
il voit	qu'il voie	il voyait	
nous voyons	que nous voyions**	nous voyions**	voyons
vous voyez	que vous voyiez	vous voyiez	voyez
ils voient	qu'ils voient	ils voyaient	
			INDICATIF
PASSÉ SIMPLE	IMPARFAIT	FUTUR	COND. PRÉSENT
je vis	que je visse	je verrai	je verrais
tu vis	que tu visses	tu verras	tu verrais
il vit	qu'il vît	il verra	il verrait
nous vîmes	que nous vissions	nous verrons	nous verrions
vous vîtes	que vous vissiez	vous verrez	vous verriez
ils virent	qu'ils vissent	ils verront	ils verraient

*Bien prononcer : *que je voie* [vwa] sans faire entendre de *y*.
Il ne faut pas oublier le ***i* à l'indicatif imparfait et au subjonctif présent : *nous voyions, vous voyiez*.

220 prévoir

Le verbe *prévoir* se conjugue comme *voir*, **SAUF** au futur : *je prévoirai, tu prévoiras*... et au conditionnel présent : *je prévoirais, tu prévoirais*.

221 *pourvoir*

Ce verbe se conjugue comme le verbe *voir*, **SAUF** au futur (et donc au conditionnel présent) et au passé simple (et donc au subjonctif imparfait).

PARTICIPE PRÉSENT : *pourvoyant* PARTICIPE PASSÉ : *pourvu, pourvue*

INDICATIF	SUBJONCTIF	INDICATIF	IMPÉRATIF
PRÉSENT	PRÉSENT	IMPARFAIT	PRÉSENT
je pourvois	que je pourvoie	je pourvoyais	
tu pourvois	que tu pourvoies	tu pourvoyais	pourvois
il pourvoit	qu'il pourvoie	il pourvoyait	
nous pourvoyons	que nous pourvo**yi**ons*	nous pourvo**yi**ons*	pourvoyons
vous pourvoyez	que vous pourvo**yi**ez	vous pourvo**yi**ez	pourvoyez
ils pourvoient	qu'ils pourvoient	ils pourvoyaient	
			INDICATIF
PASSÉ SIMPLE	IMPARFAIT	FUTUR	COND. PRÉSENT
je pourv**us**	que je pourvusse	je pour**voirai**	je pour**voirais**
tu pourvus	que tu pourvusses	tu pourvoiras	tu pourvoirais
il pourv**ut**	qu'il pourv**û**t	il pourvoira	il pourvoirait
nous pourvûmes	que nous pourvussions	nous pourvoirons	nous pourvoirions
vous pourvûtes	que vous pourvussiez	vous pourvoirez	vous pourvoiriez
ils pourvurent	qu'ils pourvussent	ils pourvoiront	ils pourvoiraient

*Il ne faut pas oublier le ***i*** à l'indicatif imparfait et au subjonctif présent : *nous pourvoyions, vous pourvoyiez.*

222 *recevoir (apercevoir, concevoir, décevoir, percevoir)*

Les verbes en ***-cevoir*** prennent un ***ç*** devant ***o*** et ***u*** : *il perçoit, il reçut.*

PARTICIPE PRÉSENT : *recevant* PARTICIPE PASSÉ : *reçu, reçue*

INDICATIF	SUBJONCTIF	INDICATIF	IMPÉRATIF
PRÉSENT	PRÉSENT	IMPARFAIT	PRÉSENT
je reçois	que je reçoive	je recevais	
tu reçois	que tu reçoives	tu recevais	reçois
il reçoit	qu'il reçoive	il recevait	
nous recevons	que nous recevions	nous recevions	recevons
vous recevez	que vous receviez	vous receviez	recevez
ils reçoivent	qu'ils reçoivent	ils recevaient	
			INDICATIF
PASSÉ SIMPLE	IMPARFAIT	FUTUR	COND. PRÉSENT
je reçus	que je reçusse	je recev**rai**	je recev**rais**
tu reçus	que tu reçusses	tu recevras	tu recevrais
il reçut	qu'il re**çû**t	il recevra	il recevrait
nous reçûmes	que nous reçussions	nous recevrons	nous recevrions
vous reçûtes	que vous reçussiez	vous recevrez	vous recevriez
ils reçurent	qu'ils reçussent	ils recevront	ils recevraient

223 *devoir*

PARTICIPE PRÉSENT : *devant* PARTICIPE PASSÉ : *dû, due**

INDICATIF	SUBJONCTIF	INDICATIF	IMPÉRATIF
PRÉSENT	PRÉSENT	IMPARFAIT	PRÉSENT
je dois	que je doive	je devais	*(inusité)*
tu dois	que tu doives	tu devais	
il doit	qu'il doive	il devait	
nous devons	que nous devions	nous devions	
vous devez	que vous deviez	vous deviez	
ils doivent	qu'ils doivent	ils devaient	
			INDICATIF
PASSÉ SIMPLE	IMPARFAIT	FUTUR	COND. PRÉSENT
je dus	que je dusse	je dev**rai**	je dev**rais**
tu dus	que tu dusses	tu devras	tu devrais
il dut	qu'il d**û**t	il devra	il devrait
nous dûmes	que nous dussions	nous devrons	nous devrions
vous dûtes	que vous dussiez	vous devrez	vous devriez
ils durent	qu'ils dussent	ils devront	ils devraient

*Attention à l'accent circonflexe sur le ***u*** du participe passé.
Il n'existe qu'au masculin singulier : on écrit *dû*, **MAIS** *dus, due, dues.*

224 *savoir*

PARTICIPE PRÉSENT : *sachant* PARTICIPE PASSÉ : *su, sue*

INDICATIF	SUBJONCTIF	INDICATIF	IMPÉRATIF
PRÉSENT	PRÉSENT	IMPARFAIT	PRÉSENT
je sais	que je sache	je savais	
tu sais	que tu saches	tu savais	sache
il sait	qu'il sache	il savait	
nous savons	que nous sachions	nous savions	sachons
vous savez	que vous sachiez	vous saviez	sachez
ils savent	qu'ils sachent	ils savaient	
			INDICATIF
PASSÉ SIMPLE	IMPARFAIT	FUTUR	COND. PRÉSENT
je sus	que je susse	je sau**rai**	je sau**rais**
tu sus	que tu susses	tu sauras	tu saurais
il sut	qu'il s**û**t	il saura	il saurait
nous sûmes	que nous sussions	nous saurons	nous saurions
vous sûtes	que vous sussiez	vous saurez	vous sauriez
ils surent	qu'ils sussent	ils sauront	ils sauraient

225 *émouvoir (promouvoir, mouvoir*)*

- Ces verbes sont surtout employés aux temps composés, à l'infinitif et aux participes car l'alternance entre ***-meuv*** et ***-mouv*** les rend très difficiles à conjuguer.
- C'est pour cette raison que les nouveaux verbes *émotionner* et *promotionner*, réguliers, tendent à les remplacer dans la langue familière.

PARTICIPE PRÉSENT : ***émouvant*** PARTICIPE PASSÉ : ***ému, émue***

INDICATIF	SUBJONCTIF	INDICATIF	IMPÉRATIF
PRÉSENT	PRÉSENT	IMPARFAIT	PRÉSENT
j'émeus	que j'émeuve	j'émouvais	
tu émeus	que tu émeuves	tu émouvais	ém**eus**
il émeut	qu'il émeuve	il émouvait	
nous émouvons	que nous émouvions	nous émouvions	ém**ou**vons
vous émouvez	que vous émouviez	vous émouviez	émouvez
ils émeuvent	qu'ils émeuvent	ils émouvaient	
			INDICATIF
PASSÉ SIMPLE	IMPARFAIT	FUTUR	COND. PRÉSENT
j'émus	que j'émusse	j'émouv**rai**	j'émouv**rais**
tu émus	que tu émusses	tu émouvras	tu émouvrais
il émut	qu'il ém**û**t	il émouvra	il émouvrait
nous émûmes	que nous émussions	nous émouvrons	nous émouvrions
vous émûtes	que vous émussiez	vous émouvrez	vous émouvriez
ils émurent	qu'ils émussent	ils émouvront	ils émouvraient

*Le verbe *mouvoir* fait au participe passé *mû, mue, mus, mues* avec un accent circonflexe au masculin singulier, que le rapport sur les rectifications de l'orthographe propose de supprimer (p. 315).

226 *asseoir*

Ce verbe a deux conjugaisons. Les formes *je m'assieds, asseyons-nous,* etc. sont les plus usuelles aujourd'hui. Mais au sens figuré, on emploie plutôt la forme en ***-oi*** : *Il assoit sa réputation sur ce projet.*

Bien noter le ***e*** de l'infinitif qui disparaît dans les autres formes :

Venez vous asseoir. (avec *e*) *Je m'assois.* (sans *e*)

PARTICIPE PRÉSENT : ***asseyant/assoyant*** PARTICIPE PASSÉ : ***assis, assise***

INDICATIF	SUBJONCTIF	INDICATIF	IMPÉRATIF
PRÉSENT	**PRÉSENT**	**IMPARFAIT**	**PRÉSENT**
j'assieds/	que j'asseye/	j'asseyais/	
j'assois	j'assoie	j'assoyais	
tu assieds/	que tu asseyes/	tu asseyais/	assieds*/
tu assois	tu assoies	tu assoyais	assois*
il assied/	qu'il asseye/	il asseyait/	
il assoit	il assoie	il assoyait	
nous asseyons/	que nous asse**yi**ons/	nous asse**yi**ons/	asseyons/
nous assoyons	nous asso**yi**ons	nous asso**yi**ons	assoyons
vous asseyez/	que vous asse**yi**ez/	vous asse**yi**ez/	asseyez/
vous assoyez	vous asso**yi**ez	vous asso**yi**ez	assoyez
ils asseyent/	qu'ils asseyent/	ils asseyaient/	
ils assoient	ils assoient	ils assoyaient	
			INDICATIF
PASSÉ SIMPLE	**IMPARFAIT**	**FUTUR**	**COND. PRÉSENT**
j'assis	que j'assisse	j'assié**rai**/	j'assié**rais**/
tu assis	que tu assisses	j'assoi**rai**	j'assoi**rais**
il assit	qu'il assît	tu assiéras/	tu assiérais/
nous assîmes	que nous assissions	tu assoiras	tu assoirais
vous assîtes	que vous assissiez	il assiéra/	il assiérait/
ils assirent	qu'ils assissent	il assoira	il assoirait
		nous assiérons/	nous assiérions/
		nous assoirons	nous assoirions
		vous assiérez/	vous assiériez/
		vous assoirez	vous assoiriez
		ils assiéront/	ils assiéraient/
		ils assoiront	ils assoiraient

*Attention ! on entend souvent à l'oral la forme fautive ~~*assis-toi*~~.
On doit dire *assieds-toi* ou *assois-toi*.

Les verbes en -oir (2) : *avec* -x, -x, -t *au présent*

Les verbes *pouvoir*, *vouloir* et *valoir*, *équivaloir*, *prévaloir* sont les seuls verbes en ***-x***, ***-x***, ***-t*** à l'indicatif présent : *je veux, tu veux, il veut*.
Tous les participes passés sont en ***-u***.

227 *pouvoir*

PARTICIPE PRÉSENT : *pouvant* PARTICIPE PASSÉ : *pu*

INDICATIF	SUBJONCTIF	INDICATIF	IMPÉRATIF
PRÉSENT	PRÉSENT	IMPARFAIT	PRÉSENT
je peux/puis*	que je puisse	je pouvais	*(inusité)*
tu peux	que tu puisses	tu pouvais	
il peut	qu'il puisse	il pouvait	
nous pouvons	que nous puissions	nous pouvions	
vous pouvez	que vous puissiez	vous pouviez	
ils peuvent	qu'ils puissent	ils pouvaient	
			INDICATIF
PASSÉ SIMPLE	IMPARFAIT	FUTUR	COND. PRÉSENT
je pus	que je pusse	je pou**rr**ai**	je pou**rr**ais**
tu pus	que tu pusses	tu pourras	tu pourrais
il put	qu'il pût	il pourra	il pourrait
nous pûmes	que nous pussions	nous pourrons	nous pourrions
vous pûtes	que vous pussiez	vous pourrez	vous pourriez
ils purent	qu'ils pussent	ils pourront	ils pourraient

*La forme *puis* ne s'emploie plus guère aujourd'hui sauf dans une question : *puis-je entrer ?*
Attention ! il y a deux ***r* au futur et au conditionnel présent.

228 *vouloir*

PARTICIPE PRÉSENT : *voulant* PARTICIPE PASSÉ : *voulu, voulue*

INDICATIF	SUBJONCTIF	INDICATIF	IMPÉRATIF
PRÉSENT	PRÉSENT	IMPARFAIT	PRÉSENT
je veu**x**	que je veuille	je voulais	
tu veu**x**	que tu veuilles	tu voulais	veux/veuille
il veu**t**	qu'il veuille	il voulait	
nous voulons	que nous voulions	nous voulions	voulons
vous voulez	que vous vouliez	vous vouliez	voulez/veuillez*
ils veulent	qu'ils veuillent	ils voulaient	
			INDICATIF
PASSÉ SIMPLE	IMPARFAIT	FUTUR	COND. PRÉSENT
je voulus	que je voulusse	je voud**rai**	je voud**rais**
tu voulus	que tu voulusses	tu voudras	tu voudrais
il voulut	qu'il voul**û**t	il voudra	il voudrait
nous voulûmes	que nous voulussions	nous voudrons	nous voudrions
vous voulûtes	que vous voulussiez	vous voudrez	vous voudriez
ils voulurent	qu'ils voulussent	ils voudront	ils voudraient

*L'emploi de l'impératif est très rare, **SAUF** la forme *veuillez,* qui est très courante dans les formules de politesse ou les ordres « atténués » : *veuillez agréer…, veuillez fermer la porte s'il vous plaît.*

229 *valoir* (*équivaloir*, *prévaloir**)

PARTICIPE PRÉSENT : *valant* PARTICIPE PASSÉ : *valu*

INDICATIF	SUBJONCTIF	INDICATIF	IMPÉRATIF
PRÉSENT	PRÉSENT	IMPARFAIT	PRÉSENT
je vau**x**	que je vaille	je valais	
tu vaux	que tu vailles	tu valais	vaux
il vau**t**	qu'il vaille	il valait	
nous valons	que nous valions	nous valions	valons
vous valez	que vous valiez	vous valiez	valez
ils valent	qu'ils vaillent	ils valaient	
			INDICATIF
PASSÉ SIMPLE	IMPARFAIT	FUTUR	COND. PRÉSENT
je valus	que je valusse	je vaud**rai**	je vaud**rais**
tu valus	que tu valusses	tu vaudras	tu vaudrais
il valut	qu'il val**û**t	il vaudra	il vaudrait
nous valûmes	que nous valussions	nous vaudrons	nous vaudrions
vous valûtes	que vous valussiez	vous vaudrez	vous vaudriez
ils valurent	qu'ils valussent	ils vaudront	ils vaudraient

*Le verbe *prévaloir* fait *que je prévale* au subjonctif présent.

Deux verbes impersonnels en -oir

230 *falloir*

Ce verbe ne se conjugue qu'à la 3e personne du singulier, avec le pronom sujet neutre *il*.

PARTICIPE PASSÉ : *fallu*

INDICATIF	SUBJONCTIF	INDICATIF	IMPÉRATIF
PRÉSENT	PRÉSENT	IMPARFAIT	
il faut	qu'il faille	il fallait	
			INDICATIF
PASSÉ SIMPLE	IMPARFAIT	FUTUR	COND. PRÉSENT
il fallut	qu'il fallût	il faudra	il faudrait

231 *pleuvoir*

Ce verbe est impersonnel au sens propre (sens météorologique). Mais, au sens figuré, on peut l'employer avec un autre sujet, uniquement à la 3e personne, au singulier ou au pluriel :
Les coups pleuvaient sur lui.

PARTICIPE PRÉSENT : *pleuvant* PARTICIPE PASSÉ : *plu*

INDICATIF	SUBJONCTIF	INDICATIF	IMPÉRATIF
PRÉSENT	PRÉSENT	IMPARFAIT	PRÉSENT
il pleut ils pleuvent	qu'il pleuve qu'ils pleuvent	il pleuvait ils pleuvaient	
			INDICATIF
PASSÉ SIMPLE	IMPARFAIT	FUTUR	COND. PRÉSENT
il plut ils plurent	qu'il plût qu'ils plussent	il pleuvra ils pleuvront	il pleuvrait ils pleuvraient

LES VERBES QUI SE TERMINENT PAR *RE*

Les finales sont en ***-aire***, ***-oire***, ***-ire***, ***-dre***, ***-tre***, ***-vre***, ***-ure***, ***-cre***.

Les verbes en -aire *ou en* -oire

Ces verbes se conjuguent avec ***-ais***, ***-ais***, ***-ait*** ou ***-ois***, ***-ois***, ***-oit*** au présent de l'indicatif.
Ils ont un participe passé soit en ***-t*** soit en ***-u***.

232 *faire (défaire, refaire... satisfaire)*

PARTICIPE PRÉSENT : *faisant** PARTICIPE PASSÉ : *fait, faite*

INDICATIF	SUBJONCTIF	INDICATIF	IMPÉRATIF
PRÉSENT	PRÉSENT	IMPARFAIT	PRÉSENT
je fais	que je fasse	je faisais*	
tu fais	que tu fasses	tu faisais	fais
il fait	qu'il fasse	il faisait	
nous faisons*	que nous fassions	nous faisions	faisons*
vous faites**	que vous fassiez	vous faisiez	**faites****
ils font	qu'ils fassent	ils faisaient	
			INDICATIF
PASSÉ SIMPLE	IMPARFAIT	FUTUR	COND. PRÉSENT
je fis	que je fisse	je ferai	je ferais
tu fis	que tu fisses	tu feras	tu ferais
il fit	qu'il fît	il fera	il ferait
nous fîmes	que nous fissions	nous ferons	nous ferions
vous fîtes	que vous fissiez	vous ferez	vous feriez
ils firent	qu'ils fissent	ils feront	ils feraient

*On prononce [fə-].
**Le verbe *faire* et tous ses composés (*défaire, refaire, contrefaire*, etc.) font au présent de l'indicatif *vous faites* (*défaites, refaites, contrefaites*, etc.).

233 *extraire (distraire, soustraire...)*

PARTICIPE PRÉSENT : *extrayant* PARTICIPE PASSÉ : *extrait, extraite*

INDICATIF	SUBJONCTIF	INDICATIF	IMPÉRATIF
PRÉSENT	PRÉSENT	IMPARFAIT	PRÉSENT
j'extrais	que j'extraie	j'extrayais	
tu extrais	que tu extraies	tu extrayais	extrais
il extrait	qu'il extraie	il extrayait	
nous extrayons	que nous extray**i**ons	nous extray**i**ons	extrayons
vous extrayez	que vous extray**i**ez	vous extray**i**ez	extrayez
ils extraient	qu'ils extraient	ils extrayaient	
			INDICATIF
PASSÉ SIMPLE	IMPARFAIT	FUTUR	COND. PRÉSENT
(inusité)	*(inusité)*	j'extr**ai**rai	j'extr**ai**rais
		tu extrairas	tu extrairais
		il extraira	il extrairait
		nous extrairons	nous extrairions
		vous extrairez	vous extrairiez
		ils extrairont	ils extrairaient

234 *taire (plaire*, déplaire*, complaire*)*

PARTICIPE PRÉSENT : *taisant* PARTICIPE PASSÉ : *tu, tue*

INDICATIF	SUBJONCTIF	INDICATIF	IMPÉRATIF
PRÉSENT	PRÉSENT	IMPARFAIT	PRÉSENT
je tais	que je taise	je taisais	
tu tais	que tu taises	tu taisais	tais
il tait**	qu'il taise	il taisait	
nous taisons	que nous taisions	nous taisions	taisons
vous taisez	que vous taisiez	vous taisiez	taisez
ils taisent	qu'ils taisent	ils taisaient	
			INDICATIF
PASSÉ SIMPLE	IMPARFAIT	FUTUR	COND. PRÉSENT
je tus	que je tusse	je ta**i**rai	je ta**i**rais
tu tus	que tu tusses	tu tairas	tu tairais
il tut	qu'il **tût**	il taira	il tairait
nous tûmes	que nous tussions	nous tairons	nous tairions
vous tûtes	que vous tussiez	vous tairez	vous tairiez
ils turent	qu'ils tussent	ils tairont	ils tairaient

*Les participes passés *plu*, *déplu* et *complu* sont invariables.

**On écrit *plaît*, *déplaît*, *complaît* avec un accent circonflexe. Le Conseil supérieur de la langue française propose la suppression de cet accent (p. 315).

235 *croire*

PARTICIPE PRÉSENT : *croyant* PARTICIPE PASSÉ : *cru, crue*

INDICATIF	SUBJONCTIF	INDICATIF	IMPÉRATIF
PRÉSENT	PRÉSENT	IMPARFAIT	PRÉSENT
je crois	que je croi**e****	je croyais	
tu crois	que tu croies	tu croyais	crois
il croi**t**	qu'il croi**e**	il croyait	
nous croyons	que nous cro**yions****	nous cro**yions****	croyons
vous croyez	que vous cro**yiez**	vous cro**yiez**	croyez
ils croient	qu'ils croient	ils croyaient	
			INDICATIF
PASSÉ SIMPLE	IMPARFAIT	FUTUR	COND. PRÉSENT
je crus	que je crusse	je croi**rai**	je croi**rais**
tu crus	que tu crusses	tu croiras	tu croirais
il crut	qu'il cr**ût**	il croira	il croirait
nous crûmes	que nous crussions	nous croirons	nous croirions
vous crûtes	que vous crussiez	vous croirez	vous croiriez
ils crurent	qu'ils crussent	ils croiront	ils croiraient

*Bien prononcer : *que je croie* [krwa] sans faire entendre de *y*. **Il ne faut pas oublier le ***i*** à l'indicatif imparfait et au subjonctif présent : *nous croyions.*

236 *boire*

PARTICIPE PRÉSENT : *buvant* PARTICIPE PASSÉ : *bu, bue*

INDICATIF	SUBJONCTIF	INDICATIF	IMPÉRATIF
PRÉSENT	PRÉSENT	IMPARFAIT	PRÉSENT
je bois	que je boive	je buvais	
tu bois	que tu boives	tu buvais	bois
il boi**t**	qu'il boive	il buvait	
nous buvons	que nous buvions	nous buvions	buvons
vous buvez	que vous buviez	vous buviez	buvez
ils boivent	qu'ils boivent	ils buvaient	
			INDICATIF
PASSÉ SIMPLE	IMPARFAIT	FUTUR	COND. PRÉSENT
je bus	que je busse	je boi**rai**	je boi**rais**
tu bus	que tu busses	tu boiras	tu boirais
il but	qu'il b**û**t	il boira	il boirait
nous bûmes	que nous bussions	nous boirons	nous boirions
vous bûtes	que vous bussiez	vous boirez	vous boiriez
ils burent	qu'ils bussent	ils boiront	ils boiraient

Les verbes en -ire

Ces verbes ont un participe passé en ***-t***, en ***-u*** ou en ***-i***.

237 *conduire* (et tous les verbes en *-uire*)

PARTICIPE PRÉSENT : *conduisant* PARTICIPE PASSÉ : *conduit, conduite*

INDICATIF	SUBJONCTIF	INDICATIF	IMPÉRATIF
PRÉSENT	PRÉSENT	IMPARFAIT	PRÉSENT
je conduis	que je conduise	je conduisais	
tu conduis	que tu conduises	tu conduisais	conduis
il conduit	qu'il conduise	il conduisait	
nous conduisons	que nous conduisions	nous conduisions	conduisons
vous conduisez	que vous conduisiez	vous conduisiez	conduisez
ils conduisent	qu'ils conduisent	ils conduisaient	
			INDICATIF
PASSÉ SIMPLE	IMPARFAIT	FUTUR	COND. PRÉSENT
je conduisis	que je conduisisse	je condui**rai**	je condui**rais**
tu conduisis	que tu conduisisses	tu conduiras	tu conduirais
il conduisit	qu'il conduisît	il conduira	il conduirait
nous conduisîmes	que nous conduisissions	nous conduirons	nous conduirions
vous conduisîtes	que vous conduisissiez	vous conduirez	vous conduiriez
ils conduisirent	qu'ils conduisissent	ils conduiront	ils conduiraient

238 *dire (redire)*

Ces verbes se conjuguent comme *conduire* **SAUF** au passé simple et donc au subjonctif imparfait.

Attention aux formes *vous dites, vous redites.*

PARTICIPE PRÉSENT : *disant* PARTICIPE PASSÉ : *dit, dite*

INDICATIF	SUBJONCTIF	INDICATIF	IMPÉRATIF
PRÉSENT	PRÉSENT	IMPARFAIT	PRÉSENT
je dis	que je dise	je disais	
tu dis	que tu dises	tu disais	dis
il dit	qu'il dise	il disait	
nous disons	que nous disions	nous disions	disons
vous dites	que vous disiez	vous disiez	**dites**
ils disent	qu'ils disent	ils disaient	
			INDICATIF
PASSÉ SIMPLE	IMPARFAIT	FUTUR	COND. PRÉSENT
je dis	que je disse	je dirai	je dirais
tu dis	que tu disses	tu diras	tu dirais
il dit	qu'il dît	il dira	il dirait
nous dîmes	que nous dissions	nous dirons	nous dirions
vous dîtes	que vous dissiez	vous direz	vous diriez
ils dirent	qu'ils dissent	ils diront	ils diraient

239 *contredire (dédire, interdire, médire, prédire)*

Ces autres composés de *dire* sont réguliers à la 2e personne du pluriel de l'indicatif présent : *vous contredisez, vous interdisez, vous médisez, vous prédisez, vous vous dédisez*, et donc à l'impératif : *interdisez cela, ne médisez pas...*

240 *lire* (*élire**)

PARTICIPE PRÉSENT : *lisant* PARTICIPE PASSÉ : *lu, lue*

INDICATIF	SUBJONCTIF	INDICATIF	IMPÉRATIF
PRÉSENT	PRÉSENT	IMPARFAIT	PRÉSENT
je lis	que je lise	je lisais	
tu lis	que tu lises	tu lisais	lis
il lit	qu'il lise	il lisait	
nous lisons	que nous lisions	nous lisions	lisons
vous lisez	que vous lisiez	vous lisiez	lisez
ils lisent	qu'ils lisent	ils lisaient	
			INDICATIF
PASSÉ SIMPLE	IMPARFAIT	FUTUR	COND. PRÉSENT
je lus	que je lusse	je li**rai**	je li**rais**
tu lus	que tu lusses	tu liras	tu lirais
il lut	qu'il lût	il lira	il lirait
nous lûmes	que nous lussions	nous lirons	nous lirions
vous lûtes	que vous lussiez	vous lirez	vous liriez
ils lurent	qu'ils lussent	ils liront	ils liraient

*Attention au passé simple : *ils élurent* et non *ils ~~élirent~~*.

241 *écrire* (*décrire*, *inscrire*...)

Le verbe *décrire* et tous les verbes en ***-scrire*** (*inscrire, transcrire, prescrire*...) se conjuguent sur ce modèle.

PARTICIPE PRÉSENT : *écrivant* PARTICIPE PASSÉ : *écrit, écrite*

INDICATIF	SUBJONCTIF	INDICATIF	IMPÉRATIF
PRÉSENT	PRÉSENT	IMPARFAIT	PRÉSENT
j'écris	que j'écrive	j'écrivais	
tu écris	que tu écrives	tu écrivais	écris
il écrit	qu'il écrive	il écrivait	
nous écrivons	que nous écrivions	nous écrivions	écrivons
vous écrivez	que vous écriviez	vous écriviez	écrivez
ils écrivent	qu'ils écrivent	ils écrivaient	
			INDICATIF
PASSÉ SIMPLE	IMPARFAIT	FUTUR	COND. PRÉSENT
j'écrivis	que j'écrivisse	j'écri**rai**	j'écri**rais**
tu écrivis	que tu écrivisses	tu écriras	tu écrirais
il écrivit	qu'il écrivît	il écrira	il écrirait
nous écrivîmes	que nous écrivissions	nous écrirons	nous écririons
vous écrivîtes	que vous écrivissiez	vous écrirez	vous écririez
ils écrivirent	qu'ils écrivissent	ils écriront	ils écriraient

242 *rire (sourire)*

PARTICIPE PRÉSENT : *riant* PARTICIPE PASSÉ : *ri*

INDICATIF	SUBJONCTIF	INDICATIF	IMPÉRATIF
PRÉSENT	PRÉSENT	IMPARFAIT	PRÉSENT
je ris	que je rie*	je riais	
tu ris	que tu ries	tu riais	ris
il rit	qu'il rie*	il riait	
nous rions	que nous riions**	nous riions**	rions
vous riez	que vous riiez	vous riiez	riez
ils rient	qu'ils rient	ils riaient	
			INDICATIF
PASSÉ SIMPLE	IMPARFAIT	FUTUR	COND. PRÉSENT
je ris	que je risse	je rirai	je rirais
tu ris	que tu risses	tu riras	tu rirais
il rit	qu'il rît	il rira	il rirait
nous rîmes	que nous rissions	nous rirons	nous ririons
vous rîtes	que vous rissiez	vous rirez	vous ririez
ils rirent	qu'ils rissent	ils riront	ils riraient

*Avec ***e*** au subjonctif présent : *Je voudrais qu'il rie.*

Avec deux ***i* à l'indicatif imparfait et au subjonctif présent : le ***i*** du radical et le ***i*** de la terminaison.

Les verbes en -dre

Les participes sont en *-s*, en *-u* ou en *-t*.

243 *rendre (répandre, tondre, tordre, perdre...)*

- Ces verbes en ***-endre***, ***-andre***, ***-ondre***, ***-ordre***, ***-erdre*** se conjuguent sur un seul radical : ***rend-***, ***répand-***, ***tond-***, ***tord-***, ***perd-***.
- Ils gardent le ***d*** du radical à toutes les formes.

PARTICIPE PRÉSENT : *rendant* PARTICIPE PASSÉ : *rendu, rendue*

INDICATIF	SUBJONCTIF	INDICATIF	IMPÉRATIF
PRÉSENT	PRÉSENT	IMPARFAIT	PRÉSENT
je ren**ds**	que je rende	je rendais	
tu ren**ds**	que tu rendes	tu rendais	rends
il ren**d**	qu'il rende	il rendait	
nous rendons	que nous rendions	nous rendions	rendons
vous rendez	que vous rendiez	vous rendiez	rendez
ils rendent	qu'ils rendent	ils rendaient	
			INDICATIF
PASSÉ SIMPLE	IMPARFAIT	FUTUR	COND. PRÉSENT
je rendis	que je rendisse	je rend**rai**	je rend**rais**
tu rendis	que tu rendisses	tu rendras	tu rendrais
il rendit	qu'il rendît	il rendra	il rendrait
nous rendîmes	que nous rendissions	nous rendrons	nous rendrions
vous rendîtes	que vous rendissiez	vous rendrez	vous rendriez
ils rendirent	qu'ils rendissent	ils rendront	ils rendraient

- Les verbes ***rompre***, ***corrompre*** et ***interrompre*** se conjuguent sur ce modèle, en gardant le ***p*** du radical, comme *rendre* garde le ***d*** du radical : *je romps, tu romps*. Mais, à la 3e personne du présent de l'indicatif, ils prennent un ***t*** en plus : *il rompt, corrompt, interrompt*.

244 *prendre (apprendre, comprendre, dépendre...)*

Ce verbe se conjugue sur trois radicaux : ***prend-***, ***pren(n)-*** et ***pri-***.

PARTICIPE PRÉSENT : *prenant* PARTICIPE PASSÉ : *pris, prise*

INDICATIF	SUBJONCTIF	INDICATIF	IMPÉRATIF
PRÉSENT	PRÉSENT	IMPARFAIT	PRÉSENT
je prends	que je prenne	je prenais	
tu prends	que tu prennes	tu prenais	prends
il prend	qu'il prenne	il prenait	
nous prenons	que nous prenions	nous prenions	prenons
vous prenez	que vous preniez	vous preniez	prenez
ils prennent	qu'ils prennent	ils prenaient	
			INDICATIF
PASSÉ SIMPLE	IMPARFAIT	FUTUR	COND. PRÉSENT
je pris	que je prisse	je prendrai	je prendrais
tu pris	que tu prisses	tu prendras	tu prendrais
il prit	qu'il prît	il prendra	il prendrait
nous prîmes	que nous prissions	nous prendrons	nous prendrions
vous prîtes	que vous prissiez	vous prendrez	vous prendriez
ils prirent	qu'ils prissent	ils prendront	ils prendraient

245 *peindre (craindre, joindre)*

Ces verbes perdent le ***d*** du radical, **SAUF** au futur et au conditionnel présent.

PARTICIPE PRÉSENT : *peignant* PARTICIPE PASSÉ : *peint, peinte*

INDICATIF	SUBJONCTIF	INDICATIF	IMPÉRATIF
PRÉSENT	PRÉSENT	IMPARFAIT	PRÉSENT
je peins	que je peigne	je peignais	
tu peins	que tu peignes	tu peignais	peins
il peint	qu'il peigne	il peignait	
nous peignons	que nous peignions*	nous peignions*	peignons
vous peignez	que vous peigniez	vous peigniez	peignez
ils peignent	qu'ils peignent	ils peignaient	
			INDICATIF
PASSÉ SIMPLE	IMPARFAIT	FUTUR	COND. PRÉSENT
je peignis	que je peignisse	je peindrai	je peindrais
tu peignis	que tu peignisses	tu peindras	tu peindrais
il peignit	qu'il peignît	il peindra	il peindrait
nous peignîmes	que nous peignissions	nous peindrons	nous peindrions
vous peignîtes	que vous peignissiez	vous peindrez	vous peindriez
ils peignirent	qu'ils peignissent	ils peindront	ils peindraient

*Attention à ne pas oublier le ***i*** qui ne s'entend pas.

246 *résoudre*

PARTICIPE PRÉSENT : *résolvant* PARTICIPE PASSÉ : *résolu, résolue*

INDICATIF	SUBJONCTIF	INDICATIF	IMPÉRATIF
PRÉSENT	PRÉSENT	IMPARFAIT	PRÉSENT
je résous	que je résolve	je résolvais	
tu résous	que tu résolves	tu résolvais	résous
il résout	qu'il résolve	il résolvait	
nous résolvons	que nous résolvions	nous résolvions	résolvons
vous résolvez	que vous résolviez	vous résolviez	résolvez
ils résolvent	qu'ils résolvent	ils résolvaient	
			INDICATIF
PASSÉ SIMPLE	IMPARFAIT	FUTUR	COND. PRÉSENT
je résolus	que je résolusse	je résoud**rai**	je résoud**rais**
tu résolus	que tu résolusses	tu résoudras	tu résoudrais
il résolut	qu'il résol**û**t	il résoudra	il résoudrait
nous résolûmes	que nous résolussions	nous résoudrons	nous résoudrions
vous résolûtes	que vous résolussiez	vous résoudrez	vous résoudriez
ils résolurent	qu'ils résolussent	ils résoudront	ils résoudraient

247 *absoudre, dissoudre*

- Ces verbes se conjuguent comme *résoudre*, **SAUF** au participe passé : *absous, absoute ; dissous, dissoute*.
- Ces deux verbes sont inusités au passé simple et donc à l'imparfait du subjonctif.

248 *coudre*

Ce verbe se conjugue sur deux radicaux ***coud-*** et ***cous-***.

PARTICIPE PRÉSENT : ***cousant*** PARTICIPE PASSÉ : ***cousu, cousue***

INDICATIF	SUBJONCTIF	INDICATIF	IMPÉRATIF
PRÉSENT	PRÉSENT	IMPARFAIT	PRÉSENT
je cou**ds**	que je couse	je cousais	
tu cou**ds**	que tu couses	tu cousais	couds
il cou**d**	qu'il couse	il cousait	
nous cousons	que nous cousions	nous cousions	cousons
vous cousez	que vous cousiez	vous cousiez	cousez
ils cousent	qu'ils cousent	ils cousaient	
			INDICATIF
PASSÉ SIMPLE	IMPARFAIT	FUTUR	COND. PRÉSENT
je cousis	que je cousisse	je coud**rai**	je coud**rais**
tu cousis	que tu cousisses	tu coudras	tu coudrais
il cousit	qu'il cousît	il coudra	il coudrait
nous cousîmes	que nous cousissions	nous coudrons	nous coudrions*
vous cousîtes	que vous cousissiez	vous coudrez	vous coudriez
ils cousirent	qu'ils cousissent	ils coudront	ils coudraient

*Attention à ne pas dire *nous ~~couserions~~* ni *nous ~~couderions~~*.

249 *moudre*

Le verbe *moudre* se conjugue sur le modèle de *coudre*, mais avec les deux radicaux ***moud-*** et ***moul-*** : *je mouds, il moud*, mais *nous moulons...*, **SAUF** au passé simple et donc à l'imparfait du subjonctif : *il moulut, qu'il moulût*.

PARTICIPE PRÉSENT : ***moulant*** PARTICIPE PASSÉ : ***moulu, moulue***

Les verbes en -aître *et en* -oître

Les verbes en ***-aître*** et en ***-oître*** prennent un ***î*** devant un ***t***.
Ces verbes font partie des propositions de rectifications orthographiques sur l'accent circonflexe (p. 315).

250 *connaître (paraître)*

PARTICIPE PRÉSENT : *connaissant* PARTICIPE PASSÉ : *connu, connue*

INDICATIF	SUBJONCTIF	INDICATIF	IMPÉRATIF
PRÉSENT	PRÉSENT	IMPARFAIT	PRÉSENT
je connais	que je connaisse	je connaissais	
tu connais	que tu connaisses	tu connaissais	connais
il conn**aît**	qu'il connaisse	il connaissait	
nous connaissons	que nous connaissions	nous connaissions	connaissons
vous connaissez	que vous connaissiez	vous connaissiez	connaissez
ils connaissent	qu'ils connaissent	ils connaissaient	
			INDICATIF
PASSÉ SIMPLE	IMPARFAIT	FUTUR	COND. PRÉSENT
je connus	que je connusse	je conn**aîtrai**	je conn**aîtrais**
tu connus	que tu connusses	tu connaîtras	tu conn**aîtrais**
il connut	qu'il conn**ût**	il connaîtra	il connaîtrait
nous connûmes	que nous connussions	nous connaîtrons	nous connaîtrions
vous connûtes	que vous connussiez	vous connaîtrez	vous connaîtriez
ils connurent	qu'ils connussent	ils connaîtront	ils connaîtraient

Se conjuguent ainsi tous les composés de *connaître* et *paraître* : *reconnaître, méconnaître, apparaître, comparaître, disparaître, transparaître.*

251 *naître*

PARTICIPE PRÉSENT : *naissant* PARTICIPE PASSÉ : *né, née*

INDICATIF	SUBJONCTIF	INDICATIF	IMPÉRATIF
PRÉSENT	PRÉSENT	IMPARFAIT	PRÉSENT
je nais	que je naisse	je naissais	
tu nais	que tu naisses	tu naissais	nais
il naît	qu'il naisse	il naissait	
nous naissons	que nous naissions	nous naissions	naissons
vous naissez	que vous naissiez	vous naissiez	naissez
ils naissent	qu'ils naissent	ils naissaient	
			INDICATIF
PASSÉ SIMPLE	IMPARFAIT	FUTUR	COND. PRÉSENT
je naquis	que **je naquisse**	je naît**rai**	je naît**rais**
tu naquis	que **tu naquisses**	tu naîtras	tu naîtrais
il naquit	qu'**il naquît**	il naîtra	il naîtrait
nous naquîmes	que **nous naquissions**	nous naîtrons	nous naîtrions
vous naquîtes	que **vous naquissiez**	vous naîtrez	vous naîtriez
ils naquirent	qu'**ils naquissent**	ils naîtront	ils naîtraient

252 *accroître (décroître et croître*)*

PARTICIPE PRÉSENT : *accroissant* PARTICIPE PASSÉ : *accru, accrue*

INDICATIF	SUBJONCTIF	INDICATIF	IMPÉRATIF
PRÉSENT	PRÉSENT	IMPARFAIT	PRÉSENT
j'accrois	que j'accroisse	j'accroissais	
tu accrois	que tu accroisses	tu accroissais	accrois
il accroît	qu'il accroisse	il accroissait	
nous accroissons	que nous accroissions	nous accroissions	accroissons
vous accroissez	que vous accroissiez	vous accroissiez	accroissez
ils accroissent	qu'ils accroissent	ils accroissaient	
			INDICATIF
PASSÉ SIMPLE	IMPARFAIT	FUTUR	COND. PRÉSENT
j'accrus	que j'accrusse	j'accroît**rai**	j'accroît**rais**
tu accrus	que tu accrusses	tu accroîtras	tu accroîtrais
il accrut	qu'il accrût	il accroîtra	il accroîtrait
nous accrûmes	que nous accrussions	nous accroîtrons	nous accroîtrions
vous accrûtes	que vous accrussiez	vous accroîtrez	vous accroîtriez
ils accrurent	qu'ils accrussent	ils accroîtront	ils accroîtraient

*Le verbe *croître* prend un accent circonflexe à toutes les formes que l'on peut confondre avec celles du verbe *croire* : *je croîs, croîtrai, crûs, crûsse,* et *crû,* participe passé masculin singulier.

Les verbes en -ttre : mettre *et* battre

Ces verbes se conjuguent avec ***-ts***, ***-ts***, ***-t*** à l'indicatif présent.
Attention à ne pas ajouter de ***e*** au conditionnel présent :
on dit et on écrit *nous mettrions*, *nous battrions* et non ~~*metterions*~~, ~~*batterions*~~.

253 *mettre (démettre, permettre, promettre…)*

Se conjuguent ainsi tous les verbes en ***-mettre*** : *permettre, promettre, commettre, compromettre*, etc.

PARTICIPE PRÉSENT : *mettant* PARTICIPE PASSÉ : *mis, mise*

INDICATIF	SUBJONCTIF	INDICATIF	IMPÉRATIF
PRÉSENT	PRÉSENT	IMPARFAIT	PRÉSENT
je mets	que je mette	je mettais	
tu mets	que tu mettes	tu mettais	mets
il met	qu'il mette	il mettait	
nous mettons	que nous mettions	nous mettions	mettons
vous mettez	que vous mettiez	vous mettiez	mettez
ils mettent	qu'ils mettent	ils mettaient	
			INDICATIF
PASSÉ SIMPLE	IMPARFAIT	FUTUR	COND. PRÉSENT
je mis	que je misse	je mettrai	je mettrais
tu mis	que tu misses	tu mettras	tu mettrais
il mit	qu'il mît	il mettra	il mettrait
nous mîmes	que nous missions	nous mettrons	nous mettrions
vous mîtes	que vous missiez	vous mettrez	vous mettriez
ils mirent	qu'ils missent	ils mettront	ils mettraient

254 *battre (débattre, combattre, abattre...)*

Ce verbe se conjugue comme *mettre*, **SAUF** au passé simple et donc à l'imparfait du subjonctif où le radical ***batt-*** est conservé.

PARTICIPE PRÉSENT : *battant* PARTICIPE PASSÉ : *battu, battue*

INDICATIF	SUBJONCTIF	INDICATIF	IMPÉRATIF
PRÉSENT	PRÉSENT	IMPARFAIT	PRÉSENT
je bats	que je batte	je battais	
tu bats	que tu battes	tu battais	bats
il bat	qu'il batte	il battait	
nous battons	que nous battions	nous battions	battons
vous battez	que vous battiez	vous battiez	battez
ils battent	qu'ils battent	ils battaient	
			INDICATIF
PASSÉ SIMPLE	IMPARFAIT	FUTUR	COND. PRÉSENT
je battis	que **je battisse**	je battrai	je battrais
tu battis	que **tu battisses**	tu battras	tu battrais
il battit	qu'**il battît**	il battra	il battrait
nous battîmes	que **nous battissions**	nous battrons	nous battrions
vous battîtes	que **vous battissiez**	vous battrez	vous battriez
ils battirent	qu'**ils battissent**	ils battront	ils battraient

Les autres verbes en -re : -vre, -ure, -cre

255 *suivre (poursuivre)*

PARTICIPE PRÉSENT : *suivant* PARTICIPE PASSÉ : *suivi, suivie*

INDICATIF	SUBJONCTIF	INDICATIF	IMPÉRATIF
PRÉSENT	PRÉSENT	IMPARFAIT	PRÉSENT
je suis	que je suive	je suivais	
tu suis	que tu suives	tu suivais	suis
il suit	qu'il suive	il suivait	
nous suivons	que nous suivions	nous suivions	suivons
vous suivez	que vous suiviez	vous suiviez	suivez
ils suivent	qu'ils suivent	ils suivaient	
			INDICATIF
PASSÉ SIMPLE	IMPARFAIT	FUTUR	COND. PRÉSENT
je suivis	que je suivisse	je suiv**rai**	je suiv**rais**
tu suivis	que tu suivisses	tu suivras	tu suivrais
il suivit	qu'il suivît	il suivra	il suivrait
nous suivîmes	que nous suivissions	nous suivrons	nous suivrions
vous suivîtes	que vous suivissiez	vous suivrez	vous suivriez
ils suivirent	qu'ils suivissent	ils suivront	ils suivraient

256 *vivre (survivre)*

PARTICIPE PRÉSENT : *vivant* PARTICIPE PASSÉ : *vécu, vécue*

INDICATIF	SUBJONCTIF	INDICATIF	IMPÉRATIF
PRÉSENT	PRÉSENT	IMPARFAIT	PRÉSENT
je vis	que je vive	je vivais	
tu vis	que tu vives	tu vivais	vis
il vit	qu'il vive	il vivait	
nous vivons	que nous vivions	nous vivions	vivons
vous vivez	que vous viviez	vous viviez	vivez
ils vivent	qu'ils vivent	ils vivaient	
			INDICATIF
PASSÉ SIMPLE	IMPARFAIT	FUTUR	COND. PRÉSENT
je vécus	que **je vécusse**	je viv**rai**	je viv**rais**
tu vécus	que **tu vécusses**	tu vivras	tu vivrais
il vécut	qu'**il vécût**	il vivra	il vivrait
nous vécûmes	que **nous vécussions**	nous vivrons	nous vivrions
vous vécûtes	que **vous vécussiez**	vous vivrez	vous vivriez
ils vécurent	qu'**ils vécussent**	ils vivront	ils vivraient

257 *conclure (exclure, inclure*)*

Attention, pour ces trois verbes, à ne pas ajouter de ***e*** au futur et au conditionnel présent. On écrit *il conclura* et non il ~~*concluera*~~.

PARTICIPE PRÉSENT : ***concluant*** PARTICIPE PASSÉ : ***conclu, conclue***

INDICATIF	SUBJONCTIF	INDICATIF	IMPÉRATIF
PRÉSENT	PRÉSENT	IMPARFAIT	PRÉSENT
je conclus	que je conclue	je concluais	
tu conclus	que tu conclues	tu concluais	conclus
il concl**ut**	qu'il concl**ue**	il concluait	
nous concluons	que nous concluions	nous concluions	concluons
vous concluez	que vous concluiez	vous concluiez	concluez
ils concluent	qu'ils concluent	ils concluaient	
			INDICATIF
PASSÉ SIMPLE	IMPARFAIT	FUTUR	COND. PRÉSENT
je conclus	que je conclusse	je conclu**rai**	je conclu**rais**
tu conclus	que tu conclusses	tu concluras	tu conclurais
il conclut	qu'il concl**ût**	il conclu**ra**	il conclurait
nous conclûmes	que nous conclussions	nous conclurons	nous conclurions
vous conclûtes	que vous conclussiez	vous conclurez	vous concluriez
ils conclurent	qu'ils conclussent	ils concluront	ils concluraient

*Le verbe *inclure* fait au participe passé : *inclus, incluse*.

258 *vaincre (convaincre)*

PARTICIPE PRÉSENT : ***vainquant*** PARTICIPE PASSÉ : ***vaincu, vaincue***

INDICATIF	SUBJONCTIF	INDICATIF	IMPÉRATIF
PRÉSENT	PRÉSENT	IMPARFAIT	PRÉSENT
je vaincs	que je vainque	je vainquais	
tu vaincs	que tu vainques	tu vainquais	vaincs
il vainc	qu'il vainque	il vainquait	
nous vainquons	que nous vainquions	nous vainquions	vainquons
vous vainquez	que vous vainquiez	vous vainquiez	vainquez
ils vainquent	qu'ils vainquent	ils vainquaient	
			INDICATIF
PASSÉ SIMPLE	IMPARFAIT	FUTUR	COND. PRÉSENT
je vainquis	que je vainquisse	je vainc**rai**	je vainc**rais**
tu vainquis	que tu vainquisses	tu vaincras	tu vaincrais
il vainquit	qu'il vainqu**ît**	il vaincra	il vaincrait
nous vainquîmes	que nous vainquissions	nous vaincrons	nous vaincrions
vous vainquîtes	que vous vainquissiez	vous vaincrez	vous vaincriez
ils vainquirent	qu'ils vainquissent	ils vaincront	ils vaincraient

GRAMMAIRE ET ORTHOGRAPHE

L'orthographe grammaticale : les notions de base

L'orthographe grammaticale étudie ou décrit le mot « en situation », c'est-à-dire quand il est employé dans une phrase. Elle est constituée de deux grandes parties : celle qui s'intéresse aux formes du mot (sa variation possible en genre et en nombre) et celle qui s'intéresse aux règles d'accord entre les mots.
Nous présentons ici les notions grammaticales de base utiles à la compréhension des chapitres qui suivent.

LES FORMES DU MOT

259 Mot variable ou invariable ?

Qu'est-ce qu'un mot variable ?

• D'une manière générale, un mot variable n'a pas la même forme au masculin et au féminin, au singulier et au pluriel. On dit qu'il varie en genre et en nombre.
– Les noms et les adjectifs sont le plus souvent variables.
– Certains déterminants et pronoms varient en genre et en nombre (*le, la, les ; celui, celle, ceux, celles...*), certains pronoms varient aussi en personne (*me, te, se ; le mien...*), d'autres enfin sont invariables (*dont, qui, que...*).
– Les verbes varient en personne, en nombre, en mode et en temps.

• Un mot peut être variable en genre et en nombre. C'est le cas par exemple de l'adjectif *gentil* ou du nom *président*.

	MASCULIN	FÉMININ
SINGULIER	*gentil*	*gentille*
PLURIEL	*gentils*	*gentilles*
SINGULIER	*président*	*présidente*
PLURIEL	*présidents*	*présidentes*

Un mot peut être variable en nombre mais invariable en genre. C'est le cas par exemple de l'adjectif *chic* ou du nom *médecin*.

MASCULIN OU FÉMININ SINGULIER		MASCULIN OU FÉMININ PLURIEL
un chic type, une chic fille	→	*des chics types, des chics filles*
il est médecin, elle est médecin	→	*ils sont médecins, elles sont médecins*

Un mot invariable par nature n'est pas concerné par les notions de genre et de nombre. Il s'agit principalement des adverbes, des prépositions, des conjonctions et de quelques mots particuliers (noms de lettres, de chiffres, de notes de musique...).

LA NATURE DES MOTS

Donner la nature d'un mot, c'est dire s'il s'agit d'un nom, d'un pronom, d'un adjectif, etc. C'est dire à quelle catégorie grammaticale ce mot appartient.

260 Définitions des catégories grammaticales

CATÉGORIE GRAMMATICALE	RÔLE	EXEMPLES
NOM	mot qui nomme, désigne un être ou une chose, qui a un genre grammatical (masculin ou féminin) et un nombre (singulier ou pluriel)	*table, cheval, homme, ciel, politique, religion*
ADJECTIF	mot qui qualifie le nom et qui s'accorde avec lui en genre et en nombre	*un grand homme, la voiture présidentielle, des enfants sages*
VERBE	mot qui indique ce que fait ou ce qu'est un être ou une chose	*Une voiture roule. Des oiseaux volent. Le ciel est bleu.*
ADVERBE	mot invariable qui précise le sens d'un autre mot ou de la phrase entière	*Il marche vite. Il est très gentil. Il y avait du monde partout.*
DÉTERMINANT	mot qui introduit le nom avec différentes valeurs	*un livre, une boîte, mon livre, ce livre...*
PRONOM	mot qui se substitue à une personne ou qui remplace un nom ou un élément quelconque de la phrase	*je, tu, on, il, elle... ça, le, qui, que, le mien...*

➤

PRÉPOSITION	mot invariable qui introduit un complément avec ou sans valeur circonstancielle (lieu, temps, moyen...)	*parler à quelqu'un, entrer dans une pièce, jouer avec des dés...*
CONJONCTION	mot invariable qui relie deux mots ou deux propositions avec ou sans rapport de dépendance	*et, ou, mais... quand, parce que...*
INTERJECTION	mot invariable qui exprime un sentiment, une émotion	*Ah! Oh! Aïe!...*

261 Un mot peut changer de catégorie grammaticale

Le plus souvent, un mot n'appartient qu'à une seule catégorie grammaticale. Mais il arrive qu'un même mot change de nature grammaticale. C'est ainsi qu'un mot variable par nature peut devenir invariable, et qu'à l'inverse certains mots invariables peuvent devenir variables. En voici quelques exemples.

- **Un adjectif** (variable) peut devenir un adverbe (invariable) ou un nom (variable).

  Ces fruits sont chers. (adjectif variable)
  Ces fruits coûtent cher. (adverbe invariable)

  des meubles hauts (adjectif variable)
  des personnages haut placés (adverbe invariable)
  Avoir des hauts et des bas. (nom variable)

- **Un nom** peut devenir un adjectif (variable ou invariable) ou se comporter comme un adjectif.

  Aimer la couleur des turquoises. (nom féminin variable)
  des pulls turquoise (adjectif de couleur invariable) → 323

  des limites à ne pas franchir (nom variable)
  des cas limites (adjectif variable) → 327

- **Un verbe à l'infinitif** peut devenir un nom.

  On regarde le soleil se coucher. (verbe à l'infinitif invariable)
  On aime les couchers de soleil. (nom variable)

- **Un participe passé** peut devenir un adjectif et/ou un nom.

  Trois personnes ont été blessées. (participe variable)
  Les trois personnes blessées sont là. (adjectif variable)
  Les trois blessés sont là. (nom variable)

- **Un participe présent** peut devenir un adjectif et/ou un nom.

  les enfants vivant ici (participe présent invariable)
  des enfants très vivants (adjectif variable)
  les vivants et les morts (nom variable)

Une préposition peut devenir un adverbe, un adjectif ou quelquefois un nom.

On ira au cinéma avant le dîner. (préposition invariable)
Réfléchissez avant. (adverbe invariable)
les roues avant d'un véhicule (adjectif invariable)
la ligne des avants au rugby (nom masculin variable)

ATTENTION Tout mot, lorsqu'il se désigne lui-même, devient un nom masculin invariable.

Avec des si on pourrait mettre Paris en bouteille !
Il poussait des ah ! et des oh !

Ce processus linguistique s'appelle l'*autonymie*. C'est pour cette même raison que les noms de lettres ou de notes sont invariables.

Il y a trois a dans ananas, trois la dans cette mesure...

LA FONCTION DES MOTS DANS LA PHRASE

Selon sa fonction, un mot peut ou non entraîner – ou être soumis à – une règle d'accord.
Voici les principales fonctions à connaître pour comprendre et appliquer correctement les règles d'accord.

262 Le sujet

Le sujet désigne la personne, l'animal ou la chose dont on parle. Le verbe indique ce qu'on en dit, ce qu'il fait ou ce qu'il est. Le verbe s'accorde en personne et en nombre avec le sujet. → 341

- Dans la phrase :

Les feuilles tourbillonnent dans le vent.
(feuilles : sujet ; tourbillonnent : verbe)

le verbe *tourbillonner* s'accorde à la 3e personne du pluriel avec le sujet au pluriel *les feuilles*.

ATTENTION Le sujet peut être très éloigné du verbe :

– avant le verbe ;

Les feuilles des marronniers, brunies par cet automne naissant, au son de légers bruissements, tourbillonnent dans le vent.

– ou après le verbe.

Et tourbillonnent dans le vent, brunies par cet automne naissant, au son de légers bruissements, les feuilles des marronniers.

263 L'épithète, l'apposition et l'attribut

L'adjectif et le nom peuvent tous les deux être épithètes, apposés ou attributs. Pour l'adjectif, c'est sa place par rapport au nom qui différencie ces trois fonctions. Mais quelle que soit sa fonction, l'adjectif s'accorde avec le nom.

L'adjectif épithète

- Dans la phrase :

*J'ai lu deux **livres** (très) passionnants, deux formidables **romans**.*

nom — adjectif épithète — adjectif épithète — nom

l'adjectif *passionnants* est épithète du nom *livres*, l'adjectif *formidables* est épithète du nom *romans*.
Les épithètes se placent avant ou après le nom. Seul un adverbe (ici l'adverbe *très*) peut les séparer du nom.

L'adjectif apposé

- Dans la phrase :

*La **maison**, assez grande, abritait deux familles.*

nom — adjectif apposé

l'adjectif *grande* est apposé au nom *maison*.
Il en est séparé par une virgule. On dit parfois qu'il s'agit d'une « épithète détachée ».

L'adjectif attribut

- Dans les phrases :

Marie est gentille. Je trouve Marie gentille. Je la trouve gentille.

sujet — attribut — COD — attribut — COD — attribut

l'adjectif *gentille* est attribut du nom *Marie* (ou du pronom *la*). Dans la première phrase, *gentille* est attribut du sujet, dans les deux autres phrases, *gentille* est attribut du complément d'objet.
La relation entre l'adjectif attribut et le nom (ou le pronom) se fait par l'intermédiaire d'un verbe : verbe d'état pour l'attribut du sujet (*être, devenir, paraître*...) ou verbe d'opinion (*juger, estimer, trouver*...) pour l'attribut du complément d'objet.

Le nom attribut

- Dans les phrases :

Marie est présidente. Elle est nommée présidente. On l'a nommée présidente.

sujet — attribut — sujet — attribut — COD — attribut

le nom *président*, nom variable en genre et en nombre, est attribut et s'accorde au féminin singulier avec le nom *Marie* (ou les pronoms *elle, l'*).

La relation entre le nom attribut et le nom (ou le pronom) auquel il se rapporte se fait par l'intermédiaire de verbes d'état comme *être, devenir, rester*... ou de verbes comme *appeler, nommer, élire,* etc.

Le nom apposé ou épithète

- Dans la phrase 1 ou dans les syntagmes 2 et 3 :
  1. *Ce sont des femmes présidentes ou médecins.* (femmes : nom ; présidentes, médecins : noms apposés)
  2. *des appartements témoins, des écoles pilotes* (noms apposés ou noms épithètes qui s'accordent)
  3. *des tartes maison, des omelettes nature, des vestes sport* (noms apposés ou noms épithètes invariables)

⊕ Un *syntagme* est un groupe de mots ayant une unité de sens et de fonction.

les noms *présidentes* et *médecins*, sont des noms apposés au nom *femmes*. Les noms *témoins, pilotes, maison, nature* et *sport* sont des noms apposés ou noms épithètes. Certains dictionnaires les font parfois passer dans la catégorie des adjectifs. Pour les règles d'accord de ces noms → 327.

264 Le complément

Le complément complète, précise le sens de l'élément complété.
Nous ne retenons ici que les notions qu'il faut connaître pour une bonne orthographe grammaticale.

Le complément complète quoi ?

LE COMPLÉMENT COMPLÈTE	EXEMPLES
UN NOM	*un bateau à moteur* *un paquet de bonbons* *un sac de sable* *une foule d'amis* *une dizaine d'euros*
UN ADJECTIF	*un être plein d'arrogance* *un être plein de bons sentiments*
UN ADVERBE	*beaucoup d'amis* *pas de chance*
UN VERBE	*Pierre mange une pomme.* *Pierre la mange.* *Pierre parle à Paul.* *Pierre lui parle.*

Le complément est direct ou indirect ?

Un complément est direct quand il est construit sans préposition.
Il est indirect quand il est introduit par une préposition.

- Dans les phrases :

  Pierre mange une pomme. → *Pierre la mange.*
  verbe complément COD verbe

le nom *pomme* et le pronom *la* sont des compléments d'objet directs (COD). Il n'y a pas de préposition.

- Dans les phrases :

  Pierre parle à Paul. → *Pierre lui parle.*
  verbe + prép. + complément COI verbe

le nom *Paul* et le pronom *lui* sont des compléments d'objet indirects (COI). Il y a une préposition.

Attention ! Dans cet exemple, le pronom *lui*, même s'il n'y a pas de préposition visible, représente le groupe *à Paul.*

Le genre : le masculin et le féminin

Seul le nom a par nature un genre, que donne le dictionnaire.
Les adjectifs, les déterminants, les pronoms et les participes prennent le genre du nom avec lequel ils s'accordent.
Connaître le genre des noms est donc essentiel pour faire correctement les accords.
Il y a deux genres en français, le masculin et le féminin.

ATTENTION Certaines grammaires considèrent qu'il y a un troisième genre, le neutre, pour les pronoms qui représentent une phrase ou un fait auquel on se réfère.

C'est vrai, je te le dis.

Pour d'autres, il ne s'agit que d'un emploi particulier du masculin.

NOMS MASCULINS ET NOMS FÉMININS

Les noms désignant des êtres animés : personnes et animaux

265 Le genre des noms de personnes

Le genre des noms de personnes correspond presque toujours au sexe. Trois cas peuvent se présenter.

- Il y a deux noms distincts, un nom masculin pour le sexe masculin et un nom féminin pour le sexe féminin.

MASCULIN	FÉMININ
un homme	*une femme*
un garçon	*une fille*
le père	*la mère*

➤

Il y a un seul nom pour les deux genres, et seul le déterminant indique s'il s'agit d'un masculin ou d'un féminin.

MASCULIN	**FÉMININ**
un artiste	*une artiste*
un élève	*une élève*
le pédiatre	*la pédiatre*

Un nom qui a la même forme au masculin et au féminin est un nom *épicène*.

Il y a un seul nom, mais sa terminaison change au féminin.
C'est un nom variable en genre.

MASCULIN	**FÉMININ**
un avocat	*une avocate*
un inspecteur	*une inspectrice*

Le féminin de ces noms se forme selon de grandes régularités décrites plus loin. → 273-280

266 Le genre des noms d'animaux

La plupart des noms d'animaux ont un genre fixe.

MASCULIN	**FÉMININ**
un moustique	*une mouche*
un crocodile	*une girafe*
un dauphin	*une baleine*

Et c'est par l'ajout des termes *mâle* ou *femelle* que l'on précise le sexe, si nécessaire.

une baleine mâle *un crocodile femelle*

Il y a parfois deux noms distincts, un pour le mâle et un pour la femelle.

MÂLE	**FEMELLE**
un cheval	*une jument*
le cerf	*la biche*

Pour quelques noms d'animaux, le nom féminin se forme à partir du nom masculin, comme pour les noms de personnes.

MASCULIN	**FÉMININ**
le lion	*la lionne*
un chat	*une chatte*
un chien	*une chienne*

Les noms désignant des choses

267 Le genre des noms de choses

Tous les noms de choses (noms d'objets, d'actions, d'états, etc.) ont un genre fixe et arbitraire.

- Le nom est soit masculin, soit féminin et seul le dictionnaire peut lever les éventuelles difficultés.

MASCULIN	FÉMININ
un arbre	*une plante*
le théâtre	*la poésie*
le soleil	*la lune*
un acte	*une action*
un papier	*une feuille*

On trouvera la liste des principaux mots sur le genre desquels on hésite au paragraphe →270.

- Le suffixe peut fournir une indication sur le genre d'un nom dérivé.

MASCULIN	FÉMININ
***-age**: le marquage*	***-tion**: une punition*
***-ement**: le commencement*	***-erie**: la tricherie*
***-isme**: le socialisme*	***-ité**: l'irritabilité*

268 Le genre des noms de bateaux

- Sont masculins les noms de bateaux désignés par des noms ou adjectifs masculins.

  le Charles de Gaulle, le Vainqueur

- Sont masculins ou féminins, selon la nature du bateau, les noms de bateaux désignés par des noms féminins.

  le France
  = un paquebot

  la Marie-Galante
  = une péniche

269 Les noms à double genre

Quelques noms ont un double genre. Ils sont masculins et/ou féminins.

Ainsi, certains noms s'emploient indifféremment au masculin ou au féminin.
un ou *une après-midi; un* ou *une interview; un* ou *une parka; un* ou *une HLM*

D'autres noms ont un emploi ou un sens différent selon le genre:

- ***amour*** est masculin **SAUF** au pluriel dans la langue littéraire: *les amours enfantines*;
- ***gens*** est masculin pluriel **SAUF** dans *de bonnes gens*;
- ***œuvre*** est féminin **SAUF** pour désigner l'ensemble des œuvres d'un écrivain, d'un artiste: *l'œuvre gravé de Dürer*;
- ***orgue*** est masculin pluriel pour désigner plusieurs instruments et féminin pluriel quand il désigne un seul grand instrument: *les grandes orgues de Notre-Dame*;
- ***personne*** est féminin quand il s'agit du nom: *une personne est venue*; et masculin quand il s'agit du pronom: *personne n'est venu*;
- ***mémoire*** est féminin pour désigner la capacité à se souvenir: *avoir de la mémoire*, et masculin pour désigner un texte, une dissertation sur un sujet précis. Il est masculin pluriel pour désigner l'œuvre rassemblant les souvenirs d'une personne.

REMARQUE
Certains noms sont simplement des homonymes dont l'étymologie est bien distincte:
– *le tour* (du verbe *tourner*) *de France* ≠ *la tour* (du latin *turris*) *Eiffel*;
– *un vase* (du latin *vas*, « vaisseau ») *pour les fleurs* ≠ *la vase* (d'un mot néerlandais) *de la rivière.*

270 Masculin ou féminin? Les noms sur lesquels on hésite

Dit-on *un* ou *une astérisque*? Le genre des noms de choses est arbitraire. Seul le recours au dictionnaire peut lever une hésitation. La terminaison des mots peut parfois aider, mais pas toujours.
Nous donnons ici une liste des mots sur lesquels on fait le plus souvent erreur.

une aérogare (féminin)	un armistice (masculin)
un amalgame (masculin)	un aromate (masculin)
une anagramme (féminin)	des arrhes (féminin pluriel)
un antidote (masculin)	un astérisque (masculin)
un antre (masculin)	un autoradio (masculin)
un aparté (masculin)	une câpre (féminin)
une argile (féminin)	un cerne (masculin)

la coriandre (féminin)
une dartre (féminin)
une échappatoire (féminin)
une écritoire (féminin)
un encéphale (masculin)
un en-tête (masculin)
un épilogue (masculin)
une épitaphe (féminin)
une épithète (féminin)
une espèce (féminin)
un haltère (masculin)
un hémisphère (masculin)
une interface (féminin)
un interligne (masculin)
une oasis (féminin)
un obélisque (masculin)
une octave (féminin)
une omoplate (féminin)
une orbite (féminin)
un pétale (masculin)
un planisphère (masculin)
un poulpe (masculin)
une stalactite (féminin)
une stalagmite (féminin)
un tentacule (masculin)
un tubercule (masculin)

Les noms de villes et de pays

271 Le genre des noms de villes

Dans la langue courante, les noms de villes sont du masculin.
le grand Paris, le vieux Nice

REMARQUE
Quand le nom se termine par un ***e*** ou qu'il comporte l'article féminin *la*, l'usage est incertain : *Marseille et La Rochelle ont été choisies* ou *choisis*.

Dans la langue littéraire, les noms de villes sont souvent du féminin.
Alger la blanche
Rome éternelle
Berlin détruite, Berlin reconstruite

⊕ Les noms de villes étaient autrefois féminins, d'où les noms propres tels que *La Nouvelle-Orléans, Louvain-la-Neuve*.

272 Le genre des noms de pays

Les noms de pays terminés par un ***e*** sont féminins :
la Belgique, l'Afrique du Sud, l'Arménie, l'Algérie
SAUF *le Cambodge, le Mexique, le Mozambique* et *le Zaïre*. L'article donne le genre.

Les noms de pays terminés par un ***a***, un ***i*** ou une consonne sont des noms masculins.
***le** Canada, Djibouti, Haïti, Madagascar*

LE FÉMININ DES NOMS ET DES ADJECTIFS

Pour les noms qui varient en genre et pour les adjectifs, le féminin se forme à partir du masculin.
La formation du féminin suit des règles générales, mais les exceptions et les cas particuliers sont fréquents ; c'est pourquoi les dictionnaires donnent toujours l'indication de la terminaison du féminin d'un mot.

Les règles générales

273 Le féminin se forme par l'ajout d'un *e* muet final

Pour former le féminin on ajoute un ***e*** à la forme du masculin.

blessé	→	*blessée*	*meilleur*	→	*meilleure*
apprenti	→	*apprentie*	*anglais*	→	*anglaise*
détenu	→	*détenue*	*ras*	→	*rase*
grand	→	*grande*	*candidat*	→	*candidate*
banal	→	*banale*	*idiot*	→	*idiote*
cousin	→	*cousine*	*courtisan*	→	*courtisane*

REMARQUE
Cette règle s'applique aussi au participe passé : *aimé* → *aimée* ; *fini* → *finie* ; *mis* → *mise*, etc.

274 Le masculin se termine déjà par un *e* muet

Les mots terminés par ***e*** au masculin ne changent pas au féminin.

un artiste → *une artiste*
un démocrate → *une démocrate*
un pantalon large → *une jupe large*

275 Les exceptions

Quelques mots doublent la consonne finale.

- Les mots suivants terminés par ***s*** doublent le ***s*** au féminin.

gras	→	*grasse*	*épais*	→	*épaisse*
gros	→	*grosse*	*métis*	→	*métisse*
las	→	*lasse*	*exprès*	→	*expresse*

- Le féminin du mot *paysan* est *paysanne* avec ***nn***, contrairement aux autres mots terminés par ***-an*** qui font ***-ane*** au féminin (*courtisan, courtisane* ; *partisan, partisane*).
- Le mot *nul* fait *nulle* au féminin.

Quelques noms terminés par ***e*** au masculin ont un féminin en ***-esse***.

âne → *ânesse* | *maître* → *maîtresse*
comte → *comtesse* | *ogre* → *ogresse*
hôte → *hôtesse* | *tigre* → *tigresse*
prince → *princesse* | *traître* → *traîtresse*

Les règles particulières

Dans de très nombreux cas, la formation du féminin entraîne d'autres modifications orthographiques (l'ajout d'un accent, le doublement d'une consonne, le remplacement d'une consonne par une autre, la modification d'un suffixe), qui dépendent de la terminaison du mot au masculin.

276 Le *e* du masculin devient *è* au féminin

L'ajout du ***e*** du féminin modifie la prononciation du mot. L'accent grave se conforme à cette prononciation.

inquiet → *inquiète*
boucher → *bouchère*
cuisinier → *cuisinière*

277 La consonne finale du masculin double au féminin

La prononciation peut être identique aux deux genres ;

cruel → *cruelle*
pareil → *pareille*

ou modifiée au féminin.

muet → *muette*
breton → *bretonne*
aérien → *aérienne*

278 La consonne finale du masculin change au féminin

Le plus souvent, c'est la consonne latine qui se retrouve au féminin et dans les dérivés du mot.

curieux → *curieuse* → *curiosité*
Curieux vient du latin *curiosus*.

actif → *active* → *activité*
Actif vient du latin *activus*.

279 Le suffixe du féminin a une forme spécifique

- De nombreux mots en ***-eur*** dérivés de verbes ont un féminin en ***-euse***.
  danseur → *danseuse*
- De nombreux mots en ***-teur*** ont un féminin en ***-trice***.
  acteur → *actrice*

280 Tableau récapitulatif des terminaisons du féminin

LE MASCULIN SE TERMINE PAR	LE FÉMININ EST EN	EXEMPLES
-é, -i, -u ou une consonne	***-e***	*blessé, blessée* *gai, gaie, bleu, bleue* *avocat, avocate*
-er, -ier	***-ère, -ière***	*léger, légère* *fermier, fermière*
-et	***-ète*** ou ***-ette***	*inquiet, inquiète* *muet, muette*
-el, -il, -eil	***-elle, -ille, -eille***	*cruel, cruelle* *gentil, gentille* *pareil, pareille*
-eur*	***-eure*** ou ***-euse***	*meilleur, meilleure* *danseur, danseuse*
-teur	***-teuse*** ou ***-trice***	*menteur, menteuse* *acteur, actrice*
-eux, -oux*	***-euse, -ouse***	*sérieux, sérieuse* *époux, épouse*
-en, -ien, -ion	***-enne, -ienne, -ionne***	*lycéen, lycéenne* *chrétien, chrétienne* *lion, lionne*
-on	***-onne***	*breton, bretonne* *bon, bonne*
-f	***-ve***	*vif, vive* *veuf, veuve*
-eau	***-elle***	*jumeau, jumelle* *beau, belle*
-c***	***-que*** ou ***-che***	*public, publique* *franc, franche*

* *ambassadeur* a pour féminin *ambassadrice*.
** *doux, faux, roux, vieux* font leurs féminins en *douce, fausse, rousse, vieille*.
*** *duc* a pour féminin *duchesse* ; *grec* garde le **c** au féminin : *grecque*.

LA FÉMINISATION DES NOMS DE MÉTIERS, TITRES ET FONCTIONS

Parce que la langue évolue comme la société évolue, on admet et même on recommande aujourd'hui (*Commission générale de terminologie*, 1998) l'emploi d'un féminin pour tous les noms de métiers, de titres et de fonctions autrefois occupés essentiellement par des hommes et qui n'étaient jusqu'ici employés qu'au masculin (*proviseur, professeur, ministre, préfet*...).
On dit donc, sans que cela soit considéré d'un style relâché : *la ministre, la préfète, la commissaire*, etc. Les indications suivantes permettent la féminisation de tous ces noms. De nombreux cas sont déjà répandus dans la langue et dans les dictionnaires. Toutefois cela se fait avec le temps et l'ancien usage n'est pas fautif.

281 Règles générales

Les règles de formation du féminin s'appliquent normalement :
- *la députée, une artisane, une magistrate, une écrivaine* ;
- *une menuisière, la préfète, une policière, une chirurgienne, une chercheuse* ;
- *une agricultrice, une conservatrice*.

Chaque fois qu'un féminin existe déjà, on l'emploie aussi pour le nom de métier, de titre ou de fonction.

une soudeuse, une présidente-directrice générale

On peut toujours employer le déterminant féminin.

la ministre, la juge, une imprésario

282 Cas particuliers

Chaque fois qu'une terminaison de féminin est sentie comme difficile, on garde la forme du masculin mais on emploie les déterminants féminins.

la maire (plutôt que *la mairesse*)
une junior (plutôt qu'*une ~~juniore~~*)
la chef
une clerc (de notaire)
une conseil (en communication)

Pour certains noms en ***-eur***, on a le choix entre l'emploi « épicène » (même forme au masculin et au féminin) et l'ajout du ***e***.

la professeur ou *la professeure*
une ingénieur ou *une ingénieure*
la proviseur ou *la proviseure*

➤

REMARQUES

1. La langue courante orale a depuis longtemps procédé à la féminisation de certains de ces noms : *la chef, la banquière, la jurée...*

2. Certains, en particulier dans les médias, étendent ces procédés de féminisation à d'autres noms masculins qui ne sont ni des noms de métiers, ni des noms de fonctions, ni des titres (*vainqueur, témoin*, etc.). Pourtant, on ne « masculinise » pas des noms féminins qui s'appliquent aussi aux hommes (*victime, vedette, star,* etc.). Le vocabulaire comporte ainsi des noms masculins ou féminins qui s'emploient pour les deux genres : *une crapule, un escroc, un assassin, une recrue, un second* peuvent désigner tout aussi bien un homme qu'une femme.

Le nombre : le singulier et le pluriel

Donner le nombre d'un mot, c'est dire s'il est au singulier ou au pluriel.

SINGULIER	**PLURIEL**
Le voilier blanc approche.	*Les voiliers blancs approchent.*

La marque du pluriel peut ne pas s'entendre à l'oral, mais elle est présente à l'écrit.

C'est le nom (ou le pronom) qui porte l'idée de singulier ou de pluriel.

Les déterminants, les adjectifs et les verbes s'accordent en nombre (au singulier ou au pluriel) avec ce nom.

LE SINGULIER ET LE PLURIEL : DÉFINITIONS

283 Zéro, un ou plusieurs

Un nom au singulier indique en général qu'il s'agit :

- d'un seul être ou objet : *un client, un ballon* ;
- d'une matière, d'une idée, d'une généralité ou d'un emploi générique : *le fer, la générosité, la paix, l'homme* ;
- d'aucun être ou objet : *zéro bonbon.*

Mais certains noms au singulier peuvent désigner un ensemble d'êtres ou de choses. Ce sont des noms collectifs : *le bétail, la foule.*

Un nom au pluriel indique en général qu'il s'agit de plusieurs êtres ou objets : *deux, trois, des ballons.*

Mais certains noms ne s'emploient qu'au pluriel pour désigner une seule chose.

des ciseaux (= une paire de ciseaux)
des lunettes (= une paire de lunettes)
des funérailles (= un enterrement)

284 Nom comptable ou non comptable ?

Un nom comptable s'emploie pour des êtres ou des choses que l'on peut compter (un, deux, trois). Il peut donc être au singulier ou au pluriel.

une caisse, deux caisses, trois caisses

Un nom non comptable désigne une chose que l'on considère dans sa globalité (nom de matière, par exemple), ou une qualité, un état, un concept (nom abstrait). Les noms non comptables sont :

- presque toujours au singulier ;
  l'or, le blé, la chance, l'orgueil
  la chevelure (singulier)
- quelquefois au pluriel.
  les cheveux (pluriel)

Cette distinction comptable/non comptable est très utile :

- pour savoir si un nom complément doit être au singulier ou au pluriel (→ 328) ;

COMPTABLE AU PLURIEL	NON COMPTABLE AU SINGULIER
J'ai beaucoup de chapeaux.	*J'ai beaucoup de chance.*
une rangée de livres	*des tables de verre*

- pour former le pluriel des mots composés → 292-295.

	SINGULIER	PLURIEL
NON COMPTABLE	*un chasse-neige*	*des chasse-neige* (invariable)
COMPTABLE	*un tire-bouchon*	*des tire-bouchons* (variable)

REMARQUE

Certains noms changent de sens selon qu'ils sont comptables ou non comptables :
– s'il s'agit d'un nom comptable, il est au pluriel : *des ivoires* (= des objets en ivoire) ;
– s'il s'agit d'un nom non comptable, il reste au singulier : *de l'ivoire* (= la matière).

LE PLURIEL DES NOMS ET DES ADJECTIFS

La marque du pluriel peut ne pas s'entendre à l'oral, mais elle est toujours présente à l'écrit.
Pour les noms qui varient en nombre et pour les adjectifs, le pluriel se forme à partir du singulier. Cette formation du pluriel suit des règles générales, mais il y a quelques exceptions.
Les dictionnaires n'indiquent le pluriel des noms et des adjectifs que lorsqu'il est irrégulier.

Le pluriel des mots simples

285 La règle générale

Les noms et les adjectifs prennent un *s* au pluriel.

SINGULIER	PLURIEL
une grande métropole européenne	*de grandes métropoles européennes*

286 Les mots terminés par *s*, *x* ou *z*

Ces mots ne changent pas au pluriel.

SINGULIER	PLURIEL
un procès	*des procès*
un discours confus	*des discours confus*
un garçon jaloux	*des garçons jaloux*
un prix	*des prix*
un nez	*des nez*

287 Les mots terminés par *ou*

Ces mots suivent la règle générale et prennent un ***s*** au pluriel.

SINGULIER	PLURIEL
un caramel mou	*des caramels mous*
un sou	*des sous*

SAUF les noms *bijou, caillou, chou, genou, hibou, joujou, pou* et *ripou* (par analogie avec *pou*) qui prennent un ***x*** : *des choux, des bijoux.*

288 Les mots en *-al*

Les mots en ***-al*** font généralement leur pluriel en ***-aux***.

SINGULIER	PLURIEL
un palais royal	*des palais royaux*
un cheval	*des chevaux*

Mais il y a de nombreuses exceptions qui font leur pluriel en **s**.

- Les adjectifs *banal, bancal, fatal, final, glacial, natal, naval* et *tonal* prennent un **s** : *des chantiers navals, des pays natals.*
- De nombreux noms font leur pluriel en **s** comme les exceptions traditionnelles *bal, cal, carnaval, cérémonial, chacal, étal, festival, pal, récital, régal, santal, sisal.*

Il s'agit :
– de termes de chimie, comme *penthotal* ;
– de mots d'origine étrangère ou issus de noms propres, comme *marshal, corral, caracal, cantal* (le fromage) ;
– de mots déposés, comme *Tergal* ;
– de mots populaires ou argotiques, comme *futal.*

⊕ L'adjectif *banal* a un pluriel en *-aux* dans *fours banaux, moulins banaux* (sens historique, « relatif au ban »). L'adjectif *final* a les deux pluriels. Les dérivés *prénatal*, *postnatal* ont aussi les deux pluriels dans l'usage courant.

289 Les noms en *-ail*

Les noms en ***-ail*** suivent la règle générale et font leur pluriel en ***-ails***.

SINGULIER	PLURIEL
un détail	*des détails*
un chandail	*des chandails*

SAUF les noms *bail, corail, émail, soupirail, travail, vantail, vitrail,* qui font leur pluriel en ***-aux*** : *des travaux, des vitraux, des coraux, des baux.*

REMARQUE

Le mot *bail* fait *baux* au pluriel, mais le mot composé ***crédit-bail*** fait ***crédits-bails*** au pluriel.

290 Les mots en *-eau*

Tous les mots en ***-eau*** prennent un ***x*** au pluriel.

SINGULIER	PLURIEL
le beau château	*les beaux châteaux*
ce nouveau chapeau	*ces nouveaux chapeaux*

291 Les mots en *-eu* et en *-au*

Les mots en ***-eu*** et en ***-au*** font leur pluriel en ***x***;

SINGULIER	PLURIEL
un cheveu	*des cheveux*
un étau	*des étaux*

SAUF les mots *bleu, feu* (= décédé), *émeu* (= oiseau d'Australie), *pneu, lieu* (= le poisson), *landau* et *sarrau* qui prennent un ***s***: *des cheveux bleus*.

ATTENTION Certains mots ont deux pluriels avec des sens différents :
– ***œil*** a pour pluriel *yeux* dans ses emplois courants et *œils* dans ses emplois techniques : *des œils-de-bœuf*;
– ***ciel*** a pour pluriel *cieux* dans ses emplois religieux ou poétiques et *ciels* dans ses emplois particuliers ou techniques : *les ciels d'un peintre, des ciels de lit*;
– ***aïeul*** a pour pluriel *aïeuls* au sens de « grands-pères, grands-parents » et *aïeux* au sens de « ancêtres ».

Le pluriel des mots composés

292 Principes généraux

Un mot composé est formé de plusieurs mots unis le plus souvent par des traits d'union.

• Les marques du pluriel peuvent porter sur aucun, sur un ou sur plusieurs de ces mots.

SINGULIER	PLURIEL
un coffre-fort	*des coffres-forts*
un tête-à-tête	*des tête-à-tête*
un tire-bouchon	*des tire-bouchons*
une pomme de terre	*des pommes de terre*

• Ces exemples montrent que le pluriel des mots composés dépend de la nature (nom, verbe, adjectif...) et de la fonction (complément, épithète...) des mots principaux qui les composent.

Les règles suivantes permettent de former correctement le pluriel de la plupart des mots composés.

293 Les mots composés invariables

Sont invariables les mots composés :

- de deux verbes ;

  un laissez-passer → *des laissez-passer*

- d'une phrase ou d'une expression ;

  un cessez-le-feu → *des cessez-le-feu*
  un je-ne-sais-quoi → *des je-ne-sais-quoi*
  un face-à-face → *des face-à-face*

- d'adjectifs composés de couleur ;

  des robes bleu clair, vert olive, jaune-orangé

- d'un verbe et d'un complément non comptable ;

  un abat-jour → *des abat-jour* (= qui abat le jour)
  un pare-brise → *des pare-brise*
  un cache-misère → *des cache-misère*

- d'un verbe et d'un complément au pluriel.

  un casse-pieds → *des casse-pieds* (= qui casse les pieds)
  un sèche-cheveux → *des sèche-cheveux*

294 Les mots composés variables

Les autres mots composés sont variables, mais la marque du pluriel peut porter soit sur les deux termes, soit sur le premier terme, soit sur le second.

Les deux termes du mot composé prennent la marque du pluriel quand il s'agit :

- d'un nom et d'un autre nom dans un rapport d'apposition ou de coordination : *des chefs-lieux, des locations-ventes* ;
- d'un adjectif et d'un nom : *les basses-cours* ;
- d'un nom et d'un adjectif : *des coffres-forts* ;
- de deux adjectifs : *des paroles aigres-douces*.

Seul le premier terme prend la marque du pluriel quand il s'agit d'un nom et de son complément (avec ou sans préposition).

des timbres-poste (= de la poste)
des arcs-en-ciel
des chefs-d'œuvre
des assurances-vie (= sur la vie)

Seul le deuxième terme prend la marque du pluriel quand il s'agit :

- d'un mot invariable (adverbe, préposition, préfixe, abréviation, point cardinal) et d'un mot variable ;

des haut-parleurs — *des à-côtés*
des non-dits — *des rencontres franco-espagnoles*
des en-têtes — *les pays sud-américains*

- d'un verbe et de son complément comptable.

un tire-bouchon → *des tire-bouchons*

295 Tableau récapitulatif du pluriel des mots composés

NATURE DES MOTS	EXEMPLES	PLURIEL*
VERBE + VERBE	*un laissez-passer* → *des laissez-passer*	Ø + Ø
VERBE + NOM a) nom non comptable b) nom comptable c) nom propre	 *un pare-brise* → *des pare-brise* *un tire-bouchon* → *des tire-bouchons* *des prie-Dieu*	 Ø + Ø Ø + S Ø + Ø
NOM + NOM	*des aides-comptables* *des locations-ventes*	S + S
SAUF avec une préposition a) sous-entendue b) présente	 *des timbres-poste* (= pour la poste) *des assurances-vie* (= sur la vie) *des chefs-d'œuvre* *des arcs-en-ciel*	 S + Ø
ADJECTIF + NOM	*la basse-cour* → *les basses-cours*	S + S
NOM + ADJECTIF	*un coffre-fort* → *des coffres-forts*	S + S
ADJECTIF + ADJECTIF SAUF ADJECTIFS DE COULEUR	*des paroles aigres-douces* *des tissus rouge-orangé*	S + S Ø + Ø
MOT INVARIABLE + NOM a) préposition b) adverbe c) préfixe, abréviation...	 *des en-têtes, des à-côtés* *des haut-parleurs* *des anti-inflammatoires, des non-dits, les relations franco-espagnoles*	 Ø + S
PHRASE OU EXPRESSION	*des on-dit, des cessez-le-feu, des tête-à-tête, des face-à-face*	Ø + Ø

*Ø = invariable ; S = prend la marque du pluriel (que ce soit un *s* ou un *x*).

Le pluriel des mots latins, étrangers ou d'origine étrangère

296 Le pluriel des mots latins

Le latin ne connaissait ni les accents ni le *s* comme marque du pluriel.

Des mots latins francisés

La plupart des mots latins entrés dans notre vocabulaire courant sont aujourd'hui francisés : ils sont accentués selon la prononciation du français et ils prennent tous un *s* au pluriel.

SINGULIER	PLURIEL
un accessit	*des accessits*
un agenda	*des agendas*
un album	*des albums*
un mémento	*des mémentos*
un référendum	*des référendums*

Des mots latins invariables et sans accent

Les mots qui ont « valeur de citation, de titre », les mots composés et les locutions restent invariables et s'écrivent entre guillemets ou en italique dans les textes.

un Ave, un Pater, un Magnificat, un requiem, un veto (= je m'oppose)
des post-scriptum, le statu quo, des mea-culpa
a priori, nota bene, ex aequo

Des mots qui ont les deux pluriels

On accepte pour quelques mots latins les deux orthographes : pluriel latin (en *-a*) et pluriel français.

un duplicata → *des duplicata* ou *duplicatas*
un maximum → *des maxima* ou *maximums*

Mais, comme pour les autres mots étrangers, on tend à franciser ces mots bien intégrés dans notre vocabulaire.

297 Le pluriel des mots étrangers

Les mots étrangers peuvent garder leur pluriel d'origine ou suivre les règles du français.

Toutefois, lorsque le mot est bien intégré dans la langue, le pluriel français est à privilégier. On écrira donc : *des sandwichs, des matchs, des spaghettis*.

Mais les formes *des sandwiches, des matches* (pluriels anglais), *des spaghetti* (pluriel italien) ne sont pas fautives.

Quand on choisit le pluriel français, on fera bien attention à ce que l'orthographe du mot soit aussi francisée. Ainsi on écrira :

un scénario (avec un accent) → *des scénarios* (à la française)
ou *un scenario* (sans accent) → *des scenarii* (à l'italienne)

Le pluriel des noms propres

Certains noms propres prennent ou ne prennent pas la marque du pluriel. Pourquoi écrit-on *les Durand* (sans s) et *les Bourbons* (avec s) ?

298 Les noms propres de personnes

- Les noms propres de personnes ne prennent pas la marque du pluriel :
  les Martin, les Durand

  SAUF quand ils désignent des familles illustres, des dynasties.
  les Bourbons, les Tudors
- On écrira donc, sans marque du pluriel :
  Au musée, j'ai vu deux Renoir. **(= deux tableaux de Renoir)**
- Quand ils désignent des types humains, certains noms propres deviennent des noms communs et prennent la marque du pluriel.
  des don Juans, des harpagons

299 Les noms propres de lieux

- Les noms propres de lieux sont en général uniques et sans marque du pluriel :
  Y a-t-il deux France ?

  SAUF quand plusieurs lieux portent le même nom.
  les deux Amériques
- Certains noms propres de lieux deviennent des noms communs quand ils désignent des productions locales (vin, fromage...). Ils prennent alors la marque du pluriel.
  En Bourgogne, on a goûté plusieurs bourgognes. **(= vins de Bourgogne)**

Des mots toujours invariables

300 Les noms de lettres, de notes et les noms accidentels

Tous ces noms sont invariables.

Il y a cinq a dans abracadabra.
Il y a deux oméga et trois pi dans ce mot grec.
Il y a trois do dans cette mesure.
Avec des si, on mettrait Paris en bouteille.

➕ Un *nom accidentel* est un mot, n'importe lequel, employé pour se nommer lui-même. Cette possibilité s'appelle *l'autonymie*.

301 Les sigles et les symboles

Même si on rencontre parfois dans les publicités ou sur les panneaux d'information routière des sigles, des abréviations et des symboles avec un ***s***, il faut savoir que c'est une faute. On écrira :

des CD et non *des ~~CDs~~*
150 km et non ~~*150 kms*~~

LES PIÈGES : AU SINGULIER OU AU PLURIEL ?

Doit-on écrire *un ciel sans nuage* ou *sans nuages* ?
Quand le nom est employé sans article, il est parfois difficile de choisir entre le singulier et le pluriel.

302 Nom au singulier ou au pluriel après *à*, *de*, *en* ?

Pour savoir si on met le nom au singulier ou au pluriel après ***à***, ***de***, ***en***, il suffit presque toujours de rétablir l'emploi d'un déterminant.

un fruit à noyau (= avec un noyau)
un fruit à pépins (= avec des pépins)

avoir peu de chance (avoir de la chance)
avoir peu de chances de (avoir des chances de)

du sucre en poudre (= de la poudre)
du sucre en morceaux (= avec des morceaux)

303 Nom au singulier ou au pluriel après *par* ?

Le nom complément est au singulier quand il y a une idée de distribution (= pour chaque).

Payer tant par personne. (= pour chaque personne)
trois fois par jour, par semaine, par an (= chaque jour, semaine, année)

Le nom complément est au pluriel quand il y a une idée de pluralité.

classer par séries (= en plusieurs séries)
par moments, par instants (= à plusieurs instants)
Ils arrivent par dizaines, par centaines, par milliers.

304 Nom au singulier ou au pluriel après *sans* ?

En emploi libre

- En général, le nom garde le nombre (singulier ou pluriel) qu'il aurait dans une tournure positive.
- Il suffit de remplacer *sans* par *avec* pour faire apparaître l'article au singulier ou au pluriel.

une robe sans ceinture (≠ avec une ceinture)
une chaussure sans lacets (≠ avec des lacets)
un ciel sans nuages (≠ avec des nuages)

Dans des expressions

- On écrit au singulier :

sans arrêt
sans commentaire
sans condition
sans crainte
sans défense
sans délai
sans détour
sans doute
sans encombre
sans faute (= à coup sûr)
sans précédent
sans provision
sans regret
sans reproche
sans souci

- On écrit au singulier ou au pluriel :

sans façon(s)
une dictée sans fautes (≠ avec des fautes)
une dictée sans faute (= sans aucune faute)

➤

305 Singulier ou pluriel dans les expressions avec *tout* ?

- On écrit au singulier :

à tout bout de champ
à toute allure
à toute épreuve
à toute heure
à tout hasard
à tout moment
à tout propos
de tout temps
en tout cas
en toute amitié
en toute saison
en tout temps
tout compte fait
tout feu tout flamme
tout coton
tout plein
tout yeux tout oreilles

- On écrit au pluriel :

à tous égards
à toutes jambes
en toutes lettres
toutes proportions gardées
tous feux éteints
tous azimuts

- On écrit au singulier ou au pluriel :

à tout coup
à tous coups

en tout sens
en tous sens

de tout côté
de tous côtés

de toute(s) façon(s)
de toute(s) sorte(s)

Les principes généraux de l'accord

305 Pour qu'il y ait accord, il faut qu'il y ait au moins deux mots.
Un mot qui « commande » l'accord et un mot qui « s'accorde » avec lui.

Une voiture bleue passe devant nous.

Le mot *voiture* commande l'accord : c'est un nom féminin singulier.
Les mots *une* et *bleue* s'accordent en genre (féminin) et en nombre (singulier) avec le mot *voiture*.
Le verbe *passe* s'accorde en personne (3e) et en nombre (singulier) avec le mot *voiture*.

LES MOTS QUI S'ACCORDENT

306 Que veut dire « s'accorder » ?

- Le mot « qui s'accorde » prend les marques du genre (masculin ou féminin), du nombre (singulier ou pluriel) et, dans certains cas, de la personne (1re, 2e ou 3e personne) du mot avec lequel il s'accorde.
- L'accord ne se fait pas toujours entendre à l'oral, que ce soit pour des raisons propres au mot qui s'accorde (le pluriel en *s* pour un adjectif ou un nom, en *-ent* pour un verbe par exemple, ne s'entend pas) ou parce que la langue parlée est souvent relâchée.
Cependant, à l'écrit, respecter les règles de l'accord est indispensable.

307 Quels sont les mots qui s'accordent ? et avec quoi ?

- **La plupart des déterminants** s'accordent en genre et en nombre avec le nom qu'ils introduisent. → 329

un chapeau	→	*des chapeaux*	*la soirée*	→	*les soirées*
mon chapeau	→	*mes chapeaux*	*ma soirée*	→	*mes soirées*
ce chapeau	→	*ces chapeaux*	*cette soirée*	→	*ces soirées*
quel chapeau ?	→	*quels chapeaux ?*	*quelle soirée*	→	*quelles soirées ?*

- **L'adjectif qualificatif** s'accorde en genre et en nombre avec le nom ou le pronom auquel il se rapporte. → 311-314

C'est une ***belle*** *fille. Elle est* ***belle****.*

Le nom s'accorde en nombre et éventuellement en genre avec le nom ou le pronom auquel il se rapporte, quand il est attribut ou apposé. → 326-327

- L'accord se fait en genre et en nombre.

  *Marie est **avocate**. Elle est **avocate**.*

  *Pierre et Marie, **avocats** à la cour, le représenteront.*

- L'accord ne se fait qu'en nombre.

  *La girafe est **un animal**.*

  féminin singulier masculin singulier

  *Les girafes sont **des animaux**.*

  féminin pluriel masculin pluriel

Le pronom s'accorde en genre, en nombre et parfois en personne avec le nom ou « la personne » qu'il représente.

*Ce livre est **le mien**.*

Le mien s'accorde en genre (masculin) et en nombre (singulier) avec le mot *livre*.

*C'est une histoire à **laquelle** je pense souvent.*

Laquelle s'accorde en genre (féminin) et en nombre (singulier) avec le mot *histoire*.

Ce livre est à Luce. → ***Il** est à **elle**.*

Il (masculin singulier, 3e personne) représente *livre*.

Elle (féminin singulier, 3e personne) représente *Luce*.

Les pronoms personnels s'accordent en genre, en nombre et en personne avec les noms qu'ils représentent.

Le verbe conjugué (ou son auxiliaire aux temps composés) s'accorde en personne et en nombre avec son sujet. → 431

*Je **cours**.*

*Ils **courent**.*

Le participe passé dans les formes composées du verbe peut :

- ne pas s'accorder ;

  *Elle a **couru**.*

  *Ils se sont **parlé**.*

- s'accorder avec le sujet ;

  *Elle est **partie**.*

  *Ils se sont **réconciliés**.*

- s'accorder avec le complément d'objet direct.

  *Marie, je l'ai **vue**.*

  *J'ai vu la robe qu'elle s'est **offerte**.*

→ 361-362

LES MOTS QUI COMMANDENT L'ACCORD

Quel que soit le mot qui s'accorde (nom, adjectif, etc.), il faut savoir avec quoi il s'accorde.

308 Un seul élément commande l'accord

Lorsque cet élément est un nom (ou un pronom), il n'y a pas de difficulté : le nom a un genre et un nombre, le pronom a le genre et le nombre du nom qu'il représente. L'accord se fait avec ce nom ou ce pronom.

*Pierre est **grand**.* — *Marie est **grande**.*
*Il est **grand**.* — *Elle est **grande**.*
*Ils sont **grands**.* — *Elles sont **grandes**.*
*Le fils de ma voisine est **grand**.* — *La fille de ma voisine est **grande**.*

L'adjectif *grand* s'accorde avec le nom ou le pronom auquel il se rapporte.

Lorsque cet élément est une phrase, un infinitif ou un pronom les représentant, il n'y a pas de difficulté : l'accord se fait au masculin singulier, équivalent du neutre en français.

Qu'ils viennent me voir m'était agréable.

Le sujet est une phrase, le verbe *être* est à la 3e personne du singulier, l'adjectif *agréable* est au masculin singulier.

*Rester ici ne me **plaisait** guère.*

Le sujet est un infinitif, le verbe *plaire* est à la 3e personne du singulier.

Les gens étaient contents, je l'ai vu.

Le pronom *l'* reprend une phrase, le participe *vu* est au masculin singulier.

309 Plusieurs mots commandent l'accord

Lorsque plusieurs mots commandent l'accord, on peut hésiter.

Ces mots sont des noms ou des pronoms.
Différents cas peuvent se présenter.

- Les noms ou pronoms sont tous au masculin : le verbe est au pluriel, l'adjectif ou le participe est au masculin pluriel.

*Pierre, Jacques et Paul **sont grands**.*
*Pierre, Jacques et lui **sont partis**.*

masculin + masculin → pluriel et masculin pluriel

- Les noms ou pronoms sont tous au féminin : le verbe est au pluriel, l'adjectif ou le participe est au féminin pluriel.

*Anne, Marie et Jeanne **sont grandes**.*
*Anne, Marie et elle **sont parties**.*

féminin + féminin → pluriel et féminin pluriel

➤

• Les noms ou les pronoms sont au masculin et au féminin : le verbe est au pluriel, l'adjectif ou le participe est au masculin pluriel.

*Anne, Marie et Jacques **sont grands**.*

*Anne, Marie et lui **sont partis**.*

féminin + masculin → pluriel et masculin pluriel

• Les noms au singulier représentent le même être ou la même chose : l'accord se fait au singulier.

*Un homme, un malheureux **est venu** nous voir.*

➕ Si le mot qui s'accorde est un nom à genre fixe, l'accord ne se fait qu'en nombre (singulier ou pluriel).
Marie a été un bon témoin.
Marie et Jeanne ont été de bons témoins.

• Les noms sont synonymes : l'accord se fait avec le dernier nom.

*Donnez-moi une feuille, un papier assez **grand** pour...*

• Les noms sont repris par un mot qui les résume : l'accord se fait avec celui-ci.

*Les maisons, les voitures, les arbres, tout **était détruit**.*

*Les maisons, les voitures, les arbres, la ville entière **était détruite**.*

• Les noms sont coordonnés par *ou* ou *ni* →399-400.

Il s'agit de propositions ou d'infinitifs coordonnés.
L'accord se fait selon le sens.

*Qu'il pleuve ou qu'il fasse beau m'**est égal**.* (l'un ou l'autre)

*Partir et revenir dans la même journée **sera** très **difficile**.* (le fait de)

*Partir ou rester me **sont** également **intolérables**.* (l'un et l'autre)

310 Un mot avec son complément commande l'accord

S'il s'agit d'un nom, l'accord se fait selon le sens.

*le ministre de la Justice **français***

C'est le ministre qui est français. On peut dire : *le ministre français de la Justice.*

*le ministre de l'Éducation **nationale***

Il s'agit de l'Éducation nationale et non d'un ministre national.

S'il s'agit d'un adverbe, d'un quantitatif, d'un collectif et de son complément, les règles d'accord sont particulières. →392-398

L'accord de l'adjectif

L'adjectif est par nature un mot variable en genre (masculin ou féminin) et en nombre (singulier ou pluriel), genre et nombre qu'il reçoit du nom (ou du pronom) auquel il se rapporte.
Quelques adjectifs sont cependant invariables. Ce sont le plus souvent d'autres mots employés comme adjectifs (les adjectifs de couleur, par exemple) ou des adjectifs composés.

LES RÈGLES GÉNÉRALES

Pour bien accorder l'adjectif, il faut repérer le ou les mots auxquels il se rapporte. Plusieurs cas peuvent se présenter.

*une boîte **ancienne*** →311
*une boîte et un livre **anciens*** →312
*une boîte de thé **vert*** ou ***verte***? →313
*les civilisations **grecque** et **romaine*** →314

311 L'adjectif se rapporte à un seul nom (ou pronom)

Quelle que soit sa fonction, l'adjectif s'accorde en genre (masculin ou féminin) et en nombre (singulier ou pluriel) avec le nom ou le pronom auquel il se rapporte.

*Ces livres **anciens** sont très **beaux**.*
adjectif épithète — adjectif attribut

*Ces livres, **anciens** et de grande valeur, sont beaux.*
adjectif apposé

Les adjectifs *anciens* et *beaux* s'accordent au masculin pluriel avec le nom *livres* auquel ils se rapportent.

312 Il y a plusieurs noms

L'adjectif se rapporte à tous les noms.

- Les noms sont au masculin : l'adjectif se met au masculin pluriel.
  *Pierre, Jacques et Paul sont **grands**.*
  *Il a un pantalon et un manteau **neufs**.*

➤

- Les noms sont au féminin : l'adjectif se met au féminin pluriel.
  *Anne, Marie et Jeanne sont **grandes**.*
  *Elle a une jupe et une robe **neuves**.*
- Les noms ont un genre différent : l'adjectif se met au masculin pluriel.
  *Pierre, Marie et Jean sont **grands**.*
  *Elle a une robe et un manteau **neufs**.*

L'adjectif ne concerne qu'un seul de ces noms.
L'adjectif s'accorde logiquement avec ce nom.
*Elle a une robe et un manteau **neuf**.*
Seul le manteau est neuf.

Plusieurs noms désignent le même être ou la même chose.
L'adjectif s'accorde avec le dernier nom.
*C'est un artiste, une star **exceptionnelle**.*

Les noms sont repris, résumés par un nom ou un pronom.
L'adjectif s'accorde avec ce nom ou ce pronom.
*Les rues, les magasins, la ville entière était **déserte**.*
*Les rues, les magasins, tout était **désert**.*

313 L'adjectif se rapporte à un nom qui a un complément

Il s'agit d'un nom quelconque.
L'accord se fait selon le sens.
*un pot de peinture **vert***
C'est le pot qui est vert.
*un pot de peinture **verte***
C'est la peinture qui est verte.

Il s'agit d'un nom collectif (ou d'un quantitatif).
L'accord se fait selon le sens, l'intention, soit avec le collectif (ou le quantitatif), soit avec le complément. → 392-398
*une bande d'enfants **joyeux***
On imagine tous les enfants joyeux.
*une bande d'enfants **joyeuse** et **dissipée***
On voit le groupe.

314 Plusieurs adjectifs se rapportent à un nom au pluriel

L'accord se fait selon le sens.
*des personnes **sympathiques** et **compétentes***
Toutes sont sympathiques et compétentes : les adjectifs sont au féminin pluriel.
*les civilisations **grecque** et **romaine***
Il y a une civilisation grecque et une civilisation romaine : les adjectifs sont au féminin singulier.

LES CAS PARTICULIERS

Certains mots comme *on, nous, qui, tout le monde, ou, ni, ainsi que*, etc. entraînent des difficultés d'accord de l'adjectif, mais aussi du participe passé ou du verbe. C'est pourquoi un chapitre entier leur est spécialement consacré. →382-404
Mais certains adjectifs ou mots employés comme adjectifs s'accordent ou non selon le contexte.

315 L'accord de l'adjectif avec *avoir l'air*

L'adjectif attribut s'accorde avec le sujet s'il s'agit d'un nom de chose.
Cette soupe a l'air ***bonne****.*

L'adjectif attribut s'accorde le plus souvent avec le sujet **MAIS** l'accord avec le mot *air* n'est pas incorrect.
Marie a l'air ***heureuse*** ou *l'air* ***heureux****.*

L'adjectif s'accorde avec le mot *air* quand celui-ci est précisé, déterminé, complété.
Marie a l'air ***heureux*** *des gens de son âge.*
Marie a un air ***heureux*** *qui fait plaisir à voir.*

316 Les adjectifs dans les expressions

Dans les expressions, l'adjectif peut s'accorder ou rester invariable :

- ***égal*** dans *d'égal à égal* peut rester invariable ;
  Il traite Marie ***d'égal à égal****.*
- ***égal*** dans *sans égal* s'accorde, **SAUF** au masculin pluriel ;
  des pierres précieuses sans ***égales***
  des talents sans ***égal***
- ***neuf*** dans *flambant neuf* peut s'accorder ou rester invariable ;
  des voitures flambant ***neuf*** ou ***neuves***
- ***pareil*** dans *sans pareil* s'accorde en genre et parfois en nombre ;
  une joie sans ***pareille***
  des romans sans ***pareils*** ou *sans* ***pareil*** (= sans rien de pareil)
- ***possible*** est invariable dans *le plus, le moins (de)... possible.*

Il s'accorde dans les autres cas ;

SANS ACCORD
Il a fait le plus/le moins de bêtises ***possible****.*

AVEC ACCORD
Il a fait toutes les bêtises ***possibles*** *et imaginables.*

- ***seul*** dans *seul à seul* s'accorde en genre uniquement ;
  *Ils sont restés **seul à seul**.*
  *Elles sont restées **seule à seule**.*
- ***bon marché, meilleur marché, bon enfant, bon chic bon genre*** sont invariables.
  *des produits **bon marché***

317 Adjectifs ou adverbes ?

Certains adjectifs peuvent s'employer comme adverbes : *cher, court, droit, fort, haut*... sont variables lorsqu'ils sont adjectifs, **MAIS** invariables lorsqu'ils sont adverbes et qu'ils modifient un verbe ou un adjectif.

ADJECTIF	ADVERBE
*des livres **chers***	*Ils coûtent **cher**.*
*des cheveux **courts***	*Couper **court** ses cheveux.*
*Ils sont **forts**.*	*Ils parlent **fort**.*
*Ils sont **hauts**.*	*Ils sont **haut** placés.*

318 Adjectifs variables ou invariables ?

Certains adjectifs peuvent varier en nombre mais pas en genre.

*un dîner **chic**, une soirée **chic***
*des dîners **chics**, des soirées **chics***

*le parler **cajun**, la musique **cajun***
*les musiques **cajuns***

*des cheveux **châtains**, une chevelure **châtain***

Certains adjectifs sont variables ou invariables selon la place qu'ils occupent par rapport au nom :

- ***feu*** (= défunt) varie quand il est placé entre l'article et le nom
  *la **feue** reine*

MAIS il est invariable quand il n'y a pas d'article ;
  ***feu** la mère de madame*

- ***nu*** est invariable avant le nom (**SAUF** dans *nue-propriété*) et variable après :

INVARIABLE AVANT LE NOM	VARIABLE APRÈS LE NOM
*marcher **nu**-pieds*	*marcher pieds **nus***
*aller **nu**-tête*	*aller tête **nue***

- ***demi*** est invariable avant le nom auquel il se joint par un trait d'union et variable en genre uniquement après le nom :

INVARIABLE AVANT LE NOM	VARIABLE EN GENRE APRÈS LE NOM
*une **demi**-heure*	*un litre et **demi***
*deux **demi**-heures*	*deux heures et **demie***

319 Les emprunts aux langues étrangères

Les adjectifs empruntés aux langues étrangères restent le plus souvent invariables.

*des tenues **sexy***
*des cérémonies **vaudou***
*des revues **gay***

Mais lorsque le mot n'est plus ressenti comme appartenant à une langue étrangère, il peut prendre la marque du pluriel.

*des prix **standard*** ou ***standards***

320 Les noms employés comme adjectifs

Les noms employés comme adjectifs sont le plus souvent invariables.

*des fruits **nature***
*des papas **gâteau***
*des décorations très **tendance***
*des informations **bidon***

Mais quand le nom n'est plus reconnu comme tel sous l'adjectif, l'usage tend à « normaliser » l'accord. Ce fut le cas pour un mot comme *tabou*.

*des pratiques **taboues***

REMARQUE

Ces emplois ne se confondent pas avec le nom épithète ou apposé (*limite, maison, clé, témoin...*) qui peut, selon les cas, s'accorder ou non. →327

321 Les autres mots employés comme adjectifs

Ils sont presque toujours invariables :

• ***bien, debout*** sont invariables comme adverbes ; ils restent invariables comme adjectifs ;

*Ce sont des gens **bien**.*
*Il y a 20 places assises et 15 **debout**.*

• ***avant, arrière*** sont invariables comme prépositions et comme adjectifs ;

*les roues **avant**, les roues **arrière***

• ***télé, météo, audio, vidéo, extra, super***... Les abréviations, les préfixes ou éléments de formation des mots employés comme adjectifs sont invariables ;

*des bulletins **météo***
*des fruits **extra***
*des héros **super***

➤

MAIS quand on ne reconnaît plus l'abréviation sous l'adjectif, l'usage tend à « normaliser » l'accord en nombre. C'est le cas pour un mot comme *bio*;

des produits bio ou *bios*

• ***riquiqui, cracra, gnangnan, zinzin***... Les formations expressives et familières employées comme adjectifs sont invariables.

Ils sont très gnangnan.

L'ACCORD DES ADJECTIFS DE COULEUR

La palette des couleurs est infinie et pour décrire les teintes, les tons, les nuances, on dispose d'adjectifs qualificatifs (*rouge, vert, clair, foncé, vif, moyen*...) et de noms d'objets dont la couleur est caractéristique (*citron, orange, marron*...). Enfin on peut, comme le fait le peintre, combiner tous ces éléments.

322 L'adjectif qualificatif de couleur : *bleu*, *rouge*, *jaune*...

Les adjectifs de couleur suivent la règle générale et s'accordent en genre et en nombre avec le nom auquel ils se rapportent.

Tels sont les adjectifs *blanc, brun, noir, rose, jaune, vert, bleu, rouge, violet*...

un manteau blanc → *des manteaux blancs*

une robe blanche → *des robes blanches*

323 Le nom employé comme adjectif de couleur : *prune*, *orange*, *turquoise*...

Le nom employé comme adjectif de couleur est invariable. Il s'agit de nombreux noms de fruits, de fleurs, d'éléments naturels qui évoquent une couleur. Il en est ainsi pour des noms comme *citron, orange, marron, grenat, azur, acier, paille, cerise, crème*...

des bracelets turquoise (= de la couleur de la turquoise)

des yeux marron (= de la couleur brune du marron)

REMARQUES

1. Les mots *écarlate, mauve, pourpre* et *rose* qui étaient des noms sont devenus de vrais adjectifs qui s'accordent; *marron* tend aujourd'hui à le devenir dans l'usage.
2. L'adjectif de couleur donne à son tour naissance à un nom, toujours masculin, qui, lui, peut se mettre au pluriel : *manger une orange* (nom féminin), *des papiers peints orange* (adjectif de couleur invariable), *un dégradé d'oranges, du plus clair au plus foncé* (nom masculin de couleur).

324 L'adjectif de couleur est suivi d'un mot qui précise sa nuance

- Il s'agit d'adjectifs comme *foncé, vif, éclatant, brillant…* ou de noms comme ci-dessus.
- L'ensemble forme un adjectif composé invariable.
  des yeux bleu clair
  des tissus vert bouteille

⊕ Lorsque l'adjectif composé est formé de deux adjectifs qualificatifs de couleur, on met un trait d'union : *des yeux bleu-vert.*

325 Il y a plusieurs adjectifs de couleur juxtaposés ou coordonnés

- **S'il s'agit d'un même objet** qui comporte plusieurs couleurs, les adjectifs sont invariables.
  un drapeau bleu, blanc, rouge
  des drapeaux bleu, blanc, rouge (= avec du bleu, du blanc, du rouge)
- **S'il s'agit de plusieurs objets** ayant chacun sa propre couleur, les adjectifs s'accordent.
  des ballons bleus et rouges (= des ballons bleus et des ballons rouges)
- Ainsi on écrira :
  des cravates bleu et rouge
  pour désigner plusieurs cravates avec chacune du bleu et du rouge ;
  MAIS on écrira :
  des cravates bleues et rouges
  pour désigner un ensemble formé de cravates bleues et de cravates rouges.

L'accord du nom

Quand il occupe certaines fonctions dans la phrase, le nom peut s'accorder avec un autre nom (ou un pronom) ou au contraire rester invariable.
S'il y a accord, il se fait en genre et en nombre pour les noms variables en genre, ou seulement en nombre pour les noms à genre fixe.

326 Le nom est attribut : *il est avocat, elle est avocate*

Le nom attribut, du sujet ou du complément d'objet, **s'accorde** comme un adjectif avec le nom ou le pronom auquel il se rapporte.

- **Le nom variable en genre** s'accorde en genre (masculin ou féminin) et en nombre (singulier ou pluriel).

ATTRIBUT DU SUJET

*Pierre est **avocat**, un grand **avocat**.* (masculin)
*Marie est **avocate**, une grande **avocate**.* (féminin)
*Pierre et Marie sont **avocats**, de grands **avocats**.* (masculin pluriel)

ATTRIBUT DU COMPLÉMENT D'OBJET

*Pierre ? On l'a nommé **directeur** !* (masculin)
*Marie ? On l'a nommée **directrice** !* (féminin)
*Pierre et Marie ? On les a nommés **directeurs** !* (masculin pluriel)

- **Le nom à genre unique** ne s'accorde qu'en nombre.

*Elles ont été les grands **vainqueurs** de ces championnats.*
*Elles sont les seuls **témoins** de l'affaire.*

327 Le nom est épithète ou apposé : *des dates limites, des tartes maison*

Quand le nom suit directement un autre nom, avec ou sans trait d'union, il s'accorde ou reste invariable selon le cas.

• Il s'accorde si les deux noms désignent le même être ou objet.

*des mamans **kangourous***
*des villes-**dortoirs***
*des appartements(-)**témoins***
*des dates **limites***
Ces dates sont des limites à ne pas dépasser.

• Il reste invariable s'il est équivalent à un complément introduit par une préposition.

*les rayons **bricolage*** (= de ou pour le bricolage)
*des produits **minceur*** (= pour la minceur)
*les dimanches **matin, midi, soir*** (= au matin, à midi, au soir)

• Il reste invariable s'il indique un style, la marque d'une époque, une façon de faire.

*des meubles **empire*** (= de style empire)
*des tartes **maison*** (= faites à la maison)
*des spaghettis **bolognaise*** (= à la bolognaise)
*des truites **meunière*** (= à la meunière)
*des restaurants très **tendance***

REMARQUE
Certains de ces noms sont devenus des adjectifs invariables. C'est le cas des adjectifs de couleur (→ **323**) ou des adjectifs qui indiquent un style, une façon de faire : *des rubans turquoise* (= de la couleur de la turquoise), *des manches raglan, des fraises nature.*
D'autres sont devenus de vrais adjectifs variables, mais en nombre uniquement : *des airs bonhommes, des airs canailles.*

328 Le complément du nom sans article : *des fruits à noyau, à pépins*

Quand un nom est complément sans article d'un autre nom, il garde la même forme au pluriel que celle qu'il avait au singulier.

*un fruit **à noyau*** → *des fruits **à noyau*** (chaque fruit a un noyau)
*un fruit **à pépins*** → *des fruits **à pépins*** (chaque fruit a des pépins)
*un bateau **à moteur*** → *des bateaux **à moteur*** (chaque bateau a un moteur)
*un bateau **à voiles*** → *des bateaux **à voiles*** (chaque bateau a plusieurs voiles)

L'accord des déterminants et des pronoms

Parmi les mots grammaticaux, certains sont invariables (*et, ou, ni, que, quand, comme, très...*), d'autres sont le plus souvent variables : ce sont les déterminants (*un, ce, mon, quel, cent...*) qui appartiennent au « groupe du nom », et les pronoms qui représentent le nom ou le groupe du nom.

DÉFINITIONS ET RÈGLES GÉNÉRALES

329 Les déterminants

- Quand ils sont variables, les déterminants s'accordent en genre et/ou en nombre avec le nom qu'ils déterminent.
- Les articles (*le, la, les...*), les possessifs (*mon, ma, mes, leur...*), les démonstratifs (*ce, cette, ces*), les interrogatifs ou exclamatifs (*quel*), les relatifs (*lequel*), les indéfinis (*certains, tout, tel...*) et les numéraux (*vingt, vingtième, cent, centième...*) sont des déterminants.

⊕ Dans les dictionnaires, les déterminants sont toujours notés selon la grammaire traditionnelle : *article* ou *adjectif possessif, démonstratif, interrogatif, numéral...*

330 Les pronoms

- Quand ils sont variables, les pronoms s'accordent avec le nom qu'ils représentent ou remplacent.
- Les pronoms personnels (*il, elle, le, la, les...*), les possessifs (*le mien, la tienne, le leur, les leurs...*), les démonstratifs (*celui, celle, ceux*), les interrogatifs ou les relatifs (*lequel, laquelle...*), les indéfinis (*certains, tous, quelques-uns...*) sont des pronoms.

CAS PARTICULIERS

Pour certains déterminants et/ou pronoms, il n'est pas toujours facile de savoir quand il faut faire l'accord. D'autant plus que, quelquefois, un même mot peut être, selon le contexte, un déterminant, un pronom ou un adverbe. Les paragraphes qui suivent sont consacrés à ces différents mots.

331 *aucun, d'aucuns*

Le déterminant indéfini ***aucun***, qui s'accorde en genre et en nombre avec le mot qu'il détermine, se rencontre presque toujours au singulier devant un nom au singulier ;

*sans **aucun** bruit* (nom masculin singulier)

*sans **aucune** fatigue* (nom féminin singulier)

MAIS il doit être au pluriel si le nom qu'il détermine ne s'emploie qu'au pluriel.

*sans **aucuns** frais* (nom masculin pluriel)

*sans **aucunes** funérailles* (nom féminin pluriel)

Le pronom indéfini ***d'aucuns*** est toujours au pluriel au sens de « quelques-uns, certains » ; le verbe est donc au pluriel.

D'aucuns pensent que…

332 *lequel*

Qu'il soit pronom interrogatif, pronom ou adjectif relatif, ***lequel*** s'accorde en genre et en nombre avec le nom qu'il représente, reprend ou détermine. L'accord se fait aussi lorsqu'il est combiné avec les prépositions *à* ou *de*.

*Voici plusieurs photos, **laquelle** voulez-vous ?*

*ces choses **auxquelles** je pense*

*Venez avec une ordonnance, **laquelle** ordonnance doit être récente.*

ATTENTION On entend de plus en plus souvent, à la radio ou à la télévision, le pronom relatif *lequel* invariable : c'est une faute.

On ne dira pas : *C'est une affaire sur ~~lequel~~ je vais m'expliquer.*

MAIS on dira : *C'est une affaire sur laquelle je vais m'expliquer.*

333 *leur* ou *leurs* ?

Le mot ***leur*** peut être un déterminant possessif variable en nombre ou un pronom personnel invariable.

Le déterminant possessif s'accorde en nombre avec le mot auquel il se rapporte.

Leurs travaux sont terminés.

Le nom est au pluriel, *leurs* est au pluriel.
S'il n'y avait qu'un seul possesseur, on dirait *ses*.

*Ils n'ont jamais quitté **leurs** villages.*

Il y a plusieurs villages.

MAIS

*Ils n'ont jamais quitté **leur** village.*

Il n'y a qu'un seul village.

Le pronom personnel est invariable.

*Mes amis pourront t'aider, je **leur** parlerai de toi.*

*C'est gentil, parle-**leur** de mon souci.*

On peut ajouter *à eux*. Au singulier on dirait *lui*.

334 *même* ou *mêmes* ?

Placé entre l'article et le nom, *même*, déterminant indéfini, s'accorde en nombre avec ce nom.

*C'est la **même** petite fille.*

*Ce sont les **mêmes** enfants.*

article + *même* + nom

Placé devant l'article et le nom, ou devant un pronom, un adjectif, ***même*** signifie « y compris, et aussi ». C'est un adverbe. Il est invariable.

*Ils sont tous venus, **même** les enfants.*

même + article + nom

***Même** eux n'ont pas compris.*

*Elles sont gentilles et **même** aimables.*

Placé après un nom, un pronom, ***même*** est un adjectif variable qui a une valeur de renforcement.

- Il s'accorde en nombre avec le nom.

*Il est la bonté **même**.* (singulier)

*Il est la bonté et la gentillesse **mêmes**.* (pluriel)

- Il s'accorde avec le pronom personnel auquel il se joint par un trait d'union.

*Jean, allez-y vous-**même**.*

C'est un *vous* de politesse, *même* est au singulier.

*Jean et Luce, allez-y vous-**mêmes**.*

C'est un pluriel, *mêmes* est au pluriel.

335 *nul*

Tout comme *aucun* (→ 331), le déterminant indéfini négatif ***nul*** est au singulier devant un nom au singulier.

nul bruit (masculin singulier)

nulle peur (féminin singulier)

MAIS il doit être au pluriel devant un nom qui ne s'emploie qu'au pluriel.

Nulles fiançailles ne furent plus somptueuses.

REMARQUE

Le mot *nul* est aussi un adjectif qualificatif qui s'accorde en genre et en nombre avec le nom auquel il se rapporte : *des matchs nuls.*

336 *quelques* ou *quelque* ?

Quelque, déterminant indéfini, s'emploie devant un nom au singulier quand il signifie « un certain ».

*Il y a déjà **quelque** temps, en **quelque** sorte.* (= un certain temps, d'une certaine manière)

Quelques, déterminant indéfini, s'emploie devant un nom au pluriel quand il signifie « plusieurs ».

Quelques personnes sont de cet avis.

*Il y avait **quelques** centaines de personnes.* (= plusieurs centaines)

Quelque, adverbe, s'emploie devant l'expression d'un nombre pour indiquer une approximation.

*Les **quelque** cent personnes qui étaient là.* (= environ, à peu près)

L'expression ***et quelques*** est toujours au pluriel.

*Ils étaient vingt **et quelques**.*

ATTENTION Il ne faut pas confondre *quelque* et *quel que*. → 165

337 *tel*

Placé entre l'article et le nom ou devant un nom sans article, ***tel*** s'accorde avec ce nom.

*Il a eu un **tel** courage, une **telle** énergie.*
article + *tel* + nom

*Il viendra **tel** jour, à **telle** heure.*

*Adressez-vous à **tel** ou **tel** député.*

*Agir de **telle** ou **telle** façon.*

*de **telle** sorte que*

Suivi d'un nom avec un article dans une comparaison, ***tel*** s'accorde aujourd'hui avec ce nom.

*Elle est partie **tel** l'éclair.* (masculin singulier)

Tel que s'accorde avec le nom qui précède.

*des hommes **tels** que Pierre* (masculin pluriel)

*des activités **telles** que le tennis, la natation* (féminin pluriel)

Comme tel, en tant que tel, tel quel s'accordent normalement avec le nom (ou le pronom qui le reprend).

*C'est ma supérieure et je la reconnais comme **telle**.* (féminin singulier)

*En tant que **telle**, votre réclamation n'est pas recevable.* (féminin singulier)

*Ils ont laissé les dossiers **tels quels**.* [et non ~~tel que~~] (masculin pluriel)

*Ils ont laissé leurs affaires **telles quelles**.* (féminin pluriel)

ATTENTION Il ne faut pas confondre *telles quelles* avec *telle(s) qu'elle(s)*:
Ils ont laissé leurs affaires telles qu'elles étaient, comme elles étaient.

338 *tout*

Tout (toute, tous, toutes) est un déterminant indéfini qui s'accorde avec le nom auquel il se rapporte quand il signifie « n'importe quel, l'ensemble des, la totalité de ».

Tout homme est mortel. (= n'importe quel homme)

Toute peine mérite salaire. (= n'importe quelle peine)

Tous les hommes sont égaux en droit. (= l'ensemble des hommes)

*Il a plu **toute** la journée.* (= la journée entière)

Tout est adverbe quand on peut le remplacer par *très*. Il signifie « totalement, complètement, tout à fait ». Il est invariable;

*Il est **tout** fier. Ils sont **tout** fiers.*

*Elle est **tout** heureuse. Elles sont **tout** heureuses.*

*Elle est **tout** étonnée. Elles sont **tout** étonnées.*

*dans les **tout** premiers jours de juillet*

MAIS devant un adjectif ou un participe féminin qui commence par une consonne ou un ***h*** aspiré (sans liaison possible), ***tout*** s'accorde, par « euphonie », c'est-à-dire pour une prononciation harmonieuse.

*Elle est **toute** | contente. Elles sont **toutes** | contentes.*

*Elle est **toute** | honteuse. Elles sont **toutes** | honteuses.*

Tout autre

Compte tenu de ce qui précède, on écrira donc:

*C'est une **tout** autre chose.* (= une chose totalement, très différente; *tout* est adverbe)

MAIS

Toute autre chose serait inutile. (= n'importe quelle autre chose; *tout* est un déterminant indéfini)

LES DÉTERMINANTS NUMÉRAUX

39 Les déterminants numéraux cardinaux

Ils indiquent le nombre.

Les numéraux cardinaux sont tous invariables **SAUF** *un, cent* et *vingt* :

- ***un*** s'accorde en genre (masculin ou féminin).

  J'ai lu vingt et ***un*** *chapitres.* (masculin)
  J'ai lu vingt et ***une*** *pages.* (féminin)

➕ On prendra garde à ne pas faire à l'oral de liaisons fautives : ~~*quatre-z-enfants*~~, ~~*mille-z-espèces*~~ *d'animaux...*

REMARQUE
Il n'y a pas d'accord devant ***mille*** : *Il y avait vingt et un mille personnes.*

- ***cent*** se met au pluriel quand il est multiplié ;

  Il a ***cent*** *ans, deux* ***cents*** *ans.*

  SAUF quand il est suivi d'un autre numéral ;

  Il a deux ***cent*** *trois ans.*

  ou quand il est employé comme ordinal.

  Ouvrez vos livres page ***deux*** *cent.* (= à la deux centième page)

- ***vingt*** est au pluriel dans *quatre-vingts* ;

  *Il a quatre-****vingts*** *ans.*

  SAUF quand il est suivi d'un autre numéral ;

  *Il a quatre-****vingt****-deux ans.*

  ou quand il est employé comme ordinal.

  *Ouvrez vos livres page quatre-****vingt****.* (= à la quatre-vingtième page)

Le mot ***mille*** est toujours invariable, qu'il soit déterminant numéral ;

trois ***mille*** *soldats*

ou employé comme nom.

Gagner des ***mille*** *et des cents.*
une vingtaine de ***mille*** *euros*

Les mots ***million*** et ***milliard*** ne sont pas des adjectifs, mais des noms. Ils prennent donc la marque du pluriel.

trois ***milliards*** *et deux cents* ***millions*** *de personnes*

REMARQUE
Pour l'accord avec *un million de, un milliard de* → **395**.

➤

340 Les adjectifs numéraux ordinaux

Ils indiquent le rang, l'ordre.

Les numéraux ordinaux s'accordent en nombre avec le nom ou le pronom.

*Les **cinquièmes** étages ont un balcon.*
*Ils sont **cinquièmes** ex-aequo.*

Les adjectifs ***premier*** et ***second*** s'accordent aussi en genre.

*Lire les **premières** pages du roman.*
*Il est **premier**, elle est **première**.*
*Ils sont **premiers**, elles sont **premières**.*

⊕ Lorsque deux adjectifs numéraux se rapportent au même nom au plurie[l], ils restent au singulier : *les dix-septièm[e] et dix-huitième siècles.*

L'accord du verbe

Le verbe est le constituant principal de la phrase. Il exprime ce qu'on dit d'une personne ou d'une chose, son sujet. Il porte dans ses terminaisons les marques du mode, du temps, de la personne et du nombre.
Les marques de la personne et du nombre sont les marques de l'accord du verbe avec son sujet. Seul le verbe « conjugué » est donc concerné quand on parle de l'accord du verbe.

LES RÈGLES GÉNÉRALES

Le verbe a un seul sujet

341 Le verbe s'accorde avec son sujet

Aux temps simples, le verbe s'accorde en personne (1re, 2e ou 3e personne) et en nombre (singulier ou pluriel) avec le sujet (nom ou pronom).

	SINGULIER	PLURIEL
1RE PERSONNE	*je viens*	*nous venons*
2E PERSONNE	*tu viens*	*vous venez*
3E PERSONNE	*le chien aboie* *il aboie*	*les chiens aboient* *ils aboient*

Aux temps composés, c'est l'auxiliaire (*avoir* ou *être*) qui s'accorde en personne et en nombre avec le sujet.

	SINGULIER	PLURIEL
1RE PERSONNE	*j'**ai** couru*	*nous **avons** couru*
3E PERSONNE	*le chat **est** parti*	*les chats **sont** partis*

REMARQUE

Le participe passé, lui, suit des règles d'accord particulières. → 361-381

342 Comment trouver le sujet ?

Le sujet répond toujours à la question *Qui est-ce qui ?* pour les personnes ou *Qu'est-ce qui ?* pour les choses.

Pierre vient. — Qui est-ce qui vient ? Pierre.

La balle roule. — Qu'est-ce qui roule ? La balle.

Le sujet est le plus souvent placé avant le verbe, mais pas toujours. Il ne faut donc pas se fier à la place du mot par rapport au verbe.

Voilà ce que tes amis ***diront****.*
sujet : tes amis ; verbe : diront

Voilà ce que ***diront*** *tes amis.*
verbe : diront ; sujet : tes amis

« ***Passent*** *les jours et passent les semaines... »* (Guillaume Apollinaire)
verbe : Passent ; sujet : jours

Le sujet peut être très éloigné du verbe :

- avant le verbe ;

  Et cet homme qu'on avait vu se battre si courageusement avec ses amis ***venait*** *tout à coup de capituler.*
  sujet : homme ; verbe : venait

- après le verbe.

  « Tandis que sous / Le pont de nos bras ***passe*** */*
  Des éternels regards l'onde si lasse. » (Guillaume Apollinaire)
  verbe : passe ; sujet : l'onde

ATTENTION Un nom placé à côté du verbe n'est pas forcément le sujet de ce verbe et les correcteurs orthographiques des logiciels de traitement de texte ne corrigent pas tous l'accord du verbe quand il est éloigné du sujet. Ainsi, ils ne corrigeraient pas : *« [...] sous/Le pont de nos bras ~~passent~~/ Des éternels regards l'onde si lasse ».*

Le verbe a plusieurs sujets

343 Les sujets sont des noms, coordonnés et/ou juxtaposés

Quand il y a plusieurs sujets, le verbe se met au pluriel :

Pierre, Marie et Jacques ***viennent*** *demain.*

SAUF si les sujets au singulier représentent le même être ou la même chose ; dans ce cas le verbe reste au singulier ;

Un mendiant, un pauvre hère ***frappa*** *à ma porte.*

Le mendiant et le pauvre hère ne font qu'une seule personne, qu'un seul sujet.

SAUF si les sujets sont repris ou résumés par un nom ou un pronom au singulier ; dans ce cas, le verbe s'accorde au singulier avec ce nom ou pronom.

Les rues, les magasins, tout avait disparu.

Certains mots (*ou, ni, comme, ainsi que...*) peuvent donner lieu à des hésitations sur l'accord tant du verbe que du participe ou de l'adjectif. → 382-404

344 Un des sujets est un pronom personnel

Le verbe se met à la 1re personne du pluriel si on peut dire *nous*.

Toi et moi ***irons*** *au cinéma.*

Pierre et moi ***irons*** *au cinéma.*

On peut dire : *Pierre et moi, nous irons au cinéma.*

Le verbe se met à la 2e personne du pluriel si on peut dire *vous*.

Pierre et toi ***irez*** *au cinéma.*

Lui et toi ***irez*** *au cinéma.*

On peut dire : *Pierre et toi, vous irez au cinéma.*

Le verbe se met à la 3e personne du pluriel si on peut dire *ils, eux* ou *elles*.

J'ai vu Pierre. Jacques et lui ***viendront*** *demain.*

On peut dire : *Jacques et lui, ils viendront demain.*

Le sujet est le pronom relatif qui

345 Le verbe s'accorde avec l'antécédent

Le pronom relatif ***qui*** joue un rôle de relais. Il transmet le nombre et la personne de ce qu'il représente ou remplace : son antécédent. Le verbe s'accorde logiquement avec l'antécédent.

la personne qui ***suit***

L'antécédent est au singulier, le verbe est au singulier.

les personnes qui ***suivent***

L'antécédent est au pluriel, le verbe est au pluriel.

Pourtant, dans certains cas, les hésitations surgissent à l'oral comme à l'écrit. Les paragraphes qui suivent permettent de lever toutes ces hésitations.

> ⊕ Le mot *antécédent* signifie « qui est placé avant ». On appelle *antécédent* le nom, le groupe du nom ou le pronom que le pronom relatif reprend dans une subordonnée relative.
>
> *Qui est la personne que tu as rencontrée ?*
>
> (personne : antécédent ; que : pronom relatif)

346 L'antécédent est un pronom personnel de la 1re ou 2e personne : *moi, toi qui...*

L'accord se fait avec cet antécédent.

*Moi qui **suis** ici...*
Le verbe est à la 1re personne du singulier.

*C'est toi qui **as** vu le film.*
Le verbe est à la 2e personne du singulier.

*Je pense à vous qui **viendrez** demain.*
Le verbe est à la 2e personne du pluriel.

*C'est toi et moi qui l'**accompagnerons**.*
Le verbe est à la 1re personne du pluriel, on peut dire *nous*.

ATTENTION On fera attention à ne pas faire de faute quand on n'entend pas de différence à l'oral.
*C'est moi qui **faisais** cela* et non ~~*faisait*~~.
*Il n'y a que toi qui **sois** capable de faire une chose pareille* et non ~~*soit*~~.

347 L'antécédent est attribut : *vous êtes celui qui...*

Si l'antécédent est attribut (ou dans un groupe attribut) d'un pronom personnel sujet de la 1re ou 2e personne, l'accord se fait toujours avec l'antécédent.

*Je suis celle qui **peut** t'aider.*
*Je suis la personne qui **pourra** vous aider.*
Le verbe est à la 3e personne du singulier.

*Nous ne sommes pas de ceux qui **pensent** ça.*
*Vous êtes une de celles qui **ont réussi**, qui **réussissent** le mieux.*
Le verbe est à la 3e personne du pluriel.

REMARQUE
On entend parfois l'accord avec le pronom personnel, plutôt qu'avec l'antécédent. Il s'agit soit d'un archaïsme chez certains auteurs, soit beaucoup plus souvent du phénomène de « l'hypercorrection » : *nous sommes ceux (des gens, des personnes) qui ~~croyons que~~...*

L'hypercorrection consiste à créer une forme fautive en étant persuadé qu'on applique une règle juste. Ainsi, accorder le participe passé *fait* devant un infinitif est typique de l'hypercorrection. → 377

348 L'attribut est un numéral : *vous êtes trente qui...*

L'accord se fait avec le pronom sujet : le numéral n'entraîne jamais l'accord du verbe.

*Vous êtes trente, cent, des milliers qui **voyez** sans rien voir.*
L'antécédent est le pronom *vous*.

349 Dans des expressions comparatives : *quelqu'un comme vous qui*

L'usage hésite parfois sur le choix de l'antécédent.

• Dira-t-on : *une femme comme vous qui **a** du caractère* ou *une femme comme vous qui **avez** du caractère* ?

• Ici, l'accord avec le nom *femme* est plus régulier. La comparaison peut être :
– supprimée, sans que la phrase perde son sens ;
une femme qui a du caractère
– ou transformée.
une femme qui comme vous a du caractère
Vous (qui) êtes une femme qui a du caractère.

350 L'antécédent est un nom mis en apostrophe

Le verbe est à la 2e personne du singulier ou du pluriel selon que l'on dirait *tu* ou *vous*.

*Ô père (vous) qui **êtes** aux cieux...*
*Ô charmant enfant (toi) qui **viens** me voir...*

CAS PARTICULIERS

351 Accord avec *une foule de*, *une série de*, *une dizaine de*, *beaucoup de*, *peu de*...

Ces mots, collectifs et/ou quantitatifs, entraînent des difficultés d'accord, qu'il s'agisse de l'accord du verbe, du participe ou de l'adjectif. Les explications sont regroupées plus loin. → 392-396
Mais pour l'accord du verbe, deux règles générales peuvent être toujours suivies.

Le groupe sujet comporte un collectif précédé de *un* ou *une*.
Le verbe s'accorde avec le collectif ou avec le complément au pluriel.

*Une foule de gens **votera** pour lui.*
Le verbe s'accorde avec le nom collectif *foule*, au singulier.
*Une foule de gens **voteront** pour lui.*
Le verbe s'accorde au pluriel avec *gens*, complément du nom collectif *foule*.

Le groupe sujet comporte un quantitatif.
Le verbe s'accorde avec le complément du quantitatif.

*Peu de gens **voteront** pour lui.*
*Beaucoup de monde **viendra**.*
*Beaucoup d'enfants **aiment** jouer.*

352 Le sujet est un infinitif ou une phrase

Quand le sujet est un infinitif ou une phrase (une proposition), le verbe est à la 3e personne du singulier.

Partir l'effrayait un peu.

Qu'il parte si loin l'effrayait un peu.

S'il y a plusieurs infinitifs sujets, c'est le sens, l'intention qui guide l'accord.

Partir et revenir me ferait perdre du temps.

Les deux actions sont envisagées comme un tout, le verbe est au singulier.

Courir, sauter et nager lui feront du bien.

Les trois actions sont envisagées séparément. Le verbe est au pluriel.

353 Le sujet est le pronom neutre *il*

Les verbes impersonnels ont comme sujet le pronom neutre ***il***.

Il pleut.

Il vente.

Le verbe est logiquement à la 3e personne du singulier, en accord avec ce pronom.

Il en est de même pour un verbe normalement personnel employé en tournure impersonnelle.

TOURNURE PERSONNELLE

De gros flocons de neige ***tombent****.*

Le verbe s'accorde avec son sujet *flocons*.

TOURNURE IMPERSONNELLE

Il ***tombe*** *de gros flocons.*

Le verbe s'accorde avec le sujet dit « grammatical » ou « apparent » *il*.
Le mot *flocons* est appelé « sujet réel ».

Le verbe reste à la 3e personne du singulier, quel que soit le sujet réel.

354 Accord avec le sujet *ce* ou avec l'attribut ? *c'est* ou *ce sont* ? *ce peut être* ou *ce peuvent être* ?

En règle générale, on peut toujours laisser les verbes *être, devoir être, pouvoir être* s'accorder avec le pronom sujet neutre *ce* à la 3e personne du singulier.

c'est, ce doit être, ce peut être

c'était, ce devait être, ce pouvait être

Dans certains cas cependant, l'accord peut se faire avec l'attribut au pluriel.

• On emploie ***c'est*** devant un nom singulier ou devant les pronoms au singulier *moi, toi, lui, elle*.

C'est une table.
C'est toi, je te reconnais!
Ce doit être lui!

• On emploie toujours le singulier ***c'est*** devant les pronoms pluriel *nous* et *vous*.

C'est nous! C'est vous!

• On emploie ***c'est*** (en langue courante) ou ***ce sont*** (en langue plus recherchée) devant les pronoms du pluriel *eux, elles* ou devant un nom au pluriel.

C'est eux! C'est elles!
Ce sont eux qui l'ont dit.
C'est ou *Ce sont des enfants très agréables.*

• On emploie ***c'est*** devant l'expression d'une quantité;

C'est dix euros le livre.
C'est dix heures qui viennent de sonner.

SAUF si c'est sur la quantité qu'on insiste ; dans ce cas on peut employer ***ce sont***: *Ce sont dix euros qu'il me faut.* Mais en langue courante on dit *c'est*.

• On emploie ***c'est*** devant plusieurs noms coordonnés si le premier terme est au singulier.

C'est Pierre et ses enfants qui viendront cet été.

REMARQUE

On fait les mêmes distinctions à l'imparfait, mais l'usage tend à rendre *c'était, ce devait être, ce pouvait être* invariables. À la forme interrogative, *sont-ce* ne s'emploie plus que par jeu. Aux temps composés, le singulier est de rigueur: *ç'a été, ç'avait été*.

Pour l'accord du verbe avec *c'est moi qui, c'est toi qui* →346.

355 Le verbe précède le sujet

Quand il s'agit d'une simple inversion du sujet, dans une phrase interrogative ou pour un effet de style par exemple, le verbe s'accorde logiquement avec son sujet.

Viendraient-elles demain?

Le verbe et le pronom sont à la 3e personne du pluriel.

Quelques verbes s'emploient cependant avant le sujet, avec un sens particulier. Dans ce cas, ils sont aujourd'hui le plus souvent à la 3e personne du singulier dans des emplois figés.

Qu'importe/ peu importe vos leçons!
Vive les vacances!
Soit deux droites parallèles.
N'eût été ces incidents...

⊕ Cet usage est comparable à celui des participes passés employés seuls devant un nom et qui aujourd'hui sont invariables: *étant donné les circonstances, vu la façon dont.*

L'accord du participe passé : notions de base et principes généraux

L'accord du participe passé est considéré comme l'une des principales difficultés du français. Pourtant, si l'on y prête attention, cet accord suit des règles logiques et mémorisables.

LES NOTIONS DE BASE

Certaines notions sont cependant indispensables pour « décoder » les règles d'accord du participe.

356 Les différentes constructions du verbe

L'accord du participe passé dépend du type de construction du verbe.
Si l'on compare les constructions des verbes *aimer, plaire, donner* et *aller* ou *exister*, on constate que :

1. on *aime* toujours quelque chose (COD) (ou quelqu'un (COD)) ;

Le verbe *aimer* est un verbe **transitif** qui se construit avec un complément d'objet direct (COD).

2. on *plaît* toujours à quelqu'un (COI) ;

Le verbe *plaire* est un verbe **transitif indirect** qui se construit avec un complément d'objet indirect (COI), c'est-à-dire introduit par une préposition (ici la préposition *à*).

3. on *donne* toujours quelque chose (COD) à quelqu'un (COI (ou COS)) ;

Le verbe *donner* est un verbe **transitif à deux compléments**, l'un direct (COD), l'autre indirect qu'on appelle souvent dans ce cas complément d'objet second (COS).

4. on *va* toujours quelque part ;
on *existe* (tout simplement).

Les verbes *aller* et *existe*r sont des **verbes intransitifs** qui n'admettent aucun complément d'objet.

357 Les verbes transitifs

Les verbes transitifs directs ont trois particularités, importantes à connaître pour accorder correctement le participe passé.

- Aux temps composés, à l'actif, ils se conjuguent avec l'auxiliaire *avoir*.
  *Pierre a **aimé, lu, voulu**... cette histoire.*
  → *cette histoire que tu as **lue*** → **367**
- Ils peuvent s'employer au passif avec l'auxiliaire *être*.
  *Le gendarme a **attrapé** les voleurs.*
  → *Les voleurs ont été **attrapés** par le gendarme.* → **365**
- Ils peuvent s'employer à la forme pronominale, avec l'auxiliaire *être*.
  *Pierre a **regardé** Marie et Marie a **regardé** Pierre.*
  → *Pierre et Marie se sont **regardés**.* → **373**

Les verbes transitifs indirects se conjuguent avec l'auxiliaire *avoir* aux temps composés ; ils ne se mettent pas au passif (**SAUF** de rares verbes comme *obéir*) ; ils s'emploient à la forme pronominale avec l'auxiliaire *être*.

*Pierre a **parlé** à Marie.*
→ *Pierre et Marie se sont **parlé**.* → **374**

Les verbes transitifs à deux compléments (l'un direct, l'autre indirect) combinent toutes les possibilités.

*Pierre a **donné** des livres à Marie.* → **367**
*Ces livres ont été **donnés** à Marie par Pierre.* → **365**
*Pierre et Marie se sont **donné** des livres.* → **375**
*les livres qu'ils se sont **donnés*** → **375**

358 Les verbes intransitifs

On dit d'un verbe qu'il est intransitif quand il n'admet pas de complément d'objet.

Aux temps composés, les verbes intransitifs se conjuguent :

- le plus souvent avec l'auxiliaire *avoir* ;
  *Les fantômes n'ont jamais **existé**.*
- quelquefois avec l'auxiliaire *être*.
  *Ils sont **venus**.*

ATTENTION De nombreux verbes peuvent être transitifs et intransitifs selon leur emploi.

Il descend, il a descendu les escaliers. (transitif)
Il descend, il est descendu dans le jardin. (intransitif)
Le printemps approche. (intransitif)
Approchez votre chaise. (transitif)

359 Les verbes pronominaux

Un verbe pronominal est un verbe qui s'emploie avec un pronom réfléchi (*me, te, se, nous, vous*).
Aux temps composés, les verbes pronominaux se conjuguent toujours avec l'auxiliaire *être*.

• Le plus souvent, il s'agit de la **construction pronominale d'un verbe transitif** :

VERBE TRANSITIF DIRECT

Je me promène, tu te promènes, il se promène.

VERBE TRANSITIF INDIRECT

Ils se plaisent.

et l'accord du participe suit des règles spécifiques.

Je me suis ***promené(e)****, il s'est* ***promené****, elle s'est* ***promenée****.* → 373
Ils se sont ***plu****.* → 374

• Il peut aussi s'agir de **verbes essentiellement pronominaux**.
Ce sont :
– des verbes qui n'existent qu'à la forme pronominale, comme *s'enfuir, s'écrier, s'emparer de, se souvenir de...* ;

Ils se sont ***enfuis****.* → 372

– ou des verbes qui ont un sens bien distinct à la forme pronominale, comme *s'apercevoir, s'imaginer...*

Ils se sont ***aperçus*** *de leur erreur.* → 372

Certains verbes pronominaux sont dits « transitifs » parce qu'ils se construisent avec un complément d'objet direct qui peut entraîner l'accord du participe. → 375

Elle s'est ***cassé*** *le bras.*
Elles se sont ***offert*** *des cadeaux.*
→ *les cadeaux qu'elles se sont* ***offerts***

LES PRINCIPES GÉNÉRAUX : EMPLOIS ET ACCORDS

360 L'emploi du participe passé

Le participe passé s'emploie :

• avec les auxiliaires *avoir* ou *être* pour former les temps composés des verbes à la voix active ;

Elle a couru.
Elle est arrivée.

- avec l'auxiliaire *être* pour former les temps composés des verbes pronominaux ou la conjugaison passive ;

  *Elle s'est **promenée**.*

  *Le bandit est **recherché** par la police.*

- seul, comme un adjectif.

  *une chanson très **connue***

Le participe passé peut être invariable ou variable en genre (masculin ou féminin) et en nombre (singulier ou pluriel), par le phénomène de l'accord. Quand il s'accorde, le participe suit les règles générales de l'accord : avec un ou plusieurs noms, avec un pronom, avec une phrase...

361 Le participe passé ne s'accorde pas

Le participe passé ne s'accorde pas si :

- **le verbe est impersonnel** (qu'il soit conjugué avec *avoir*, *être* ou à la forme pronominale) ;

  *Il a **neigé**.*

  *Il a **fait** chaud hier !* *Quelle chaleur il a **fait** hier !*

  *Il est **arrivé** deux grands malheurs.* *Il s'est **produit** des faits étranges.*

- **le verbe est intransitif** (= sans complément d'objet) et conjugué avec l'auxiliaire *avoir* ;

  *Elle a **couru**.* *Ils ont **grandi**.*

- **le verbe est transitif :**

– transitif direct avec un complément d'objet direct (COD), qui suit l'ordre normal sujet-verbe-COD ;

*Ils ont **mangé** des pommes.* (mangé : verbe ; pommes : COD)

– transitif indirect (= avec un complément d'objet indirect introduit par une préposition) ;

*Elle a **succédé** à son père.* (succédé : verbe ; père : COI)

*Ils ont **parlé** à Jacques.* (parlé : verbe ; Jacques : COI)

- **le verbe à la forme pronominale :**

– est issu d'un verbe transitif indirect ;

*Ils se sont **succédé**.* (on succède à quelqu'un)

*Ils se sont **parlé**.* (on parle à quelqu'un)

– a un complément d'objet direct (COD) placé après lui.

*Elles se sont **offert** des cadeaux.* (offert : verbe ; cadeaux : COD)

*Elle s'est **lavé** les mains.* (lavé : verbe ; mains : COD)

362 Le participe passé s'accorde

Le participe passé s'accorde avec le sujet :

- d'un verbe intransitif conjugué avec l'auxiliaire *être* ;
  *Elle est **partie** très loin.*
  *Ils sont **devenus** de bons amis.*
- d'un verbe au passif (avec l'auxiliaire *être*) ;
  *La souris sera **mangée** par le chat.*
  *Les voleurs ont été **arrêtés** par la police.*
- d'un verbe essentiellement pronominal qui n'a pas de complément d'objet (COD) ;
  *Elle s'est **enfuie**.*
  *Ils se sont **emparés** de la ville.*
  MAIS *Ils se sont **arrogé** des droits.*
  Le verbe est suivi d'un COD.

Le participe passé s'accorde avec le COD :

- placé avant un verbe transitif conjugué avec l'auxiliaire *avoir* ;
  *Quels beaux films j'ai **vus** !* (films : COD ; vus : verbe)
  *Les fleurs que j'ai **cueillies** sont belles.* (fleurs : COD ; cueillies : verbe)
- placé avant un verbe pronominal conjugué avec l'auxiliaire *être*.
  *Quels beaux cadeaux elles se sont **offerts** !* (cadeaux : COD ; offerts : verbe)

ATTENTION Quand il y a deux auxiliaires, à certains temps composés ou surcomposés, c'est le dernier auxiliaire, lui-même au participe passé, qui va déterminer les règles d'accord.

*Ils ont été **prévenus** trop tard.*
Le verbe est conjugué avec l'auxiliaire *être*, il y a accord.
*quand ils ont eu **fini** de dîner*
Le verbe est conjugué avec l'auxiliaire *avoir*, il n'y a pas d'accord.

L'ASTUCE Très souvent il suffit de rapprocher le nom et le participe passé pour faire apparaître l'accord.

Les fleurs [que j'ai] ***cueillies** sont belles.* → 367

L'accord du participe passé

Le participe passé est une forme de la conjugaison du verbe, qui peut, dans certains cas, être proche de l'adjectif, ou même devenir un adjectif.

*Ils **ont chanté**.* (forme du verbe au passé composé)
*une œuvre **chantée*** (forme proche de l'adjectif)

*Il **a abandonné** son travail.* (forme du verbe au passé composé)
*une maison **abandonnée*** (adjectif)

Dans la plupart des cas, le participe passé s'accorde quand il est proche de l'adjectif. Quand il s'accorde, le participe suit les règles générales de l'accord : avec un ou plusieurs noms, avec un pronom, avec une phrase...

LE PARTICIPE PASSÉ EMPLOYÉ SEUL

363 Règle générale

Le participe passé employé sans auxiliaire s'accorde en genre (masculin ou féminin) et en nombre (singulier ou pluriel) avec le nom ou le pronom auquel il se rapporte, comme un adjectif.

*Marie, **assise** par terre, écoutait attentivement.*
***Vue** d'en haut, la mare avait l'air minuscule.*
*Terrible accident : une femme **tuée**, six hommes **blessés**.*

364 Cas particuliers : *ci-joint*, *excepté*, *ci-inclus*...

Invariables devant le nom ou après le verbe, ces participes passés jouent le rôle de prépositions ou d'adverbes. Les plus courants de ces participes sont : *attendu ; ci-joint, ci-annexé, ci-inclus ; étant donné ; excepté ; inclus ; lu et approuvé ; mis à part ; passé ; reçu ; y compris, non compris.*

***Excepté** une fillette blonde, tous étaient bruns.*
***Passé** huit heures, les portes sont fermées.*
*Veuillez trouver **ci-joint** deux chèques.*

Variables après le nom, ils s'accordent comme des adjectifs.

*Une fillette blonde **exceptée**, tous étaient bruns.*
*les chèques **ci-joints***

LE PARTICIPE PASSÉ EMPLOYÉ AVEC L'AUXILIAIRE *ÊTRE*

365 Règle générale

Le participe passé des verbes conjugués avec l'auxiliaire *être* s'accorde avec le sujet, en genre (masculin ou féminin) et en nombre (singulier ou pluriel).

Pierre est parti.
Aline est partie.
Pierre et Aline sont partis.
La soirée a été réussie.

ATTENTION Le sujet peut se trouver après le verbe :
Quel rôle est appelée à remplir une secrétaire ?

366 Verbes impersonnels et verbes pronominaux

Le participe passé des verbes impersonnels, ou employés en tournure impersonnelle, est invariable.

Il est arrivé deux catastrophes.

Le participe passé des verbes pronominaux, aussi conjugués avec l'auxiliaire *être*, suit des règles d'accord particulières. → 372-375

LE PARTICIPE PASSÉ EMPLOYÉ AVEC L'AUXILIAIRE *AVOIR*

C'est sans doute là que les hésitations sont les plus fréquentes.

367 Règles générales

Règle 1
Le participe passé conjugué avec l'auxiliaire *avoir* ne s'accorde jamais avec le sujet.

Ils ont grandi.
Ils ont parcouru la campagne.
Elle a cueilli des fleurs.

Règle 2

Le participe passé conjugué avec l'auxiliaire *avoir* s'accorde avec le complément d'objet direct (COD) si, et seulement si, celui-ci est placé avant le verbe. Sinon, il reste invariable.

SANS ACCORD

*Tu as **cueilli** de belles fleurs.*
verbe COD

Le COD *fleurs* est placé après le verbe *cueillir*.

AVEC ACCORD

*Quelles belles fleurs tu as **cueillies** !*
COD verbe

Le COD *fleurs* est placé avant le verbe *cueillir*.

*Ces fleurs, je les ai **cueillies** pour toi.*
*Cette lettre, je l'ai **écrite**.*
*Les fleurs que j'ai **cueillies** pour toi sont belles.*
antécédent COD verbe

Les pronoms relatifs transmettent le genre (masculin ou féminin) et le nombre (singulier ou pluriel) du nom qu'ils reprennent, l'antécédent. Pour le sens, c'est l'antécédent *fleurs* qui commande l'accord. C'est le « vrai » COD.

REMARQUE

Pour l'accord avec certains pronoms, avec *qui, que, l'un des*, avec un collectif... → **382-398**.

*Tu nous as **entendus** ?* (= des garçons ou des garçons et des filles)
*Tu nous as **entendues** ?* (= des filles)

Règle 3

S'il n'y a pas de complément d'objet direct, le participe employé avec l'auxiliaire *avoir* est invariable.

*Ils ont **marché**.*
Il n'y a pas de COD.

*Ils nous ont **parlé**.*
Le pronom *nous* est complément d'objet indirect (COI).

ATTENTION On ne confondra donc pas :

*Ils nous ont **vus**.*	*Ils nous ont **plu**.*
Le pronom *nous* est COD.	Le pronom *nous* est COI.

Ces trois règles sont essentielles pour comprendre et appliquer l'accord du participe passé des verbes transitifs employés à la forme pronominale.

368 Comment trouver le COD ?

Le complément d'objet direct (COD) répond en général aux questions *Quoi ? Qu'est-ce que ?* (pour les choses), *Qui ? Qui est-ce que ?* (pour les personnes).

Le menuisier fabrique quoi ? *Qu'est-ce qu'il fabrique ?*
Il fabrique des meubles.
Le nom *meubles* est COD du verbe *fabriquer*.

Qui as-tu rencontré ? *Qui est-ce que tu as rencontré ?*
J'ai rencontré Pierre.
Le nom *Pierre* est COD du verbe *rencontrer*.

Le COD est placé avant le verbe (ou l'auxiliaire) :

- dans une question ou une exclamation ;
  Quels fruits cueilles-tu ? *Quels beaux fruits tu as cueillis !*
  COD verbe COD verbe
- quand il est repris par un pronom personnel ;
  Ces cerises, je les cueille pour vous. *Je les ai cueillies pour vous.*
  COD COD COD
- quand il est repris par le pronom relatif *que*.
  Les cerises que j'ai cueillies sont superbes.
  COD COD

369 Pour vérifier l'accord du participe passé

Pour vérifier si l'on doit accorder le participe passé, on rapproche le participe du COD.

C'est la personne que Jean a ***rencontrée*** *hier.*
→ *C'est la personne ~~[que Jean a]~~* ***rencontrée*** *hier.*

Employé seul, le participe s'accorde.

On peut aussi, en suivant l'ordre COD + participe, faire des phrases du type nom + *est* + participe en étant guidé par le sens de la phrase.

les fleurs que j'ai ***cueillies*** → *Les fleurs sont* ***cueillies****.*
la lettre que j'ai ***écrite*** → *La lettre est* ***écrite****.*

Employé avec l'auxiliaire *être*, le participe s'accorde avec le sujet.

370 Le participe des verbes *coûter*, *peser*, *mesurer*, *vivre*...

Ces verbes ont la particularité d'être des verbes transitifs avec un COD, et intransitifs avec **un complément de mesure**. Comparons ces deux phrases.

Pierre, le marchand de fruits, pèse les pommes.

Il pèse quoi ? les *pommes* (COD)
Le verbe est transitif.

Pierre, le marchand de fruits, pèse 80 kilos.

Il pèse combien ? *80 kilos* (complément de mesure)
Le verbe est intransitif, construit avec un complément de mesure.

Il ne faut pas confondre le complément de mesure (longueur, poids, temps, prix) qui répond à la question *Combien ?* et le complément d'objet direct qui répond à la question *Quoi ?*

- **Le participe est invariable** quand on répond à la question *Combien ?*

Pierre pèse 50 kilos. → *les 50 kilos que Pierre a* ***pesé*** *autrefois*
Ce livre m'a coûté 10 euros. → *les 10 euros que ce livre m'a* ***coûté***
Il a vécu deux ans chez nous. → *les deux ans qu'il a* ***vécu*** *chez nous*

- **Le participe est variable** quand on répond à la question *Quoi ?*

Le marchand pèse la farine. → *la farine que le marchand a* ***pesée***
Ce travail lui a coûté des efforts. → *les efforts que ce travail lui a* ***coûtés***
Il a vécu des drames. → *les drames qu'il a* ***vécus***

371 Le participe passé suivi d'un infinitif

Le participe passé s'accorde logiquement avec son propre complément d'objet direct, mais pas avec celui de l'infinitif. →376

Marie, je l'ai ***entendue*** *chanter.*

J'ai entendu qui ? Marie (COD)

LE PARTICIPE PASSÉ DES VERBES PRONOMINAUX

On appelle *verbe pronominal* un verbe qui s'emploie avec un pronom réfléchi (*me, te, se, nous, vous, se*). Il s'agit de verbes comme :
– *s'enfuir, s'emparer de, se méfier de, se souvenir de, s'abstenir, s'écrier, s'apercevoir de...*, dans lesquels le pronom réfléchi ne représente rien ;
– *s'habiller, se laver, se battre, se succéder, se permettre de...*, dans lesquels le pronom réfléchi représente le ou les sujets.

372 Le participe passé des verbes *s'enfuir*, *se souvenir de*, *s'apercevoir de*...

Il s'agit de verbes dits « essentiellement pronominaux » ou assimilés, dans lesquels le pronom réfléchi ne représente rien. →359

- **Le participe s'accorde avec le sujet.**

*Elles se sont **enfuies**.*
*Ils se sont **emparés** de la ville.*
*Elle s'est **aperçue** de son erreur.*
*« Au secours ! », s'est-elle **écriée**.*

⊕ L'accord se fait comme pour un verbe intransitif employé avec l'auxiliaire *être* : *ils sont partis, ils se sont enfuis*...

- **Principaux verbes essentiellement pronominaux**

Nous donnons ci-dessous une liste des verbes sur lesquels les erreurs sont les plus fréquentes.

s'absenter	*s'emparer de*	*se méfier de*
s'abstenir de	*s'en aller*	*s'obstiner à*
s'apercevoir de	*s'enfuir*	*se rebeller*
s'attendre à	*s'évertuer à*	*se résoudre à*
se douter de	*s'exclamer*	*se servir de*
s'écrier	*s'ingénier à*	*se soucier de*
s'efforcer de	*se lamenter*	*se souvenir de*

373 Le participe passé des verbes *s'habiller*, *se regarder*, *se promener*, *se battre*...

Il s'agit de verbes transitifs directs employés à la forme pronominale. →359

- **Le pronom réfléchi représente le sujet et il est complément d'objet direct (COD)** : il répond à la question *Qui ?* ou *Quoi ?*
- **Le participe s'accorde avec le sujet** que le pronom réfléchi reprend :

– que ce soit au sens réfléchi ;

*Elle s'est **regardée** dans la glace.*
Elle a regardé qui ? elle-même

– ou que ce soit au sens réciproque.

*Pierre et Marie se sont **regardés**.*
l'un a regardé l'autre, l'autre a regardé l'un

*Ils se sont **aimés**.*
= ils se sont aimés l'un l'autre

• Ces verbes se construisent avec un COD à l'actif qui répond à la question *Qui ?* ou *Quoi ?* : *on regarde quelqu'un* ou *quelque chose, on habille quelqu'un, on promène quelqu'un* ou *un animal.*

L'accord se fait comme avec l'auxiliaire *avoir* quand le COD précède le verbe :

C'est elle-même qu'elle a ***regardée*** *dans la glace.*

Quelques verbes transitifs directs admettent aussi une construction pronominale dans laquelle le pronom réfléchi ne représente rien. Il s'agit d'un emploi pronominal à valeur passive.

• **Le participe s'accorde avec le sujet.**

Ces livres se sont bien ***vendus****.*

Cette pièce s'est ***jouée*** *au théâtre du Rond-Point.*

374 Le participe des verbes *se succéder*, *se plaire*, *se nuire*, *se mentir*...

Il s'agit de verbes transitifs indirects employés à la forme pronominale. → 357

• **Le pronom réfléchi représente le sujet mais il est complément d'objet indirect (COI)** : il répond à la question *À qui ? À quoi ?*

• **Le participe passé ne s'accorde pas.**

les évènements qui se sont ***succédé***

les présidents qui se sont ***succédé***

l'un a succédé à l'autre qui a succédé à un autre...

Ils se sont ***parlé****.*

= l'un à l'autre

• Ces verbes se construisent à l'actif avec un complément d'objet indirect (introduit par une préposition) : *on ment, on nuit, on plaît, on succède à quelqu'un.*

L'ASTUCE Chaque fois qu'on peut faire apparaître la préposition ***à***, le participe est invariable.

Elle s'en est ***voulu****.* (*à* elle-même)

Ils se sont ***plu****.* (l'un *à* l'autre)

Elles se sont ***souri****.* (l'une *à* l'autre)

Elle s'est ***menti****.* (*à* elle-même)

Chaque fois qu'on peut faire apparaître **l'un l'autre**, le participe s'accorde.

Ils se sont ***aidés****.* (l'un l'autre)

375 Le verbe pronominal se construit avec un complément d'objet direct (COD)

Les règles sont les mêmes que pour le participe passé employé avec l'auxiliaire *avoir*. → 367
Il faut reconnaître le complément d'objet direct (COD) du verbe pronominal, qui répond à la question *Quoi ?* ou *Qui ?*
Quant au pronom réfléchi, dans presque tous les cas, il représente le sujet et est complément d'objet indirect (ou complément d'objet second) ; et pour quelques verbes, il ne représente rien.

Le COD est placé après le verbe.

- Le participe est invariable.

Elles se sont ***offert*** [quoi ?] *des cadeaux.*
verbe COD

Ils se sont ***écrit*** *des lettres.*
Ils ont écrit quoi ? des lettres. À qui ? l'un à l'autre

Elles se sont ***arrogé*** *des droits.*
Le verbe *s'arroger* se construit toujours avec un COD

Elle s'est ***lavé*** *les mains.*

ATTENTION Le COD peut être un infinitif introduit par *de*, une subordonnée, une phrase. Le participe est toujours invariable.

Elle s'est ***permis*** [quoi ?] *de téléphoner.*
Elle s'est ***demandé*** [quoi ?] *si tu allais venir.*
Elle s'est ***imaginé*** [quoi ?] *que tu allais venir.*

Le COD est placé avant le verbe.

- Le participe s'accorde avec le COD (ou avec le pronom qui le représente).

Quels beaux cadeaux elles se sont ***offerts*** *!*
COD verbe

les lettres qu'ils se sont ***écrites***
les droits qu'elles se sont ***arrogés***
Quelle jambe s'est-il ***cassée*** *?*

Il s'agit le plus souvent de verbes qui ont deux compléments à l'actif (l'un direct, l'autre indirect) du type : *donner, offrir, dire, demander quelque chose à quelqu'un,* employés à la forme pronominale ou de constructions analogues : *se casser une jambe ; se laver les mains.* → 357

ATTENTION Il ne faut pas confondre : *Elle s'est* ***lavée*** (= elle-même, **s'** est COD) et *Elle s'est* ***lavé*** *les mains* (= les mains à elle, **s'** est COI).

LE PARTICIPE PASSÉ SUIVI D'UN INFINITIF

Il peut être délicat d'accorder le participe passé quand il est suivi d'un infinitif, d'un adjectif, ou quand il est employé dans des locutions verbales.
Le choix entre deux possibilités peut modifier complètement le sens de la phrase.

Elle s'est vue refuser ce poste. (= c'est elle qui a refusé)

Elle s'est vu refuser ce poste. (= on lui a refusé ce poste)

376 Règles générales

Avec l'auxiliaire *être*

L'infinitif qui suit le participe ne modifie en rien les règles d'accord avec le sujet.

Ils sont partis chercher du pain.

Avec l'auxiliaire *avoir*

Il faut faire attention au complément d'objet direct (COD).

- Si le COD est complément du participe passé et sujet de l'infinitif, il y a accord.

*Marie, je l'ai **entendue** chanter.*
COD verbe

J'ai entendu [qui ?] Marie. *Marie* est COD.
Qui chante ? C'est Marie qui chante.
Le participe s'accorde. *Marie* est sujet de l'infinitif *chanter*.

- Si le COD est complément de l'infinitif, il n'y a pas d'accord.

*Ces airs, je les ai **entendu** chanter.*
COD verbe

J'ai entendu [sous-entendu *quelqu'un*] chanter [quoi ?] *ces airs.*
Ces airs, repris par *les*, est COD de l'infinitif, le participe ne s'accorde pas.

L'ASTUCE Le participe est invariable si l'on peut ajouter *par* et un complément indiquant qui fait l'action exprimée par l'infinitif.

*Ces airs, je les ai **entendu** chanter par Samia.*

Avec les verbes pronominaux

Les règles sont les mêmes qu'avec l'auxiliaire *avoir*.

- Il y a accord, si le sujet (repris par le pronom réfléchi) est COD du participe et sujet de l'infinitif.
- Il n'y a pas d'accord, si le sujet (repris par le pronom réfléchi) est COD de l'infinitif.

➤

L'ASTUCE Il suffit de poser une seule question : qui fait l'action exprimée par le verbe à l'infinitif ?

Marie s'est vue, sentie tomber.
C'est Marie qui tombe ; *Marie* est sujet de l'infinitif.
→ Le participe s'accorde.

Marie s'est laissé embrasser (par quelqu'un).
Marie laisse quelqu'un l'embrasser ; *Marie* n'est pas sujet de l'infinitif.
→ Le participe ne s'accorde pas.

ATTENTION Il ne faut pas confondre :
Elle s'est vue refuser l'entrée du musée. (à quelqu'un)
C'est elle qui a refusé.
Elle s'est vu refuser l'entrée du musée. (par quelqu'un)
On lui a refusé l'entrée du musée.

377 Les participes *fait* et *laissé* + infinitif

Le participe passé ***fait*** suivi d'un infinitif est toujours invariable.

- Cela suit les règles énoncées plus haut.
la robe qu'elle a fait faire, la robe qu'elle s'est fait faire
Elle a fait faire quoi ? Elle s'est fait faire quoi ? une robe (complément de l'infinitif).

⊕ Une erreur très fréquente à l'oral : accorder *fait* au féminin. On ne doit jamais dire : *la robe qu'elle s'est ~~faite~~ faire.*

- Le participe *fait* suivi d'un infinitif est toujours invariable parce qu'il joue le rôle d'un auxiliaire d'aspect (aspect factitif ou causatif).
la maison qu'ils ont fait construire, la maison qu'ils se sont fait construire
les verres qu'il a fait tomber, les bouteilles qu'il a fait tomber
Les mots *robe, maison, verres* ou *bouteilles* sont COD du verbe à l'infinitif, non du participe *fait*.

Le participe passé ***laissé*** suivi d'un infinitif est variable ou invariable.

Il a laissé Marie partir, il l'a laissée partir.
Marie est COD du participe et sujet de l'infinitif : c'est *Marie* qui part. Le participe s'accorde.

Marie s'est laissé séduire (par quelqu'un).
Marie est COD de l'infinitif. Le participe ne s'accorde pas.

Marie s'est laissé(e) tomber sur le canapé.
Deux interprétations sont possibles : *Marie* est COD du participe et sujet de l'infinitif et dans ce cas il y a accord ; ou bien *laissé* joue ici un rôle d'auxiliaire comme *fait* et le mot *Marie* est complément de l'infinitif.

N. ORTH. Ces distinctions sont subtiles et le Conseil supérieur de la langue française recommande l'invariabilité de *laissé* suivi d'un infinitif sur le modèle de *fait* suivi d'un infinitif.

378 Les participes *eu à* et *donné à* + infinitif

L'expression *avoir à* + infinitif est équivalente à *devoir* + infinitif.
C'est un auxiliaire d'aspect qui présente l'action comme nécessaire.
Le participe *eu* est invariable.

les dossiers que j'ai eu à traiter

On dirait *J'ai eu à traiter ces dossiers*. Le mot *dossiers* est complément de l'infinitif *traiter* et non du participe *eu*.

Le participe *donné* dans *donner à* + infinitif est variable ou invariable.

les livres que je lui ai donné ou *donnés à lire*

CAS PARTICULIERS

379 Les participes *dû*, *cru*, *dit*, *voulu*, *permis*, *pu*...

Tous ces participes peuvent être suivis d'un infinitif. Mais cet infinitif peut ne pas être exprimé. Le participe s'accorde ou non selon les cas.
Le participe ne s'accorde que si le COD qui le précède est son propre COD.

dû

Les sommes qu'il a dû rembourser.

Il a dû quoi ? rembourser ces sommes
Le mot *sommes* est COD de l'infinitif.

→ Le participe ne s'accorde pas.

cru

Il a mené les actions qu'il a cru devoir mener.

Il a cru quoi ? qu'il devait mener ces actions
Le mot *actions* est COD de l'infinitif.

→ Le participe ne s'accorde pas ;

MAIS

Ce sont ces histoires qu'il a crues.

Il a cru quoi ? ces histoires
Le mot *histoires* est COD du participe.

→ Le participe s'accorde.

dit, voulu...

J'ai entendu les choses que tu m'as dites.

« Tu as dit des choses » : le mot *choses* est COD du verbe *dire*.

→ Le participe s'accorde ;

MAIS

J'ai fait toutes les choses que tu m'as dit (de faire), que tu as voulu (que je fasse).

Le mot *choses* est COD du deuxième verbe *faire* (exprimé ou non).

→ Le participe ne s'accorde pas.

***permis**, **proposé**...*

- **À la voix active :**

*Quelles boissons lui a-t-on **permis, proposé** de boire ?*

On lui a permis quoi ? de boire certaines boissons
Le mot *boissons* est complément de *boire*.

→ Le participe ne s'accorde pas ;

MAIS

*Quelles boissons lui a-t-on **permises, proposées** ?*

Le mot *boissons* est COD du participe.

→ Le participe s'accorde.

- **À la forme pronominale :**

*toutes ces choses qu'elle s'est **permis** (de faire)*

Elle s'est permis quoi ? de faire ces choses
Le mot *choses* est COD de *faire*.

→ Le participe ne s'accorde pas.

pu

Ce participe est toujours invariable.
Un verbe à l'infinitif est toujours sous-entendu.

Il a fait toutes les choses qu'il a pu (faire).
Il a visité toutes les villes qu'il a pu (visiter).

380 Les participes *jugé*, *pensé*, *cru*, *dit*, *su*, *voulu* + attribut du COD

Le participe suivi d'un adjectif attribut du complément d'objet direct s'accorde normalement avec ce complément d'objet direct.

*Ces livres, je les ai **trouvés** intéressants.*
COD verbe attribut

*Tout le monde a **cru** Madame morte.* verbe COD attribut — *Tout le monde l'a **crue** morte.* COD verbe attribut

*On les a **jugés** coupables.* COD verbe attribut — *Elle s'est **jugée** coupable.* COD verbe attribut

MAIS dans des tournures comme ***juger utile, indispensable de*** ou ***que***, le participe est invariable.

*des incidents qu'on a **jugé utile de** vous raconter*

Ce ne sont pas les incidents qui sont utiles. C'est le fait de les raconter.
Le mot *incidents* est complément de *raconter*. Le participe ne s'accorde pas.

Pour des participes comme *cru, su, dit, voulu,* on peut considérer qu'il y a un verbe *être* sous-entendu, et dans ce cas le participe peut rester invariable.

une vie que j'ai ***voulu*** *heureuse*

J'ai voulu quoi ? que cette vie soit heureuse.

une rémission que j'ai ***su*** *(être) de courte durée*

J'ai su qu'elle serait de courte durée.

des vacances que je m'étais ***promis*** *calmes et sereines*

Je m'étais promis quoi ? que ces vacances seraient calmes et sereines.

381 Le participe passé dans les locutions verbales

Une locution est un groupe de mots qui a une unité de sens et une unité grammaticale. Une locution verbale est équivalente à un verbe simple : *prendre en compte* = considérer ; *se faire jour* = apparaître...

Les locutions *se rendre compte, se faire jour, se faire fort de, se faire l'écho de*

- **Aux temps composés, le participe passé est invariable.**

Dans ces locutions verbales, les verbes *rendre* ou *faire* ne sont pas analysables individuellement. Le sujet est sujet de l'ensemble de la locution verbale. Et ces locutions verbales n'admettent pas de complément d'objet direct.

Elle s'est ***rendu*** *compte de son erreur.*

sujet locution verbale

Elle s'est ***fait*** *fort de réussir.*

sujet locution verbale

Les locutions *se porter garant, mettre à jour, (se) mettre d'accord, prendre en compte*

- **Aux temps composés, le participe passé est variable.**

Les verbes sont analysables pour eux-mêmes et remplaçables par d'autres. Il s'agit plutôt d'expressions. L'accord suit les règles générales de l'accord du participe. Ces locutions se construisent avec un attribut ou un COD.

Elle s'est ***portée*** *garante, caution, volontaire.*

sujet attributs

Le participe passé s'accorde avec le sujet repris par *se*. La phrase est équivalente à : *Elle est garante, caution, volontaire.*

les données que nous avons ***mises*** *à jour*

COD locution verbale

Le participe passé de la locution *mises à jour* s'accorde avec le COD *données* repris par *que*.

les données que nous avons ***prises*** *en compte*

COD locution verbale

Le participe passé de la locution *prises en compte* s'accorde avec le COD *données* repris par *que*.

Les mots qui entraînent des difficultés d'accord

Sont regroupés dans ce chapitre les mots ou expressions qui rendent l'accord du verbe, de l'adjectif ou du participe particulièrement délicat : c'est le cas de certains pronoms, d'expressions de quantité ou de pourcentage, par exemple, et des mots dont on ne sait pas s'il faut les accorder ou non : abréviations ou formes verbales en *-ant*, par exemple.

LES DIFFICULTÉS D'ACCORD AVEC CERTAINS PRONOMS

382 Accord avec le pronom *en*

Avec le pronom ***en***, le participe passé employé avec l'auxiliaire *avoir* est le plus souvent invariable ;

*As-tu mangé des cerises ? — Oui, j'en ai **mangé**.* (= de cela)

Des films comme celui-là, je n'en ai jamais vu !

MAIS il peut s'accorder si c'est l'idée de pluriel qui prédomine.

*Tant de livres ! Combien en as-tu **achetés** ?*

383 Accord avec le pronom *l'*

Deux cas peuvent se présenter.

Le pronom *l'* reprend ou représente un nom : le participe passé s'accorde en genre (masculin ou féminin) avec ce nom.

J'ai vu Pierre, je l'ai vu.

J'ai vu Marie, je l'ai vue.

Au pluriel, on pourrait dire *les (je les ai vus)*.

Le pronom *l'* représente une phrase : le participe passé est au masculin singulier.

Je te l'ai déjà dit.

Elle est plus forte que je l'avais cru.

On ne peut pas dire *les*.

384 Accord avec le pronom *on*

Avec le pronom sujet de la 3e personne du singulier ***on***, le verbe est toujours à la 3e personne du singulier.

On va, on vient, on part.

Le participe ou l'adjectif s'accordent avec ce que le pronom ***on*** représente :

- ***on* signifie « quelqu'un, n'importe qui, tout le monde... »**, l'accord de l'adjectif ou du participe se fait au masculin singulier et le pronom réfléchi est *soi* ;

  On n'est jamais si bien servi que par soi-même.
  On se sent plus léger quand le printemps arrive.

- ***on* est employé à la place de *nous***, le verbe (ou l'auxiliaire) reste au singulier, mais l'adjectif et le participe sont au pluriel, et le pronom réfléchi est *nous* ;

  On est arrivés, on est arrivées en retard.
  On est rentrés chez nous.

- ***on* est employé à la place de *tu* ou *vous***, le verbe reste au singulier, mais l'adjectif et le participe s'accordent en genre et en nombre selon le sens.

  Alors, Sylvie, on est contente ?
  Alors, les filles, on est contentes ?

385 Accord avec les pronoms *nous* et *vous*

Ces pronoms peuvent représenter plusieurs personnes ou une seule. Ils sont soit complément d'objet direct soit complément d'objet indirect.

Le pronom représente plusieurs personnes :

- s'il est complément d'objet direct, le participe passé s'accorde en genre et en nombre avec les personnes que le pronom représente ;

  Vous, les filles, on vous a vues !

- s'il est complément d'objet indirect, le participe est invariable.

  Il nous, il vous a parlé.

Le pronom représente une seule personne.

- Quand *nous* (ou *vous*) représente une seule personne (*nous* de majesté ou de modestie, *vous* de politesse), le verbe reste au pluriel, mais l'adjectif et le participe s'accordent en genre selon le sexe de la personne représentée.

  Nous (la reine) *sommes ravie de vous recevoir.*
  Nous (l'auteur du texte) *sommes convaincu de la véracité de ces témoignages.*
  Vous (Marie) *seriez ravie de venir, j'en suis sûr.*

386 Accord avec *beaucoup d'entre nous (vous)*, *la plupart d'entre nous (vous)*, *certains d'entre nous (vous)*...

Dans ces tournures :

- le verbe se met aujourd'hui à la 3e personne du pluriel ;
  *Beaucoup d'entre nous **pensent** qu'il vaut mieux ne pas fumer.*
- le participe ou l'adjectif sont au masculin ou au féminin pluriel.
  *Nous étions vingt filles, la plupart d'entre nous sont **restées** au village.*

387 Accord avec les pronoms relatifs *qui* et *que*

Les pronoms relatifs ***qui*** et ***que*** sont des relais qui transmettent le genre et le nombre du mot qu'ils représentent : leur « antécédent ». → 345-350

L'accord se fait toujours avec cet antécédent.

- **Accord avec *qui* sujet**
  *la femme qui est **venue***
  *les hommes qui sont **venus***
  *moi qui **suis**, toi qui **es**, lui qui **est**, nous qui **sommes***
  *C'est Jacques et moi qui **irons**.* (= nous)
  *C'est Jacques et toi qui **irez**.* (= vous)
  *ceux d'entre nous qui **pensent** cela* (= accord avec le sujet *ceux*)
  *la foule de badauds qui **s'est rassemblée*** ou *qui **se sont rassemblés***
  L'accord se fait avec le collectif *foule* ou avec son complément *badauds*, selon l'intention de celui qui parle.
- **Accord avec *que* complément ou attribut**
  *la personne que j'ai **rencontrée***
  *la femme que je suis **devenue***

REMARQUE
Quand le pronom relatif est complément de mesure, il n'y a pas d'accord :
Les cent kilos qu'il a pesé autrefois sont oubliés. → 370

388 Accord avec *chacun*

Le verbe est à la 3e personne du singulier, l'accord du participe ou de l'adjectif se fait au masculin singulier et le pronom réfléchi est *soi*.
Chacun fut content.
quand chacun fut parti
Chacun pense ce qu'il veut.
Que chacun rentre chez soi. (et non ~~chez lui~~)

En rapport avec un nom, ***chacun*** s'accorde en genre ;
*Il a parlé à **chacune** de ses filles, à **chacun** de ses fils.*

MAIS si ce nom est au pluriel, le possessif ou le pronom personnel est au singulier ou au pluriel.

Ces professeurs, chacun dans sa spécialité ou *chacun dans leur spécialité, sont compétents.*

Ils sont rentrés chacun chez soi ou *chacun chez eux.*

Avec ***chacun d'entre nous, vous, eux*** le verbe est à la 3e personne du singulier.

Chacun d'entre nous y pense.

389 Accord avec *autre chose*, *pas grand-chose*, *quelque chose*

L'accord se fait au masculin singulier. Le pronom relatif est *quoi*.

Il n'y a pas grand-chose de bon.

Quelque chose est arrivé.

Il y a quelque chose sur quoi on peut tomber d'accord.

ATTENTION On dit *autre chose, pas grand-chose, quelque chose à quoi* ou *sur quoi* et non ~~*auquel, sur lequel, pour lequel*~~...

C'est quelque chose à quoi on pense.

390 Accord avec *tout le monde*, *personne*, *quelqu'un*

L'accord se fait au masculin singulier.

Tout le monde est là. (et non ~~*sont*~~ *là*)

Tout le monde est arrivé.

Tout le monde est content.

Personne n'est parfait.

Quelqu'un est blessé ?

Il n'y a personne de blessé.

391 Accord avec (*l'*)*un des*, (*l'*)*un de ceux*, (*l'*)*une de celles*...

Avec ***(l)'un des***, l'accord se fait au pluriel ou au singulier selon le sens.

C'est une des pièces qui m'ont plu cette saison. (= une parmi les pièces)

L'un des élèves que j'ai interrogés a bien répondu. (= j'ai interrogé plusieurs élèves)

L'un des élèves, que j'ai interrogé, a bien répondu. (= on ne parle que de celui-ci)

Avec ***un de ceux, une de celles***, l'accord se fait toujours au pluriel.

C'est une de celles qui sont venues qui a oublié ce gilet.

LES DIFFICULTÉS D'ACCORD AVEC UN NOM COLLECTIF OU AVEC UN QUANTITATIF

Un « collectif » est un nom qui désigne un ensemble, un groupe de personnes, d'animaux ou de choses. Des noms comme *foule, bande, nuée, troupe* sont des noms collectifs. Quand ils sont suivis d'un complément, ce complément est toujours au pluriel : *une nuée d'oiseaux.*

On appelle « quantitatif » tout adverbe ou nom de quantité, de fraction ou de pourcentage, qui s'emploie avec un complément introduit par *de*. Selon les cas, ce complément peut être au singulier ou au pluriel. Des mots comme *peu de, la plupart de, quantité de, bon nombre de, la moitié de...* sont des quantitatifs.

392 Accord avec un collectif : *une foule de, une bande de...*

Si le collectif est employé avec *un, une* (articles indéfinis), l'accord se fait :

- **avec le collectif au singulier** ;

  Une nuée d'oiseaux s'est envolée.
  une bande d'enfants très gaie
  Une foule de gens votera pour lui.
  On insiste sur l'idée de groupe.

- **ou avec le complément au pluriel**.

  Une nuée d'oiseaux se sont envolés.
  une bande d'enfants très gais
  Une foule de gens voteront pour lui.
  On insiste sur les éléments du groupe.

Si le collectif est employé avec *le, la, mon, ma, ce, cette...* ou avec un adjectif épithète, l'accord se fait :

- **avec le nom collectif au singulier** puisque c'est l'idée de groupe que l'on met en avant.

  Cette foule de badauds était impressionnante.
  Une foule impressionnante de badauds était arrivée.

393 Accord avec un quantitatif : *peu (de), beaucoup (de), combien (de)...*

L'adverbe de quantité a un complément au singulier ou au pluriel :

- **l'accord se fait avec ce complément** au singulier ou au pluriel.

  Peu de gens pensent comme toi. (pluriel)
  Beaucoup de monde est venu. (singulier)
  Beaucoup de gens sont venus. (pluriel)
  Beaucoup de vaisselle fut cassée. (singulier)

L'adverbe de quantité est employé seul :

- si le nom complément est sous-entendu ou s'il n'est pas repris dans la phrase, l'accord se fait de la même manière avec ce complément sous-entendu ;

Beaucoup ***pensent*** *que c'est trop tard.* (= beaucoup de personnes)
Toute la vaisselle est tombée, il y en a eu beaucoup ***de cassée***. (= de la vaisselle)

- au sens de « combien de gens, beaucoup de gens », *combien* et *beaucoup* employés seuls comme sujets entraînent l'accord du verbe au pluriel et l'accord du participe ou de l'adjectif au masculin pluriel.

Combien viendront ?
Combien sont partis ? et en sont malheureux ?
Combien sont satisfaits ?

394 Accord avec *nombre de, quantité de, la plupart de*

L'accord se fait toujours avec le complément au pluriel (au masculin ou au féminin selon le cas).

La plupart des gens ***sont venus***.
Nombre de ses amies ***étaient présentes***.
Quantité de livres ***ont été abîmés***.

Et si le nom est sous-entendu, l'accord se fait de la même manière.

La plupart ***sont venus*** (ou ***venues***).

395 Accord avec *une dizaine de, une centaine de, un millier de, un million de...*

L'accord se fait avec le complément au pluriel.

Une dizaine de personnes ***sont venues***.
Un millier d'habitants ***ont été évacués***.

Ces expressions signifient « environ dix, cent, mille... + un nom au pluriel » qui entraîne toujours l'accord au pluriel : *Environ dix personnes ont été blessées.*

Si le quantitatif est employé avec *le, la, mon, ma, ce, cette...* ou avec un adjectif épithète, l'accord peut se faire avec le nom au singulier si c'est sur l'idée de quantité qu'on insiste.

Cette (seule) *douzaine d'œufs* ***vous suffira***.
Cette centaine d'euros ***sera suffisante***.

L'ASTUCE Si la quantité est approximative, l'accord se fait avec le complément au pluriel ; si c'est de la quantité elle-même que l'on souhaite parler, l'accord se fait avec l'expression de cette quantité.

REMARQUE

On entend aujourd'hui assez souvent l'accord au singulier avec *une dizaine, une centaine de* et même avec *un million de*, ce qui n'est guère compréhensible puisque un million est un nom de nombre qui suit 999 999, nombre qui, lui, appelle un nom et un accord au pluriel. Des phrases comme « *Une dizaine de personnes a été blessée* » sont critiquables ; dirait-on : « *Une dizaine de personnes est morte dans l'accident* » ? Il faut se fier à la logique du sens. Qui est blessé ? une dizaine ? ou des personnes ?

396 Accord avec *la moitié de*, *un quart de*, *trois quarts de*, *la majorité de*, *un grand nombre de*...

L'accord se fait avec le complément ou avec l'expression de la fraction selon l'intention et le sens.

- **Accord avec une fraction ou l'expression d'une fraction**

  *Un quart des personnes interrogées **a** ou **ont répondu**.*

  Les deux sont possibles.

  *Les trois quarts de ces personnes **sont satisfaites**.*

  On considère les personnes.

  *La moitié des clients de l'hôtel **sont repartis** avec leurs bagages.*

  On considère les clients et leurs bagages.

  *La moitié du terrain **est boueuse**.*

  On considère la partie boueuse du terrain.

- **Accord avec *un grand nombre de, un petit nombre de, la majorité de...***

  *Un grand (petit) nombre de personnes **ont été blessées**.*

  Ce sont les personnes qui sont blessées.

  *Un petit nombre de personnes **assista** à la réunion.*

  On insiste sur le nombre.

  *Un petit nombre de personnes **assistèrent** à la réunion.*

  On considère les personnes.

  *La majorité des femmes **sont mères** à cet âge.*

  On considère les femmes.

  *La majorité des femmes **a voté** ou **ont voté** la motion.*

  *Une minorité d'employés **est représentée** ou **sont représentés**.*

  Les deux sont possibles.

397 Accord avec un pourcentage

Avec un complément au singulier, l'accord se fait :

- au singulier avec le complément, en particulier s'il y a des adjectifs ou des participes ;

  *20% de la population **s'est déclarée satisfaite**.*

- ou au pluriel avec l'expression du pourcentage, si c'est la quantité que l'on veut mettre en valeur.

  *30% du budget **sont consacrés** à cette recherche.*

Avec un complément au pluriel, l'accord se fait :

- au pluriel avec le complément ;
  *20% des candidates **ont été refusées**.*
- même si le complément est sous-entendu.
  *20% **ont été refusées**.*

Quand il s'agit d'un taux, l'accord se fait toujours au masculin avec l'expression du pourcentage.

*1% d'augmentation **sera accordé**.*
*10% d'augmentation **seront accordés**.*

Quand il s'agit d'un rendement, l'expression du pourcentage est au masculin singulier.

Cela rapporte du 15%.
15% me semble suffisant.

398 Accord avec *plus d'un, moins de deux*, 1,25…

Accord avec *plus d'un* et *moins de deux*

Le verbe est au singulier avec *plus d'un* et au pluriel avec *moins de deux*.

Plus d'un mois s'est écoulé.
Moins de deux mois se sont écoulés.

Accord avec *1,25* (*1,50…*) et une unité

Le pluriel commençant à « deux », le nom de l'unité reste au singulier.

1,25 kilo
1,75 million d'euros

LES DIFFICULTÉS D'ACCORD QUAND LES TERMES SONT COORDONNÉS

Lorsque les termes sont coordonnés par *et*, ils s'additionnent et l'accord se fait au pluriel, selon les règles énoncées dans les principes généraux de l'accord. →309
Mais quand les termes sont coordonnés par *ou, ni, soit, comme...*, l'idée de pluriel peut être exclue.

399 Les termes sont coordonnés par *ou*

La conjonction ***ou*** peut avoir un sens « inclusif » ou « exclusif ».
Lorsqu'elle a un sens inclusif, les deux termes commandent l'accord ; lorsqu'elle a un sens exclusif, seul un des termes commande l'accord.

- Si le verbe, le participe ou l'adjectif concernent l'un et l'autre termes, l'accord se fait au pluriel et au genre exigé par les règles générales.
  Un homme ou une femme conviennent pour ce poste.
  Nous cherchons un ouvrier ou une ouvrière qualifiés.
- Si le verbe concerne soit l'un soit l'autre terme, il reste au singulier.
  Pierre ou Jacques est le père de cet enfant.

Si la conjonction *ou* introduit un synonyme, une explication entre virgules, l'accord se fait logiquement avec le premier terme.
Le cobra, ou serpent à sonnettes, est-il dangereux ?

400 Les termes sont coordonnés par *ni*

L'accord se fait au masculin pluriel si les deux termes sont d'un genre différent.
Ni son père ni sa mère ne sont venus.

L'accord se fait au singulier ou au pluriel si les deux termes sont du même genre.
Ni sa tante ni sa mère n'est venue ou *ne sont venues.*

Le verbe est au singulier, comme avec la conjonction *ou*, quand les deux termes s'excluent.
Ni Pierre ni Jacques n'est le père de cet enfant.

401 Les termes sont coordonnés par *soit... soit*

Avec les deux termes au singulier, le verbe est au singulier.
Soit mon père soit ma mère viendra.

Avec un des termes au pluriel, le verbe est au pluriel.
Soit mes parents, soit ma tante viendront.

402 Les termes sont reliés par *comme, ainsi que, de même que...*

Ces termes peuvent avoir deux valeurs : une valeur de comparaison ou une valeur d'addition.

S'il y a comparaison et que l'accent est mis sur le premier terme, l'accord se fait avec ce premier terme. Il y a alors une pause à l'oral et des virgules à l'écrit.

Mon père, comme le vôtre, est un honnête homme.
Madame Durand, ainsi que toute son équipe, vous remercie.
Le ministre, aussi bien que le président, a accepté l'invitation.

S'il y a une valeur d'addition, *comme, ainsi que, aussi bien que* peuvent être remplacés par *et*, et l'accord se fait au pluriel. Il n'y a pas de pause à l'oral ni de virgules à l'écrit.

Molière comme Corneille sont de grands écrivains.
Madame Durand ainsi que toute son équipe vous remercient.
Le ministre aussi bien que le président ont accepté l'invitation.

L'ACCORD AVEC UN TITRE D'ŒUVRE

On peut considérer qu'il n'y a en général que deux situations dans lesquelles on nomme un titre d'œuvre.
Ce peut être dans une phrase –on parle de l'œuvre– ou hors d'une phrase (dans une référence, à l'intérieur d'un autre titre, sur une couverture de livre...).

403 Le titre d'œuvre est dans une phrase

Plusieurs cas peuvent se présenter.

L'accord se fait au masculin singulier.
Le titre peut être repris par le pronom *ce* :

- quand le titre commence par une préposition ;
  À la recherche du temps perdu *a été écrit par Marcel Proust. C'est un roman.*
- quand le titre commence par un nom commun ou un groupe nominal sans article ;
  Impressions d'Afrique *a été écrit par Raymond Roussel.*
  Mais si on fait précéder le titre de l'œuvre de l'article défini *les*, l'ensemble commande l'accord au pluriel : *Les* Impressions d'Afrique *de R. Roussel m'ont beaucoup plu.*
- quand le titre est constitué de deux noms au singulier coordonnés ;
  Le Rouge et le Noir *est mon roman préféré.*
- quand le titre forme une phrase sans genre ni nombre marqué.
  Qu'elle était verte ma vallée *m'a beaucoup plu.*

L'accord se fait en genre et en nombre.
Le titre peut être repris par un pronom personnel variable :

- quand le titre de l'œuvre commence par un terme générique comme *mémoires fables, pensées, essais, études...*

  Les Essais *de Montaigne **sont** très **intéressants**. **Ils** m'ont **plu**.*

L'accord est facultatif mais le singulier est toujours possible, voire préférable :

- quand le titre forme une phrase avec un sujet pluriel.

  Les Oiseaux se cachent pour mourir ***ont** été **réalisés** par qui ?*
  Les Oiseaux se cachent pour mourir ***est repassé** à la télévision.*
  On sous-entend le film, le téléfilm.

Dans tous les autres cas, l'usage accepte les deux possibilités, mais comme il est toujours possible de sous-entendre le mot *roman, film, opéra...*, le singulier est préférable. Et cela permet de distinguer un titre du nom d'un personnage.

- Ainsi on préférera :

  Aïda *(l'opéra) **a été donné** à l'Opéra Bastille cet été.*
  *Aïda (l'héroïne) **a été** magistralement **interprétée**.*

404 Le titre d'œuvre est hors d'une phrase

L'accord se fait au masculin singulier :

- dans une référence ;

  Madame Bovary (**paru** en 1857)

- dans un autre titre, sur une couverture, une affiche...

  La Fleur du mal, *suivi de* Qui est criminelle ? *de Claude Chabrol*

LES MOTS SUR LESQUELS ON HÉSITE

405 Les mots *matin*, *midi* et *soir* et les noms de jours

Employés après un nom de jour, les mots ***matin***, ***midi***, ***après-midi***, ***soir*** sont invariables.

*tous les jeudis **matin** et les dimanches **soir*** (= les jeudis au matin, les dimanches au soir)

REMARQUE

Les noms de jours prennent la marque du pluriel : *tous les jeudis*. Mais on écrit : *les jeudi et vendredi de la semaine* (= il n'y a qu'un jeudi et qu'un vendredi dans la semaine).

406 Les mots employés comme adjectifs

Les noms employés comme adjectifs de couleur sont invariables. → 323
*des yeux **marron***

Les abréviations, les préfixes ou les éléments de formation des mots employés comme adjectifs sont invariables. → 321
*des bulletins **météo***
*des héros **super***

Les mots comme *nature, maison, limite*... s'accordent ou non selon les cas. → 327

407 Les formes verbales en *-ant* : participe présent invariable ou adjectif verbal variable ?

Le gérondif, participe présent précédé de *en*, est toujours invariable.
*Elle est arrivée **en courant, en dansant**.*

La forme en *-ant* est un participe présent invariable :

- s'il y a un sujet (exprimé ou non) ou un complément ; dans ce cas, on peut remplacer le participe présent par une forme conjuguée ;
  *Les chiens **obéissant** à leurs maîtres faisaient le guet.*
  On peut dire : Les chiens qui obéissaient à leurs maîtres faisaient le guet.
- si on peut l'encadrer avec la négation *ne... pas*.
  ***Croyant** pouvoir réussir, elle a continué.*
  On peut dire : Ne croyant pas pouvoir réussir, elle a abandonné.

La forme en *-ant* est un adjectif verbal qui s'accorde :

- si on peut l'employer comme attribut (après le verbe *être*) ;
  *des chiens **obéissants***
  = ces chiens sont obéissants
- si on peut lui substituer un autre adjectif ;
  *une jeune fille **croyante***
  = une jeune fille pieuse
- si on peut l'employer avec des adverbes comme *très*.
  *C'est une musique **dansante**.*
  On peut dire : une musique très dansante.

ATTENTION Quelquefois, adjectif verbal et participe présent n'ont pas la même orthographe tout en ayant la même prononciation. → 139

LE DICO DES MOTS DIFFICILES

Les numéros renvoient aux paragraphes des différentes parties.

A

adjurer v. (prier) ≠ **abjurer** (renoncer à sa foi) ▶ 172

admettre v. conjug. ▶ 253
- au conditionnel : *vous admet**triez***

ADVERBE
- l'~ en ***-ment*** ▶ 145
- l'adjectif employé comme ~ ▶ 317
- accord avec un ~ de quantité ▶ 393

aér(o)- ▶ 136-137

aéroport n.m. on prononce *a-éro* ▶ 136-137

af- ou **aff-** ? ▶ 37

affaire ou **à faire** ? ▶ 171

a fortiori sans accent ▶ 153

agapes n.f.plur. avec un seul ***p*** ▶ 56

agglomération n.f. avec ***gg*** ▶ 38

aggraver v. avec ***gg*** ≠ **agrandir**

agonir v. (couvrir d'injures) : *On l'agonissait d'injures.* ≠ **agoniser** (être à l'agonie) *Le malade agonisait.*

agrafe n.f. **agrafer** v. avec un seul ***f*** ▶ 37

agresser v. avec un seul ***g*** ▶ 38

agresseur n.m. sans féminin : *C'est elle l'agresseur.*

agripper v. avec un seul ***g*** et ***pp***

aguets n.m.plur. sans circonflexe

aide-mémoire n.m.inv. *des aide-mémoire* ▶ 293

aïeul, -e n. (grand-père, grand-mère) ; au pluriel : *aïeuls, aïeules* ≠ **aïeux** (ancêtres)

aigre-doux, aigre-douce adj. *des sauces aigres-douces* ▶ 294

aigu, aiguë adj. avec un tréma au féminin ▶ 77

aiguiller v. (diriger) ≠ **aiguillonner** (stimuler) ▶ 172

ailleurs adv.
- **d'ailleurs** en deux mots

aimer v. *j'aimer**ais*** ou *j'aimer**ai*** ? ▶ 182

aine n.f. sans circonflexe

aîné, -e adj. et n. avec ***î***

ainsi adv.
- accord avec **ainsi que** ▶ 402

air n.m.
- accord avec **avoir l'air** ▶ 315

alcôve n.f. avec ***ô***

alléger v. avec ***ll***
- **allégement** ou **allègement** n.m. ▶ 65-66

1. **aller** v. conjug. ▶ 207

2. **aller** n.m. *deux allers pour Paris* ▶ 261
- **aller-retour** : *deux allers-retours*

allocution n.f. (discours) ≠ **allocation** (somme d'argent) ▶ 172

alourdir v. avec un seul ***l*** ≠ **alléger**

amande n.f. (graine) ≠ **amende** (somme à payer) ▶ 171

amateur n. m. ou n. f. *Elle est amateur* ou *amatrice de...*

ambigu, -ë adj. avec un tréma au féminin ▶ 77

amende n.f. (somme à payer) ≠ **amande** (graine) ▶ 171

amer, -ère adj.

ammoniac n.m. avec ***mm*** ▶ 45

ammonite n.f. avec ***mm*** ▶ 45

amoral, -e, -aux adj. (sans morale) ≠ **immoral** (contraire à la morale)

amour n.m.
- genre ? ▶ 269

anagramme n.f. ***une*** *anagramme* ▶ 270

ancre n.f. (du bateau) ≠ **encre** (d'un stylo) ▶ 171

année-lumière n.f. *des années-lumière* (= de lumière) ▶ 292

anoblir v. (donner un titre de noblesse) ≠ **ennoblir** (donner un caractère noble) ▶ 172

-ant ou **-ent** ? ▶ 139-140

-anthrop(o)- ▶ 136-137

anti- préfixe ▶ 134

antiquité n.f. avec une majuscule pour la période historique ▶ 104

août n.m.

aparté n.m. ***un*** *aparté* ▶ 270

apercevoir v. conjug. ▸ 222
- accord du participe passé : *Elle s'est aperçue de...* ▸ 372

apogée n.m. avec ***ée*** ▸ 23

a posteriori sans accent ▸ 153

apostrophe ▸ 82

apparaître v. avec ***î*** devant *t* ; conjug. ▸ 250

apparemment adv. ▸ 145

appartenir v. [à] participe invariable : *ils se sont appartenu* ▸ 374

appeler v. avec ***l/ll*** : *appelle, appelons* ; conjug. ▸ 201

appuyer v. avec ***i*** devant un *e* muet : *appuie, il appuiera* ; conjug. ▸ 205

après-midi n.m. ou f. *un* ou *une après-midi* ▸ 269
- *tous les lundis après-midi* ▸ 405

a priori sans accent ▸ 153

arbitre n. *un* ou *une arbitre*

arc-en-ciel n.m. *des arcs-en-ciel* ▸ 294

arène n.f. avec ***è*** ▸ 63

aréopage n.m. on prononce *a-ré-o* ▸ 7

armistice n.m. ***un*** *armistice* ▸ 270

aromate n.m. sans circonflexe

arôme n.m. avec ***ô*** ▸ 72

arrière
- invariable ou variable ? ▸ 321

arriver v. *Ils sont arrivés.* ▸ 365

artichaut n.m. avec un ***t*** final

artisan n. m. ou n. f. *Elle est artisan* ou *artisane.*

assaillir v. se conjugue comme *cueillir*, sauf au futur et au conditionnel : *il assaillira(it)*, mais on rencontre aussi *assaillera(it)* sur le modèle de *cueillera(it)* ; conjug. ▸ 218

asseoir v. avec un ***e*** à l'infinitif seulement et deux conjugaisons ▸ 226

assujettir v. avec ***tt*** ; conjug. ▸ 208

astérisque n.m. ***un*** *astérisque* ▸ 270

asymétrie n.f. avec un seul ***s*** ≠ **dissymétrie**

athée adj. et n. avec ***ée***, même au masculin

atmosphère n.f. un seul ***h*** dans *sphère*

-atre ou **-âtre** ? ▸ 70

attendre v. conjug. ▸ 243
- **s'attendre à** : *Elle ne s'était pas attendue à...* ▸ 372

attendu participe employé seul ▸ 364

attirail n.m. *des attirails* ▸ 289

attraper v. avec ***tt*** et un seul ***p***

atypique adj. avec ***y*** comme dans *type*

aubergine n.f.
- adjectif de couleur invariable ▸ 323

auburn adj.inv. *des cheveux auburn*

aucun, -e
- ~ devant un nom pluriel ▸ 331

audio adj.inv. *des bandes audio* ▸ 321

augure n.m. *de bon augure*

au revoir n.m.inv. *des au revoir*

aussi bien que
- accord avec ~ ▸ 402

auteur n.m. et f. *une auteur(e)* ? ▸ 281-282

auto- préfixe ▸ 134

automne n.m. avec ***mn*** ▸ 32

autre
- **autre chose** ▸ 389
- **tout autre** ▸ 338

auxiliaire
- ~ dans la conjugaison ▸ 191
- ~ et accord du participe ▸ 360-362

à-valoir n.m.inv. *des à-valoir*

avant
- invariable ou variable ? ▸ 321

1. **avoir** v.
- conjug. ▸ 194

2. **avoir** n.m. *un avoir, des avoirs* ▸ 261

axiome n.m. sans circonflexe ▸ 72

ayant droit n.m. sans trait d'union : *des ayants droit*

-ayer
- verbes en *-ayer* ▸ 204

azimut n.m. *tous azimuts*

B

babouin n.m. avec ***-ouin*** ▸ 21

baby-sitter n. *des baby-sitters*

bail n.m. *un bail, des baux* ▶ 289

bal n.m. *des bals* ▶ 288

balade n.f. (promenade) avec un seul ***l*** ≠ **ballade** (poème, musique)

balayer v. avec ***y*** ou ***i***: *il bala**ye** ou bala**ie***; conjug. ▶ 204

balistique adj. et n.f. avec un seul ***l*** ≠ **balle**

ballade n.f. (poème, musique) avec ***ll*** ≠ **balade** (promenade)

ballotter v. avec ***tt*** ▶ 61

banal, -e adj. *des événements banals* ▶ 288

bancaire adj. avec ***c***

bancal, -e adj. *des meubles bancals* ▶ 288

bande n.f. *des bandes-annonces, des bandes-son, des bandes vidéo*
• accord avec **une bande de** ▶ 392

banderole n.f. avec un seul ***l*** ▶ 42

baptême n.m. avec ***ê***

barcarolle n.f. avec ***ll*** ▶ 43

barème n.m. sans circonflexe

barman n.m. *des barmans* ▶ 297

basilique n.f. (église) ≠ **basilic** n.m. (herbe)

bateau n.m. sans circonflexe ▶ 75
• le genre des noms de bateaux ▶ 268

bâton n.m. avec ***â***

battre v. *je bats, il bat*; conjug. ▶ 254
• au conditionnel: *vous bat**triez*** et non ~~*batteriez*~~

beau, belle adj.
• **bel** devant un nom masculin singulier commençant par une voyelle ou un *h* muet: *un bel homme*

beaucoup
• accord avec ~ *de* ▶ 393

bédouin, -e adj. et n. avec ***-ouin*** ▶ 21

bégaiement n.m. avec un ***e*** muet ▶ 31

bégayer v. avec ***y*** ou ***i***: *il béga**y**e ou béga**i**e* ▶ 204

beige adj. *des robes beiges*; *des robes beige clair* ▶ 324

bénin, bénigne adj. féminin avec ***-igne*** comme *malin, maligne*

bénit, e adj. *de l'eau béni**te*** ≠ *béni* (participe de *bénir*): *on l'a béni**e***

best-seller n.m. *des best-sellers*

bétail n.m. sing. ▶ 283

bi- préfixe ▶ 134

bibliographie n.f. (liste de textes) ≠ **biographie** (texte sur la vie de quelqu'un) ▶ 172

bibliothèque n.f. **bibliothécaire** n. avec ***c***

bien adj.inv. *Ils sont bien.*

bientôt adv. (dans peu de temps) en un mot ≠ **bien tôt** (très tôt)

bijou n.m. *des bijoux* ▶ 287

bio adj.inv. *des produits bio* ▶ 118

biographie n.f. (texte sur la vie d'une personne) ≠ **bibliographie** (liste d'œuvres, d'articles) ▶ 172

biscotte n.f. avec ***tt*** ▶ 60

bissectrice n.f. avec ***ss***

bissextile adj. avec ***ss***

blâme n.m. avec ***â***

blanc, blanche adj. *une robe blanche*; *une peinture blanc cassé* ▶ 324
• *une robe blanc et bleu* ▶ 325

blanchâtre adj. avec ***-âtre*** ▶ 70

blême adj. avec ***ê***

bleu, -e adj. *des yeux bleus, bleu clair, bleu-vert* ▶ 324

blond, -e adj. et n. *des cheveux blonds, blond doré* ▶ 324

bocal n.m. *des bocaux*

bœuf n.m. avec ***œu***

boire v. conjug. ▶ 236

boîte n.f. avec ***î***

boiter v. sans circonflexe

bon, bonne adj.
• **bon marché** ▶ 316

bonbon n.m. avec ***n*** devant *b* ▶ 18

bonbonne n.f. avec ***n*** devant *b* ▶ 18

bonbonnière n.f. avec ***n*** devant *b* ▶ 18

bonhomie n.f. avec un seul ***m*** ▶ 46

bonhomme n.m. et adj.
• au pluriel pour le nom : *des bonshommes* ou *des bonhommes*
• au pluriel pour l'adjectif : *bonhommes : des airs bonhommes*

bouger v. avec ***e*** devant *a* et *o* : *il boug**e**a, nous boug**e**ons* ▸ 197

bouillir v. *je bous, il bout* ; conjug. ▸ 215
• au futur : *bouill**i**ra*

bouillant, -e adj. *Elle est bouill**ante** de fièvre.* ≠ *Elle arrive, bouill**ant** d'impatience* (participe présent) ▸ 407

bouleau n.m. (arbre) ≠ **boulot** (travail)

boursoufler v. **boursouflure** n.f. avec un seul ***f*** ≠ **souffler**

bouteille n.f.
• *des pulls vert bouteille* ▸ 323

box n.m. (garage) ≠ **boxe** n.f. (sport)
• au pluriel : *des box* ou *des boxes* ? ▸ 297

bref, brève adj.

broyer v. avec ***y/i*** : *nous bro**y**ons, ils bro**i**ent* ; conjug. ▸ 205

bru n.f. sans *e* ▸ 24

brûler v. *Elle s'est brûl**ée** au doigt.* ▸ 373
• mais : *Elle s'est brûl**é** le doigt.* ▸ 375

brûlant, -e adj. *Elle est brûl**ante** de fièvre.* ≠ *Elle arrive, brûl**ant** de curiosité* (participe présent) ▸ 407

brun, -e adj. *des cheveux bruns, des cheveux brun foncé* ▸ 324

brut, -e adj. *une matière brute* ≠ **brut** adv. *gagner 1 000 euros brut*

brutal, -e, -aux adj. *un geste brutal, des gestes brutaux*

butoir n.m. *des dates butoirs* ▸ 327

butte n.f. *être en butte à* ≠ **but** n.m. (objectif)

C

ça ou **çà** ? ▸ 154

câble n.m. avec ***â***

cadre n.m. *des accords cadres, des lois-cadres* ▸ 327

caduc, caduque adj.

caducée n.m. avec ***-ée*** ▸ 23

cagnotte n.f. avec ***tt*** ▸ 60

cahot n.m. (secousse) ≠ **chaos** (désordre)

cahoteux, -euse adj. *un chemin cahoteux* (avec secousses) ≠ **chaotique** (désordonné) ▸ 172

caillou n.m. *des cailloux*

cal n.m. *des cals* ▸ 288

camaïeu n.m. *des camaïeu**s*** ou *des camaïeu**x*** ▸ 291

camée n.m. avec ***ée*** ▸ 23

camion n.m. *des camions-citernes*

camping-car n.m. *des camping-cars*

canal n.m. *des canaux*

canard n.m. *des pulls bleu canard* ▸ 323

cane n.f. (animal) ≠ **canne** (bâton) ▸ 171

cap n.m. *le cap Horn* ▸ 105
• **de pied en cap** (des pieds à la tête) ≠ **cape** n.f. (manteau)

caparaçonné, e adj. bien prononcer *ca-pa-ra* ; vient de *caparaçon* (housse de protection du cheval) et non de *carapace* ▸ 7

cape n.f. *un film de cape et d'épée* ≠ **cap** n.m.

caribou n.m. (renne du Canada) *des caribou**s*** ▸ 287

carmin n.m. et adj.inv. *des lèvres carmin* ▸ 323

carnaval n.m. *des carnavals* ▸ 288

carotte n.f. avec ***tt***
• adjectif de couleur invariable : *des cheveux carotte* ▸ 323

carriole n.f. avec ***rr*** et un seul ***l*** ▸ 42

carrosse n.m. avec ***rr***

casserole n.f. avec un seul ***l*** ▸ 42

casse-tête n.m.inv. *des casse-tête*

caténaire n.f. ***une** caténaire*

cauchemar n.m. sans *d* final

ce ou **se** ? ▸ 155

céder v. avec ***é/è*** : *c**è**de, c**é**dons* ; conjug. ▸ 202

cédille ▸ 76

censé, -e adj. (supposé) ≠ **sensé** (qui a du bon sens)

cent adj. numéral
- avec ou sans **s** au pluriel ? ▶ 339
- liaison avec ~ ▶ 8

centaine n.f. *par centaines*
- accord avec **une centaine de** ▶ 395

centre-ville n.m. *des centres-villes*

cep n.m. (pied de vigne) ≠ **cèpe** (champignon) ▶ 171

cercueil n.m. avec ***-ueil*** ▶ 20

cérémonial n.m. *des cérémonials* ▶ 288

cerfeuil n.m. avec ***-euil*** ▶ 20

cerf-volant n.m. *des cerfs-volants*

cerne n.m. ***un*** *cerne*

certains, certaines
- accord avec ~ *d'entre nous* ▶ 386

ces ou **ses** ? ▶ 156

cessez-le-feu n.m. inv. avec ***ez*** ▶ 293

cession n.f. (de céder) ≠ **session** (séance) ▶ 171

c'est
- **c'est** ou **ce sont** ? ▶ 354
- accord avec *c'est moi, toi... qui* ▶ 346

c'est-à-dire avec des traits d'union

chacal n.m. *des chacals* ▶ 288

chacun, -e
- accord avec ~ ▶ 388

chair n.f. (corps) ≠ **chaire** (tribune) ≠ **chère** (nourriture)
- adjectif de couleur invariable : *des collants chair* ▶ 323

champignon n.m. *des villes champignons* ▶ 327

chandail n.m. *des chandails*

chaos n.m. (désordre) ≠ **cahot** (secousse) ▶ 171
- **chaotique** adj. ≠ **cahoteux**

chape n.f. avec un seul ***p*** ▶ 56

chapitre n.m. sans circonflexe ▶ 75

chaque adj. indéfini
- *Chaque garçon et chaque fille* ***aura*** *son livre.*

chariot n.m. avec un seul ***r*** ≠ **charrette** avec ***rr*** ▶ 57

charnière n.f. *des périodes charnières* ▶ 327

charrette n.f. avec ***rr***

chas n.m. (d'une aiguille) avec ***s*** ≠ **chat** (animal)

chassé-croisé n.m. *des chassés-croisés*

chasse-neige n.m. *des chasse-neige*

châssis n.m. avec ***â***

châtaignier n.m. avec ***-ier***

châtain adj. invariable en genre : *elles sont* ***châtains***
- *des cheveux châtains, châtain clair* ▶ 324

château fort n.m. sans trait d'union : *des châteaux forts*

chaud, -e adj. **chaud** adv. ▶ 317

chausse-trape ou **chausse-trappe** n.f. avec ***p*** ou ***pp*** ▶ 56

chef-d'œuvre n.m. *des chefs-d'œuvre*

chef-lieu n.m. *des chefs-lieux*

chenal n.m. *des chen**aux*** ▶ 288

chèque n.m. *des chèques-cadeaux, des chèques-restaurant* ▶ 327

cher, chère adj. **cher** adv. ▶ 317

chère n.f. (nourriture) *aimer la bonne chère* ≠ **chair** (corps) ≠ **chaire** (tribune)

cheval n.m. *des chev**aux*** ▶ 288

chevreuil n.m. avec ***-euil*** ▶ 20

chic adj. invariable en genre : *une fille chic* ▶ 318

choc n.m. *des mesures chocs* ▶ 327

chœur n.m. *en chœur* (ensemble) ≠ **cœur** (organe) ▶ 171

chose n.f.
- **autre chose, pas grand-chose, quelque chose** sont du masculin singulier ▶ 389

chromosome n.m. sans circonflexe

-ci ▶ 84

ciel n.m. a deux pluriels : *cieux* dans les emplois religieux ou poétiques et *ciels* dans les emplois techniques : *des ciels de lit, les ciels d'un peintre*
- adjectif de couleur invariable ▶ 323

ci-inclus, ci-joint, ci-annexé ▸ 364

cime n.f. sans circonflexe

ciné-club n.m. *des ciné-clubs*

cinéphile n. avec ***-phile*** (qui aime) ▸ 136-137

cinquantaine n.f.
• accord avec **une cinquantaine de** ▸ 395

CIRCONFLEXE
• avec ou sans accent ~ ? ▸ 70-75

circonlocution n.f. (détour en paroles) ≠ **circonvolution** (cercle) ▸ 172

circonscrire v. conjug. ▸ 241
• *Cet incendie est circonscrit.* ≠ *Ce garçon est circoncis.*

CITATIONS
• présentation des citations ▸ 102

citron n.m.
• adjectif de couleur invariable ▸ 323

civilisation n.f. *les civilisations grecque et romaine* ▸ 314

clair, -e adj. *des yeux clairs, bleu clair* ▸ 324
• ~ est invariable comme adverbe : *ils voient clair*

classicisme n.m. avec ***ss*** puis ***c*** comme dans *classique*

clé ou **clef** n.f. avec ou sans trait d'union : *des postes clés, des mots-clés* ▸ 327

clin d'œil n.m. *des clins d'œil*

cloître n.m. avec ***î***

clôturer v. avec ***ô***

clou n.m. *des clous*

co- préfixe ▸ 134

coach n. *des coachs* ▸ 297

coasser v. *La grenouille coasse.* ≠ **croasser** (pour le corbeau) ▸ 172

COD
• comment trouver le COD ? ▸ 368

cœur n.m. ≠ **chœur**

coïncidence n.f. avec ***ï***

COLLECTIF
• accord avec un collectif ▸ 392

collision n.f. (choc) ≠ **collusion** (entente secrète) ▸ 172

côlon n.m. (partie de l'intestin) avec ***ô*** ≠ **colon** (membre d'une colonie)

combattre v. **combattant** n.m. avec ***tt*** ≠ **combatif, -ive** adj. **combativité** n.f. avec un seul ***t***
• ce point fait partie des propositions de rectifications orthographiques ▸ **p. 315**
• au conditionnel : *vous combat**triez*** et non ~~*combatteriez*~~ ; conjug. ▸ 254

combien adv.
• singulier ou pluriel après ~ ? ▸ 284
• accord avec ~ ▸ 393

comme
• accord du verbe avec ~ ▸ 402

commencer v. avec ***c/ç*** : *commence, commen**ç**ons* ▸ 197

commettre v. conjug. ▸ 253
• au conditionnel : *vous commet**triez*** et non ~~*commeteriez*~~

communicant, -e adj. avec un ***c*** ▸ 139

comparaître v. avec ***î*** devant un *t* : *il compara**î**t* ▸ 250

compatir v. sans circonflexe ≠ **pâtir**

complaire (se) v. pron. avec ***î*** devant un *t* : *il se compla**î**t* ▸ 68 et 234
• participe passé invariable : *ils se sont complu à* ▸ 374

compléter v. avec ***é/è*** : *compl**è**te, compl**é**tons* ▸ 202

compréhensible adj. (qu'on peut comprendre) ≠ **compréhensif, -ive** (qui comprend) ▸ 172

comprendre v. conjug. ▸ 244

compris, -e adj.
• **y compris, non compris** ▸ 364

compromettre v. conjug. ▸ 253
• au conditionnel : *vous compromet**triez***

COMPTABLE OU NON COMPTABLE ? ▸ 284

compte n.m. (calcul) ≠ **conte** (récit) ≠ **comte** (titre de noblesse)
• **se rendre compte** : *Elle s'est rend**u** compte de son erreur.* ▸ 381

comptine n.f. avec ***mpt*** (de *compter*)

comte n.m. **comtesse** n.f. avec ***mt*** ≠ **compte** ou **conte**

concerter (se) v.pron. *Ils se sont concertés.*

concessionnaire n. avec ***nn*** ▸ 47

concevoir v. *je conçois*; conjug. ▸ 222

conclure v. *il conclut, affaire conclue*; conjug. ▸ 257
- au futur: *il concl**ura*** (sans *e*)
- au passé simple: *ils concl**urent*** et non ~~concluèrent~~

concomitant, -e adj. avec un seul ***m***

concurrence n.f. avec ***rr***

condamner v. avec ***mm*** qui se prononce *-n-* ▸ 32

condescendant, -e adj. avec ***sc*** comme dans *descendre*

condisciple n. avec ***sc*** comme dans *disciple*

condoléances n.f. plur.

conduire v. conjug. ▸ 237

cône n.m. avec ***ô*** qui disparaît dans les mots de la famille: *conique, conifère*

confessionnal n.m. avec ***nn*** ▸ 49
- *des confessionn**aux*** ▸ 288

confidence n.f., **confidentiel, -elle** adj. avec ***-tiel***

confondre v. *je confonds, il confond*; conjug. ▸ 243

congrès n.m. avec ***ès*** ▸ 63

conifère n.m. **conique** adj. sans circonflexe ≠ **cône**

conjecture n.f. (supposition) *se perdre en conjectures* ≠ **conjoncture** (situation d'ensemble) ▸ 172

conjugal, -e, -aux adj. *des problèmes conjugaux*

conjuguer v. avec ***gu,*** même devant *a* et *o*: *nous conjug**u**ons* ▸ 197
- **conjugaison** n.f. sans *u* après le *g*

connaître v. avec ***î*** devant un *t*: *il connaît*; conjug. ▸ 250

connexion n.f. avec ***x*** ≠ du mot anglais *connection*

connoter v. **connotation** n.f. avec ***nn***

conquérir v. conjug. ▸ 214

consonance n.f. avec un seul ***n*** comme *disso**n**ance* et *réso**n**ance* ≠ **consonne**

construire v. conjug. ▸ 237

conte n.m. (récit) ≠ avec ***n*** comme dans *raconter* ≠ **compte** ≠ **comte**

contenir v. conjug. ▸ 210

content n.m. *avoir son content de* ≠ **comptant** (payer comptant)

contigu, -ë adj. avec un tréma au féminin ▸ 77

continuer v. au futur: *il continu**e**ra*; conjug. ▸ 198

contraindre v. *je contrains, il contraint*; conjug. ▸ 245

contredire v. *vous contredisez*; conjug. ▸ 239

contrôle n.m. **contrôler** v. avec ***ô***

convaincant, -e adj. avec ***c*** ≠ *convainquant* (participe présent invariable) ▸ 407

convaincre v. *je convaincs, il convainc*; conjug. ▸ 258

convenir v. conjug. ▸ 210
- se conjugue avec *avoir* en langue courante: *nous avons convenu de*; avec *être* en langue plus recherchée: *nous sommes convenus de*

convergent, -e adj. avec ***-gent*** ≠ *convergeant* (participe présent invariable) ▸ 139

copier v. au futur: *il copi**e**ra* ▸ 198
- à l'imparfait et au subjonctif: *(que) nous copi**i**ons*

cor n.m. *un cor de chasse* ≠ **corps**
- **à cor et à cri**

corail n.m. *un corail, des coraux* ▸ 289
- adjectif de couleur invariable: *des pulls corail* ▸ 323

corolle n.f. avec un seul ***r*** et ***ll*** ▸ 42

correspondre v. [à, avec] *je corresponds, il correspond*; conjug. ▸ 243
- participe passé invariable ▸ 361

cote n.f. (niveau) sans circonflexe ≠ **côte** avec ***ô*** (os, pente ou rivage)

côté n.m. avec ***ô***
- *de tout côté* ou *de tous côtés*

coteau n.m. sans circonflexe

coudre v. *je couds, il coud* ; conjug. ▶248

couleur n.f. *des crayons de couleur* ; *des photos couleur* ▶327
- accord des adjectifs de ~ ▶322-325

coup n.m. *des coups de pied* ; *un coup de ciseaux* ; *un coup de dés*
- On écrit sans trait d'union *tout à coup.*

COUPURES DE MOTS
- Comment couper un mot en fin de ligne ? ▶103

cour n.f. (espace) ≠ **cours** (d'eau) ≠ **court** (de tennis)

courir v. avec un seul ***r***
- conjug. ▶212
- au futur : *il cou**rr**a*

cours n.m. avec un ***s*** : *un cours d'eau* ; *avoir cours* ≠ **cour** ≠ **court**

1. **court** n.m. avec ***t*** : *des courts de tennis*

2. **court, -e** adj. **court** adv. *des cheveux coupés cour**t*** ▶317

court-circuit n.m. *des courts-circuits*

coût n.m. **coûter** v. avec ***û***
- accord du participe passé ▶370

craindre v. *je crains, il craint* ; conjug. ▶245

crâne n.m. avec ***â***

créer v. conjug. ▶198
- au futur : *il cré**e**ra*
- au participe passé féminin : *cré**ée***

crème n.f.
- adjectif de couleur invariable : *des gants crème* ▶323

crémerie ou **crèmerie** n.f. avec ***é*** ou ***è*** ▶66

créneau n.m. avec ***é***

crêpe n.m. et n.f. avec ***ê***

crépu, -e adj. avec ***é*** : *des cheveux cr**é**pus*

crier v. conjug. ▶198
- au futur : *il cri**e**ra*
- à l'imparfait : *nous cri**i**ons*

cristal n.m. *un cristal, des cristaux*

croasser v. *Le corbeau croasse.* ≠ **coasser** (pour la grenouille)

croire v. conjug. ▶235
- *les choses que j'ai cru**es*** ▶367
- *les choses auxquelles j'ai cr**u*** ▶361
- *les choses que j'ai cr**u** devoir faire* ▶379
- *les choses que j'ai cr**u** utile (de faire)* ▶380

croître v. conjug. ▶252
- *crû, crue, crus, crues*

cru n.m. sans circonflexe : *un cru du Beaujolais* ≠ **crû** (du verbe *croître*)

crue n.f. sans circonflexe : *des fleuves en crue*

crûment adv. avec ***û***

cueillir v. avec ***-ueil*** ▶20
- conjug. ▶218
- à l'impératif : *cueill**e**, cueille**s**-en* ▶184
- accord du participe passé avec *en* ▶382

cuillère ou **cuiller** n.f.

cuire v. conjug. ▶237

culte n.m. *des films(-)cultes* ▶327

cultuel, -elle adj. (relatif à un culte) *des édifices cultuels* ≠ **culturel** (de la culture) ▶172

cyprès n.m. (arbre) avec ***ès*** ▶64

d'abord en deux mots ▶127

daim n.m. avec ***aim*** comme *faim* et *essaim* ▶17

damner v. avec ***mn*** qui se prononce *-n-* ▶32

dangerosité n.f. avec ***osité*** ▶147

date n.f. (moment) ≠ **datte** (fruit)

DATE
- Comment écrire la date ? ▶115

d'aucuns ▶331

davantage adv. en un mot ▶157

de prép.
- singulier ou pluriel après ~ ▶302

dé- ou **des-** ? ▶134

debout adv. *Ils sont debout. Des places debout.*

deçà adv. avec ***à***

décade n.f. (période de dix jours) ≠ **décennie** (dix ans)

décès n.m. avec ***ès*** ▶ 63

décevoir v. conjug. ▶ 222

de-ci de-là loc.adv.

décidément adv.

découler [de] v. participe passé invariable

décrire v. conjug. ▶ 241

décroître v. conjug. ▶ 252

décrue n.f. sans circonflexe

dédire (se) v.pron. se conjugue comme *dire*, sauf : *vous vous dédisez* ▶ 239

défaillir v. se conjugue comme *cueillir*, sauf au futur et au conditionnel : *il défaill**ira(it)*** ▶ 218

défaire v. *vous défaites* et non ~~*défaisez*~~ ; conjug. ▶ 232

défendre v. *je défends, il défend* ▶ 243
- *Elle s'est défendu**e** contre...* ▶ 373
- *Elle s'est défend**u** de...* ▶ 375

déflagration n.f. avec ***fla*** et non *fra* ▶ 7

dégât n.m. avec ***â***

dégingandé, -e adj. (grand et maigre) ; le premier ***g*** se prononce *-j-*

dégoûter v. avec ***û*** comme dans *goût*

dégoutter v. avec ***tt*** comme dans *goutte*

dégrafer v. avec ***f*** comme dans *agrafe*

déjà adv. avec ***à***

déjeuner v. et n.m. sans circonflexe ≠ **jeûner**

delà
- **au-delà** et **par-delà** avec des traits d'union

délacer v. (défaire les lacets) ≠ **délasser** (reposer)

délai n.m. sans ***s*** au singulier ≠ **relais**

délasser v. (reposer ; de *las, lasse*) ≠ **délacer** (défaire les lacets)

demander v.
- à l'impératif : *demand**e** du pain, demand**es**-en* ▶ 184
- *Elle s'est demand**é** si...* ▶ 375

d'emblée adv. en deux mots

demi- préfixe ▶ 134
- **et demi** ▶ 317

dénoter v. avec un seul ***n*** ≠ **connoter**

dénouement n.m. avec un ***e*** muet ▶ 31

dénuement n.m. avec un ***e*** muet ▶ 31

départir (se) v.pron. conjug. ▶ 208
- *Elle ne s'est pas departi**e** de...*

dépens n.m.plur. avec ***ens,*** comme dans *dépenser*

déplaire v. [à] avec ***î*** devant *t* ▶ 68
- conjug. ▶ 234
- participe invariable ▶ 361

dépôt n.m. avec ***ô***

déroger v. [à] avec ***e*** devant *a* et *o* ; conjug. ▶ 197

dès prép. avec ***è*** ▶ 63

dés- ▶ 134

désappointé, -e adj. avec ***pp***

désarroi n.m. avec ***rr***

descendre v. conjug. ▶ 243

désespérer v. avec ***é/è*** ; conjug. ▶ 202

desiderata n.m.plur. mot latin : *des desiderata*

design n.m. mot anglais sans accent
- invariable comme adjectif : *des meubles design*

dessaisir v. avec ***ss*** comme *ressaisir*

dessaler v. avec ***ss*** ≠ **resaler**

dessein n.m. (but) ≠ **dessin** (croquis) ▶ 171

dessécher v. avec ***ss*** ▶ 58

desserrer v. avec ***ss*** comme dans *resserrer*

desservir v. avec ***ss*** comme dans *resservir*

dessin n.m. (croquis) ≠ **dessein** (but) ▶ 171

dessous :
- **en dessous**, sans trait d'union
- **au-dessous, ci-dessous, là-dessous, par-dessous** avec un trait d'union ▶ 84

dessus :
- **au-dessus, ci-dessus, là-dessus, par-dessus** avec un trait d'union ▶ 84

détoner v. (exploser) avec un seul ***n*** ≠ **détonner** (manquer d'harmonie)

détruire v. conjug. ▶ 237

devant:
• **au-devant, par-devant** avec un trait d'union ▶ 84

devenir v. conjug. ▶ 210
• *Marie est devenu**e** avocate.*

devoir v. conjug. ▶ 223
• *les sommes **dues*** ▶ 363
• *les sommes qu'il a **dû** rembourser* ▶ 379

diagnostic n.m. *un diagnostic* ≠ **diagnostique** adj. *des signes diagnostiques*

différend n.m. (désaccord) ≠ **différent** (pas pareil) ▶ 171

difforme adj. avec ***ff***

digérer v. avec ***é/è***: *dig**è**re, dig**é**rons* ▶ 202

digression n.f. sans *s* avant le *g*

dilemme n.m. avec ***mm*** ▶ 7

dire v. *vous dites*; conjug. ▶ 238
• accord du participe passé:
– *la chose que j'ai **dite*** ▶ 367
– *la chose que je lui ai **dit** de faire* ▶ 379
– *elle s'est **dit** que...* ▶ 375
– *elle s'est **dite** désolée* ▶ 373

dirigeant, -e adj. et n. avec ***ea***

dis- ou **dys-** ▶ 134

disgrâce n.f. avec ***â,*** comme dans *grâce*
• **disgracieux, -ieuse** adj. sans circonflexe, comme dans *gracieux*

disparaître v. avec ***î*** devant un *t*; conjug. ▶ 250

dissonant, -e adj. avec un seul ***n*** ▶ 55

dissoudre v. se conjugue comme *résoudre,* sauf au participe passé: *dissous, dissout* ▶ 247

dissymétrie n.f. (défaut de symétrie) avec ***ss*** ≠ **asymétrie** avec ***s***

distinct, -e adj. avec ***ct*** qui ne se prononce pas au masculin

distraire v. conjug. ▶ 233

dithyrambique adj. avec ***thy***

divergent, -e adj. avec ***-gent***: *des opinions divergentes ≠ divergeant* (participe présent invariable) ▶ 139

dizaine n.f.
• accord avec **une dizaine de** ▶ 395

doigt n.m. avec ***gt***

dôme n.m. avec ***ô***

donation n.f. avec un seul ***n*** ≠ **donner** ▶ 55

donner v.
• à l'impératif: *donn**e** les cartes, donne**s**-en deux* ▶ 184
• accord du participe passé
– *les choses qu'on a donn**ées*** ▶ 367 et 369
– *celles qu'on a donn**é** à faire* ▶ 378
– *elle s'est donn**é** de la peine* ▶ 375
– *elle s'est donn**ée** à son travail* ▶ 373
• **étant donné** ▶ 364

dormir v. conjug. ▶ 211

douceâtre adj. avec ***eâ***

douter v. [de] participe passé invariable: *des faits dont ils ont dout**é*** ▶ 361
• **se douter de, que** participe passé variable: *elle s'est dout**ée** que..., elle s'en est dout**ée*** ▶ 372

doux-amer, douce-amère adj. *des fruits doux-amers, des paroles douces-amères*

douzaine n.f.
• accord avec **une douzaine de** ▶ 395

drainer v. sans circonflexe

drap-housse n.m. *des draps-housses*

dû, due adj. avec ***û*** au seul masculin singulier: *le loyer d**û**, les loyers dus*
• accord du participe ▶ 379

duché n.m. sans circonflexe

dûment adv. avec ***û***: *Il a été dûment informé de ses droits.*

duplicata n.m. avec ou sans ***s*** au pluriel: *des duplicata(s)* ▶ 296

durer v. participe invariable ▶ 370

dys- ▶ 134

dysfonctionnement n.m. avec ***y***

E

e muet ▶ 31

échalote n.f. avec un seul ***t*** ▶ 60

échanger v. avec ***e*** devant *a* et *o*: *il échang**e**ait, nous échang**e**ons* ▸ 197
• *ils se sont échang**é** des images; les images qu'ils se sont échang**ées*** ▸ 375

échappatoire n.f. ***une*** *échappatoire* ▸ 270

écho n.m. (son) ≠ **écot** (quote-part)

échouer v. au futur et au conditionnel: *il échou**e**ra(it)* ▸ 198

éclair n.m. *des voyages éclair(s)*

écœurer v. avec ***œ*** comme dans *cœur*

écot n.m. (quote-part) *payer son écot* ≠ **écho** (son)

écouter v.
• à l'impératif: *écout**e** ce disque, écoute**s**-en d'autres* ▸ 184
• *Je les ai écout**és** chanter.* ▸ 376

écran n.m. *des sociétés-écrans*

écrier (s') v.pron. *Elle s'est écri**ée**...* ▸ 372

écrire v. conjug. ▸ 241
• accord du participe passé:
– *la lettre que j'ai écri**te*** ▸ 367
– *elle s'est écri**t** une lettre; la lettre qu'elle s'est écri**te*** ▸ 375

écritoire n.f. ***une*** *écritoire* ▸ 270

écueil n.m. avec ***ueil*** ▸ 20

effacer v. avec ***ç*** devant *a* et *o*: *il effaçait, nous effaçons* ▸ 197

effectuer v. au futur et au conditionnel: *il effectu**e**ra(it)* ▸ 198

effleurer v. (toucher à peine) ≠ **affleurer** (apparaître à la surface) ▸ 172

effluve n.m. *des effluves enivrants*

effraction n.f. *entrer par effraction* ≠ **infraction** (manquement à une loi) ▸ 172

effrayer v. avec ***y*** ou ***i***: *il m'effra**i**e* ou *effra**y**e*; conjug. ▸ 204

égal, -e, -aux adj. et n.
• **à l'égal de, d'égal à égal, n'avoir d'égal que, sans égal**; accord ▸ 316

égaler v. *3 plus 3 égal**e** 6*

égoïste adj. et n. avec ***ï***

égout n.m. sans circonflexe

égoutter v. **égouttoir** n.m. avec ***tt,*** comme dans *goutte*

eh interj. *Eh bien !*

-èlement ou **-ellement**? ▸ 143

élever v. avec ***e/è***: *nous él**e**vons, ils él**è**vent*; conjug. ▸ 200

élire v. conjug. ▸ 240
• au passé simple: *ils él**u**rent* et non ~~*élirent*~~

ÉLISION
• apostrophe et élision ▸ 80-82

élocution n.f. (manière de prononcer) ≠ **allocution** (discours) ▸ 172

email n.m. *des émails* ou *des émaux*

emblée (d') adv.

emblème n.m. avec ***è***

emboîter v. avec ***î,*** comme dans *boîte*

embonpoint n.m. avec ***m*** devant *b*, mais avec ***n*** devant *p* ▸ 18

émettre v. conjug. ▸ 253
• au conditionnel: *vous émet**triez***

émeu n.m. *des émeu**s*** ▸ 291

émigrer v. (quitter son pays) ≠ **immigrer** (s'installer dans un pays) ▸ 172

éminent, -e adj. (remarquable) ≠ **imminent** (sur le point d'arriver) ▸ 172

emmitouflé, -e adj. avec ***mm*** et un seul ***f*** ▸ 37

émouvoir v. conjug. ▸ 225

emparer (s') v.pron. *Ils se sont empar**és** de la ville.* ▸ 372

employer v. avec ***i*** devant un *e* muet: *il emplo**i**e, il emplo**i**era* ▸ 205

empreint, -e adj. **empreinte** avec ***ein***
• *le visage empreint de douleur* (marqué par) ≠ **emprunt** n.m. (de *emprunter*)

empresser (s') v.pron. *Elle s'est empress**ée** de...* ▸ 372

en pron.
• avec un trait d'union après un verbe à l'impératif: *prends-en* ▸ 87
• accord du participe passé avec ~ ▸ 382

encablure n.f. sans circonflexe ≠ **câble**

encens n.m. **encenser** v. avec ***c***

encéphale n.m. ***un*** *encéphale* ▸ 270
-endre ou **-andre** ? ▸ 19
enfreindre v. conjug. ▸ 245
enfuir (s') v.pron. conjug. ▸ 216
• *Elle s'est enfui**e**.* ▸ 372
enlever v. avec ***e*/*è***: *nous enl**e**vons, ils enl**è**vent* ▸ 200
ennoblir v. se prononce *en-noblir*: *Le courage ennoblit.* ≠ **anoblir** (donner un titre de noblesse) ▸ 172
ennuyer v. avec ***i*** devant un *e* muet: *il s'ennuiera* ▸ 205
ensemble adv. est invariable: *Restons ensemble.*
entendre v. conjug. ▸ 243
• accord du participe *entendu* suivi de l'infinitif ▸ 376
entier, -ière adj.
• **tout entier** ▸ 338
entrefaites (sur ces) n.f.plur. sans circonflexe
entremets n.m. avec ***ts,*** comme dans *mets*
entrepôt n.m. avec ***ô***
envi (à l') loc.adv. (à qui mieux mieux) sans *e* ≠ **envie** n.f. (désir)
environ adv. (à peu près) sans *s*, invariable. *Cela coûte environ 50 euros.* ≠ **environs** n.m.plur. (parages)
envoyer v. conjug. ▸ 206
• *Ils se sont envoy**é** des lettres; les lettres qu'ils se sont envoy**ées*** ▸ 375
épandre v. avec ***an*** ▸ 19
• conjug. ▸ 243
épeler v. avec ***l*/*ll***: *nous épe**l**ons, ils épe**ll**ent* ▸ 201
épithète n.f. ***une*** *épithète* ▸ 270
épître n.f. (lettre) avec ***î***
épouvantail n.m. *des épouvantails*
équivalent, -e adj. et n.m. avec ***ent*** ≠ *équivalant* (participe présent invariable) ▸ 139
équivaloir v. conjug. ▸ 229
érafler v. avec un seul ***f*** ▸ 37
ermite n.m. sans *h*: *vivre en ermite*
erratum n.m. *un erratum, des errata* ▸ 296
éruption n.f. *un volcan en éruption* ≠ **irruption** (entrée brutale) ▸ 172
escient (à bon, à mauvais) avec ***sc,*** comme dans *science*
espérer v. avec ***é*/*è***: *nous esp**é**rons, ils esp**è**rent* ▸ 202
essaim n.m. avec ***aim*** comme dans *faim* et *daim* ▸ 17
essayer v. avec ***y*** ou ***i***: *il essa**i**e* ou *essa**y**e*; conjug. ▸ 204
essouffler v. avec ***ff*** comme dans *souffle*
essuie-glace n.m. *des essuie-glaces*
essuie-mains n.m.inv. *des essuie-mains*
essuyer v. avec ***y*/*i***: *nous essu**y**ons, ils essu**i**ent*; conjug. ▸ 205
est n.m. ▸ 107
est-ce que avec un seul trait d'union
étal n.m. *les étals du marché* ▸ 288
étale adj. avec ***e.*** *L'océan est étale.*
étant donné: *étant donn**é** les circonstances* ▸ 364
etc. ▸ 7
éteindre v. *j'éteins, il éteint*; conjug. ▸ 245
étendre v. *j'étends, il étend*; conjug. ▸ 243
éthique adj. et n.f. (moral) avec ***h*** ≠ **étique** (très maigre)
étinceler v. avec ***l*/*ll***: *il étince**l**ait, ils étince**ll**ent* ▸ 201
étique adj. (maigre) ≠ **éthique** (moral)
être v. conjug. ▸ 195
• accord du participe passé avec ~ ▸ 365-366
étymologie n.f. sans *h*
-euil ou **-ueil** ? ▸ 20
eu, eue participe passé
• *les dossiers qu'il a **eus***; mais *les dossiers qu'il a **eu** à traiter* ▸ 378
euro- préfixe ▸ 134
eut ou **eût** ? ▸ 68
événement ou **évènement** n.m. ▸ 66

évidemment adv. ▶145

évoquer v. *évoquer un souvenir* ≠ **invoquer** (en appeler à) ▶172

ex æquo ou **ex aequo** inv. *Ils sont ex aequo.*

excepté : *excepté ma sœur, ma sœur exceptée* ▶364

excès n.m. avec **è** : *un excès de vitesse* ≠ **accès** (poussée subite) ▶172

exclure v. conjug. ▶257
- au passé simple : *ils exclurent* et non ~~*excluèrent*~~
- au futur : *il exclura* (sans *e*)

exempt, -e adj. **exempter** v.

exhaler v. avec ***h***, comme dans *inhaler* et *haleine*

exhumer v. avec ***h*** comme *inhumer*

exiger v. avec ***e*** devant *a* ou *o* : *exig**e**ant, exig**e**ons* ▶197
- **exigeant, -e** adj. avec ***eant***
- **exigence** n.f. avec ***en***

exigu, -ë adj. avec un tréma au féminin ▶77
- **exiguïté** n.f.

existence n.f. **existentiel, -elle** adj. avec ***tiel*** ▶149

exorbité, -e adj. sans *h* : *les yeux exorbités* (sortis de leur *orbite*)

expansion n.f. (développement, progrès) ≠ **extension** (du verbe *étendre*) ▶172

1. **exprès** adv. sans prononcer le *s* : *Il l'a fait exprès.*

2. **exprès, expresse** adj. en prononçant le *s* : *un ordre exprès* (formel, absolu) ; *une défense expresse* ≠ **express** (rapide)

express adj. et n.m. *une voie express* (rapide)

extension n.f. *des mouvements d'extension* ≠ **expansion** (progrès) ▶172

1. **extra** n.m. *faire des extras*

2. **extra** adj.inv. *des fruits extra* ▶321

extraire v. conjug. ▶233

extrême adj. avec ***ê***
- **extrémité** n.f. avec ***é***

F

face-à-face n.m.inv. *des face-à-face* ▶293

faction n.f. (groupe ou garde) *des hommes en faction* ≠ **fraction** (division, partie) ▶172

faillir v. *j'ai **failli** tomb**er*** (toujours suivi de l'infinitif)

faim n.f. avec ***aim,*** comme *daim* et *essaim* ▶17

faire v. conjug. ▶232
- *(vous) faites* sans circonflexe
- *la robe qu'elle s'est **faite*** ▶375
- *la robe qu'elle s'est **fait** faire* ▶377
- **à faire** ou **affaire** ? ▶171

faire-part n.m.inv. *des faire-part*

faisable adj. avec ***ai*** qu'on prononce *-e-*

faisan n.m. avec ***ai*** qu'on prononce *-e-*

fait n.m.
- **fait divers** sans trait d'union : *des faits divers*
- **tout à fait** est invariable et s'écrit sans trait d'union

faîte n.m. avec ***î*** (sommet) *le faîte d'un arbre* ≠ *faites* (de faire)

falloir v. impersonnel conjug. ▶230
- *il **faut** mang**er*** (toujours suivi de l'infinitif)
- *il **faut** que **j'aie**, qu'il **ait*** (toujours suivi du subjonctif)

FAMILLES DE MOTS ▶139-150

fantaisie n.f. *des bijoux fantaisie* ▶327

fantôme n.m. avec ***ô***
- **fantomatique** adj. sans circonflexe

faon n.m. avec ***aon*** prononcé *-an-*, comme dans *paon* et *taon* ▶16

fatal, -e adj. *Ces évènements lui seront fatals.* ▶288

fatigant, -e adj. sans *u* : *un travail fati**gant*** ≠ *en se fati**guant*** (participe présent invariable) ▶139

fatiguer v. avec ***gu***, même devant *a* et *o* : *il fati**gu**ait, nous fati**gu**ons* ▶197

faute n.f.
- *sans faute* ou *sans fautes*? ▶ 304

favori, -ite adj. sans *t* au masculin

féerie n.f. **féerique** adj. avec un seul ***é***, comme dans *fée*

feindre v. conjug. ▶ 245

FÉMININ
- masculin ou féminin? ▶ 270
- le féminin des noms et adjectifs ▶ 273-280
- le féminin des noms de métiers ▶ 281-282

femme n.f. avec un ***e*** qu'on prononce *-a-*

ferré, -e adj.
- **ferroviaire** adj. avec ***rr***

festival n.m. *des festivals* ▶ 288

fête n.f. avec ***ê***

fétiche n.m. *des nombres fétiches* ▶ 327

1. **feu** n.m. *des feux*

2. **feu, -e** adj. (décédé) invariable avant l'article: *feu la reine*; variable après: *la feue reine*
- pluriel: *feus, feues*

feuilleter v. avec ***t/tt***: *feuillette, feuilletons*; conjug. ▶ 201

fibranne n.f. avec ***nn*** ▶ 54

filigrane n.m. avec ***ane*** ▶ 7

film n.m. *des films(-)catastrophe; des films(-)cultes* ▶ 327

filtre n.m. (pour filtrer) ≠ **philtre** (boisson magique) ▶ 171

fin, fine adj.
- est invariable comme adverbe: *Elle est fin prête, ils sont fin prêts.*

final, -e adj. au masculin pluriel: *finals* ou quelquefois *finaux*

finale n.f. et n.m. ***la*** *finale d'un match;* ***le*** *finale d'une symphonie*

finir v. conjug. ▶ 208
- **fini** ou **finies** *les vacances !* ▶ 364

flamant n.m. (oiseau) avec un ***t*** ≠ **flamand** (de *Flandre*)

flambant neuf: *une robe flambant neuve* ▶ 316

flèche n.f. avec ***è***

flot n.m. sans circonflexe

flou, -e adj. *des textes flous*

fluo adj.inv. *des couleurs fluo* ▶ 318

flûte n.f. avec ***û***

foi n.f. (confiance, croyance) sans *e*: *la foi* ≠ **foie** n.m. (organe) avec ***e***: *le foie*

fois n.f. avec ***s***: *une, deux, trois fois*

fomenter v. bien dire *-fo-* (et non *-fro-*): *fomenter une révolte* ▶ 7

foncé, -e adj. *des cheveux foncés; des cheveux brun foncé* ▶ 324

fonctionnaire n. avec ***nn***

fond n.m. sans *s* au singulier: *un bon fond; du ski de fond; des livres de fond* ≠ **fonds** (capital)

fondre v. conjug. ▶ 243

fonds n.m. avec ***s*** au singulier: *un fonds de commerce, un fonds de garantie* ≠ **fond**

fonts n.m.plur. avec un ***t***, comme dans *fontaine*: *les fonts baptismaux* ≠ **fonds**

for n.m. *dans mon for intérieur* ≠ **fort** (fortification)

forêt n.f. (bois) avec ***ê*** ≠ **foret** n.m. (outil)

fort, -e adj.
- est invariable comme adverbe: *Elle est fort désagréable.*
- **se faire fort de**: *Elle s'est fait* ***fort*** *de...* ▶ 381

fou, folle adj.
- **fol** devant un nom masculin commençant par une voyelle ou un *h* muet: *un fol amour*

foule n.f.
- accord avec **une foule de** ▶ 392

fouler v. *Elle s'est foul****é*** *la cheville. Quelle cheville s'est-il foul****ée***? ▶ 375

fourmi n.f. sans *e*
- **fourmilière** n.f. avec un seul ***l***; on prononce comme dans *lierre*

fraction n.f.
• accord avec une ~ ▶396

frais, fraîche adj. avec ***î*** au féminin et dans tous les mots de la famille : *fraîcheur, fraîchir*, etc.
• employé comme adverbe, **frais** est invariable
• **frais émoulu** s'accorde : *des jeunes filles fraîches émoulues d'HEC*

framboise n.f.
• est invariable comme adjectif de couleur ▶323

français, -e adj. et n., avec ou sans majuscule ? ▶106

frisotter v. avec ***tt*** ▶61

froid, -e adj.
• est invariable comme adverbe ▶317

frugal, -e, -aux adj. *des repas frugaux* ▶288

fruste adj. (grossier, sans culture) avec ***-ste*** ≠ **rustre** ou **frustre** (du verbe *frustrer*) ▶7

frustrer v. avec ***str(e)***. *Cela le frustre d'une partie de son héritage.* ≠ **fruste** adj.

fuir v. conjug. ▶216

funérailles n.f. plur.

fut ou **fût** ? ▶68

FUTUR OU CONDITIONNEL PRÉSENT ? ▶182

G

gageure n.f. se prononce avec *-ure* (et non *-eur*)

gagner v.
• à l'indicatif imparfait et au subjonctif : *(que) nous gagnions* ▶191

gaiement adv. **gaieté** n.f. avec un ***e*** muet

gamme n.f.
• **bas de gamme, haut de gamme** sont invariables : *des articles haut de gamme*

garant, -e adj. *Elle s'est portée garante.* ▶381

gâteau n.m. avec ***â***
• *des papas gâteau* ▶320

gâter v. avec ***â***

gâteux, -euse adj. et n. avec ***â*** comme dans *gâter*

gaz n.m. sans *e* : *chauffage au gaz* ≠ **gaze** (tissu léger)

geai n.m. (oiseau) *des geais* ≠ **jais** (minerai noir)

geler v. avec ***e/è*** : *nous gelons, ils gèlent* ; conjug. ▶200

gène n.m. **génétique** adj. et n.f. ≠ **gêne** n.f.

gêne n.f. **gênant, -e** adj. **gêner** v. avec ***ê*** ≠ **gène** n.m.

générer v. avec ***é/è*** : *nous générons, ils génèrent* ; conjug. ▶202

genèse n.f. sans accent sur le premier *e*

génome n.m. sans circonflexe

genou n.m. *les genoux*

GENRE
• le genre des noms ▶265-270
• le genre des noms de villes ▶271
• le genre des noms de pays ▶272

gens n.m.plur.
• masculin ou quelquefois féminin ? ▶269

gentiment adv. ▶145

gentilhomme n.m. *des gentils**hommes***

gérer v. avec ***é/è*** : *nous gérons, ils gèrent* ; conjug. ▶202

gériatre n. sans circonflexe ▶70

gésir v. *je gis, il gît, nous gisons, ils gisent ; je gisais...*
• **ci-gît, ci-gisent** avec un trait d'union

gifle n.f. **gifler** v. avec un seul ***f***

girolle n.f. avec ***ll***

gîte n.m. avec ***î***

glaciaire adj. *l'ère glaciaire* ≠ **glacière** n.f. ▶171

glacial, -e adj. au masculin pluriel : *glacials* ou *glaciaux* ▶288

glacière n.f. *Le vin est dans une glacière.* ≠ **glaciaire** ▶171

glu n.f. (colle) nom féminin sans *e* ▶24

goitre n.m. sans circonflexe

golf n.m. (sport) ≠ **golfe** (baie) ▶171

gorgée n.f. avec ***ée***

gouffre n.m. avec ***ff***

goulu, -e adj. et n.

goût n.m. avec ***û,*** comme dans tous les mots de la famille : *dégoût, dégoûter, ragoût, ragoûtant*

goûter v. avec ***û***, ≠ **goutter** (tomber goutte à goutte)

goutter v. **gouttière** n.f. avec ***tt,*** comme dans *goutte*

gouvernail n.m. *des gouvernails*

grâce n.f. avec ***â***
- **gracieux, -euse** adj. **gracieusement** adv. **gracier** v. sans circonflexe ▶ 74

graffiti n.m. *des graffitis*

grand, -e adj. et n.
- est invariable comme adverbe : *Ouvrez grand les yeux, la bouche.*
- **grand ouvert ; grand-rue, grand-messe** avec un trait d'union

grand-chose (pas) pron. indéfini avec un trait d'union

grandeur n.f. *des photos grandeur nature*

gré n.m.sing.
- **bon gré mal gré** en deux mots
- **savoir gré** : *Je vous sais, je vous saurai gré de bien vouloir...* Il s'agit du verbe *savoir* et non du verbe *être*. On ne dit pas : *Je vous ~~serai~~ gré...*

grêle n.f. **grêler** v. **grêlon** n.m. avec ***ê***

grelotter v. avec ***tt*** ▶ 61

grenat n.m. (pierre fine) *des grenats*
- est invariable comme adjectif de couleur : *des robes (rouge) grenat* ▶ 323

griffe n.f. avec ***ff,*** comme dans tous les mots de la famille

gril n.m. (ustensile) ≠ **grill** (restaurant) ▶ 171

grincer v. avec **ç** devant *a* et *o* : *il grinçait, nous grinçons* ▶ 197

grippe n.f. avec ***pp***

gris, -e adj. *des toiles grises*, mais *des toiles gris foncé* ▶ 324

grisâtre adj. avec ***â*** ▶ 70

groseille n.f. *de la confiture de groseille(s)* ▶ 328

groseillier n.m. avec ***ier*** ▶ 26

grosso modo loc.adv. en deux mots

guet n.m. sans circonflexe

guet-apens n.m. *des guets-apens* (le *s* de *guets* ne se prononce pas)

gynécée n.m. avec ***-ée*** ▶ 23

h muet ou aspiré ▶ 30

habileté n.f. avec ***-eté***

habilité, -e adj. avec ***-ité*** : *être habilité à*

habitants (noms d') ▶ 106

habituer v. *il s'habitu**e**ra* ▶ 198

hache n.f. sans circonflexe et avec ***h*** aspiré, comme dans tous les mots de la famille : *des | haches*, sans liaison

haie n.f. avec ***h*** aspiré : *des | haies*, sans liaison

haillon n.m. (guenille) ≠ **hayon** (porte arrière) ▶ 171
- avec ***h*** aspiré, sans liaison : *en | haillons*

haïr v. conjug. ▶ 209
- avec ***h*** aspiré, sans liaison : *nous | haïssons*

hâle n.m. **hâlé, -e** adj. avec ***â*** et ***h*** aspiré, sans liaison : *ils sont | halés*

haltère n.m. ***un*** *haltère* ▶ 270

hamster n.m. avec ***h*** aspiré sans liaison : *des | hamsters*

hanche n.f. avec ***h*** aspiré sans liaison : *des | hanches*

handicap n.m. **handicapé, -e** adj. et n. avec ***h*** aspiré, sans liaison :
des | handicapés moteurs

harceler v. avec ***e/è*** et un ***h*** aspiré : *nous le harcelons, ils me harcèlent* ▶ 200
- **harcèlement** n.m. avec ***è*** et un seul ***l***

haricot n.m. avec ***h*** aspiré, sans liaison : *des | haricots*

hasard n.m. avec ***h*** aspiré, sans liaison : *un | hasard, les | hasards de la vie*

hâte n.f. avec ***â*** et ***h*** aspiré, sans liaison, comme dans tous les mots de la famille : *en hâte*

haut, haute adj. avec ***h*** aspiré
• est invariable comme adverbe : *Ils sont **haut** perchés.* ▸ 317
• **haut de gamme** est invariable : *des produits **haut** de gamme*

haut-parleur n.m. avec ***h*** aspiré : *des | haut-parleurs*

havre n.m. avec ***h*** aspiré et sans circonflexe : *un | havre de paix*

hayon n.m. (porte arrière) ≠ **haillon** (guenille) ▸ 171
• avec ***h*** aspiré et sans liaison : *un | hayon*

hémorragie n.f. sans *h* après ***rr***

héros n.m. **héroïne** n.f. avec ***h*** aspiré et sans liaison au masculin : *le héros, les | héros*
• avec un ***h*** muet au féminin : *l'héroïne, les* [-z-] *héroïnes*

hésiter v. participe passé invariable

hibou n.m. avec ***h*** aspiré et sans liaison : *un | hibou*
• au pluriel : *les hiboux* ▸ 287

hippique adj. sans *y*

hipp(o)- (cheval) ≠ **hypo** (en dessous)

hippocampe n.m. **hippodrome** n.m. **hippopotame** n.m. sans *y*

homicide n.m. avec un seul ***m*** ▸ 46

HOMONYMES ▸ 151
• homonymes grammaticaux ▸ 153-170
• homonymes lexicaux ▸ 171

honnête adj. avec ***ê***, comme dans les mots de la famille

hôpital n.m. avec ***ô*** : *des hôpitaux*

horizontal, -e, -aux adj.
• **à l'horizontale** est au féminin

hormis prép. avec ***s*** ≠ **parmi**

hôte n. m. **hôtesse** n.f. avec ***ô***

hôtel n.m. avec ***ô***

huit adj. numéral invariable

huître n.f. avec ***î***

hydr(o)- (eau) avec ***y*** ▸ 136-137

hyménée n.m. avec ***ée*** ▸ 23

hydrater v.

hyper- ▸ 136-137

hypnose n.f. sans circonflexe

hypo- (en dessous) avec ***y*** ≠ **hippo** (cheval) avec ***pp*** ▸ 136-137

I

icône n.f. avec un accent circonflexe qui disparaît dans les mots de la famille : *iconoclaste, iconographie*

idéal, -e adj. et n.m. au masculin pluriel : *idéaux* ou *idéals*

idylle n.f. **idyllique** adj. avec ***dy***

ignare adj. avec ***e*** et sans *d* : *Il, elle est ignare.*

il-, im-, in-, ir- préfixes ▸ 134

île n.f. avec ou sans majuscule dans les noms géographiques ? ▸ 105

-illier ou **-iller** ? ▸ 26

îlot n.m. avec ***î*** comme dans *île*

imaginer v.
• *Elle s'est imaginé une histoire ; l'histoire qu'elle s'est imaginée* ▸ 375

imbécile adj. et n. avec un seul ***l*** ≠ **imbécillité** n.f. avec ***ll*** ▸ 39

immanent, -e adj. *la justice immanente* (qui résulte du cours naturel des choses) ≠ **imminent** (sur le point de se produire) ▸ 172

immigrer v. (s'installer dans un pays) ≠ **émigrer** (quitter son pays) ▸ 172

imminent, -e adj. *La révolte est imminente* (très proche). ≠ **éminent** (important)

immiscer (s') v.pron. avec ***ç*** devant *a* ou *o* : *il s'immisçait, nous nous immisçons* ; conjug. ▸ 197

immoral, -e, -aux adj. (contraire à la morale) ≠ **amoral** (sans morale)

impeccable adj. avec ***cc***

IMPÉRATIF
• avec ***e*** ou avec ***s*** ? ▸ 184
• trait d'union et pronom ▸ 87

importer v.
• **qu'importe, peu importe** sont invariables ► 355
imposteur n.m. *Cette femme est un imposteur.*
impôt n.m. avec ***ô***
imprésario n.m. *des imprésarios* ► 297
in- préfixe ► 134
incidemment adv. avec ***emm*** ► 145
inclure v. se conjugue comme *conclure*, sauf au participe passé : *inclus, -e* ► 257
• au futur : *il inclura* et non ~~*incluera*~~
• au passé simple : *ils inclurent* et non ~~*incluèrent*~~.
incognito adv. invariable : *Ils sont venus incognito.*
indemne adj. on prononce le *m* et le *n* ► 7
indigo n.m. est invariable comme adjectif de couleur : *des rubans indigo* ► 323
indu, -e adj. sans circonflexe : *à une heure indue de la nuit*
• **indûment** adv. avec ***û***
induire v. conjug. ► 237
• *On les a induits en erreur.* ≠ **enduire** (d'un enduit)
inénarrable adj. avec ***rr,*** comme dans *narrer*
infâme adj. avec un circonflexe qui disparaît dans les mots de la famille : *infamant, infamie*
infarctus n.m. bien dire *-far-* et non *-fra-* ► 7
INFINITIF
• accord du participe passé suivi d'un infinitif ► 376
• infinitif ou participe passé ? ► 180
• infinitif ou impératif ? ► 181
infraction n.f. *une infraction au code de la route* ≠ **effraction** (fait de forcer un accès) ► 172
inhaler v. avec ***h,*** comme dans *haleine*
inhumer v. avec ***h,*** comme dans *humus* (sol, terre)
ingénier (s') v.pron. *Ils se sont ingéniés à trouver un compromis.* conjug. ► 198
ingénieur n.m. au féminin : *une ingénieur(e)* ► 281-282

inonder v. **inondation** n.f. avec un seul ***n***
inquiéter v. avec ***é/è*** : *nous inquiétons, ils inquiètent* ; conjug. ► 202
• sans *s* à l'impératif : *Ne t'inquiète pas.* ► 184
inscrire v. se conjugue comme *écrire* ► 241
insensé, -e adj. avec ***en,*** comme dans *sens*
instruire v. conjug. ► 237
insu, à l'insu de sans *e*
insuffler v. avec ***ff,*** comme dans *souffle*
insurger (s') v.pron. avec ***e*** devant *a* et *o* : *il s'insurgeait, nous nous insurgeons* ; conjug. ► 197
• *Elle s'est insurgée contre cette mesure.* ► 372
intégrer v. avec ***é/è*** : *nous intégrons, ils intègrent* ; conjug. ► 202
intention n.f.
• **à l'intention de** : *un ouvrage à l'intention des jeunes* (pour les jeunes) ≠ **à l'attention de** (sur un courrier) ► 172
intercession n.f. (de *intercéder*) ≠ **intersession** (entre deux sessions) ► 171
interdire v. se conjugue comme *dire*, sauf : *vous interdisez* ► 239
intérêt n.m. avec un accent circonflexe qui disparaît dans les mots de la famille : *intéresser, intéressant*
• *un film sans intérêt,* mais *un prêt sans intérêts* ► 304
interface n.f. ***une*** *interface* ► 270
interligne n.m. ***un*** *interligne* ► 270
interpeller v. avec ***ll***, mais on prononce comme dans *appeler*
interpréter v. avec ***é/è*** : *nous interprétons, ils interprètent* ; conjug. ► 202
interroger v. avec ***e*** devant *a* et *o* : *il interrogea, nous interrogeons* ► 197
• *Elle s'est interrogée sur ce cas.* ► 373
intersession n.f. (entre deux sessions) ≠ **intercession** (de *intercéder*) ► 171
interrompre v. avec un ***t*** à la 3ᵉ personne du présent : *j'interromps, il interrompt* ; conjug. ► 243

intervalle n.m. avec ***ll***: *par intervalles* ▸ 303

interview n.f. ou n.m. est aujourd'hui plutôt du féminin sur le modèle de *entrevue*

intrigant, -e adj. et n. sans *u*: *des intrigants* ≠ *intriguant* (participe présent invariable de *intriguer*) ▸ 139

introniser v. sans circonflexe ≠ **trône** n.m.

intrus, -e n. avec un ***s*** qu'on retrouve dans *intrusion* ▸ 33

INVARIABLE
- mots ~s ▸ 127 et 259
- participe passé ~ ▸ 361

inventer v. *Elle s'est inventé des histoires. les histoires qu'elle s'est inventées* ▸ 375

invoquer v. (Dieu, la loi...) ≠ **évoquer** (des souvenirs) ▸ 172

invraisemblable adj. avec un seul ***s,*** comme dans *vraisemblable*

ir- ▸ 134

irascible adj. avec un seul ***r*** et ***sc*** (vient de *ire*, colère)

irriter v. avec ***rr***

irruption n.f. (entrée brutale) *Ils ont fait irruption dans la salle.* ≠ **éruption** (poussée) ▸ 172

isthme n.m. avec ***sth***: *l'isthme de Corinthe*

J

jais n.m. (minerai noir) ≠ **geai** (oiseau) ▸ 171

jaunâtre adj. avec ***â*** ▸ 70

jaune adj. *des robes jaunes*, mais *des robes jaune clair, jaune citron* ▸ 324

jeter v. avec ***t/tt***: *nous jetons, ils jettent*; conjug. ▸ 201

jeu n.m. *des jeux de société*
- **vieux jeu** est invariable: *Ils sont vieux jeu.*

jeudi n.m. *les jeudis matin* ▸ 405

jeun (à) sans circonflexe ≠ **jeûner** v.

jeune adj. et n.
- est invariable comme adverbe: *Ils s'habillent **jeune**.* ▸ 317

jeûne n.m. **jeûner** v. avec ***û*** ≠ **déjeuner** v. et n.m. ▸ 74

joaillier, -ière n. avec ***ier*** ▸ 26

joindre v. conjug. ▸ 245
- à l'imparfait et au subjonctif: *(que) nous joignions*

joliment adv. ▸ 145

jouer v. au futur et au conditionnel: *il jouera(it)*; conjug. ▸ 198

joufflu, -e adj. avec ***ff***

joug n.m. avec ***g***: *sous le joug de*

joujou n.m. *des joujoux* ▸ 287

jour n.m.
- les noms de jours ▸ 405
- **mettre à jour** (des données) ≠ **mettre au jour** (des objets archéologiques)

journal n.m. *un journal, des journaux*

joyau n.m. *les joyaux de la Couronne*

juge n.m. ou f. *le* ou *la juge* ▸ 281-282

jugeote n.f. avec un seul ***t*** ▸ 60

juger v. avec **e** devant *a* et *o*: *il jugeait, nous jugeons*; conjug. ▸ 197
- *les choses que j'ai **jugé utile** de faire* ▸ 380

junior n. et adj. *des ingénieurs juniors* (débutants)

jurer v. *Elle s'est juré (à elle-même) que...* ▸ 374-375

jusque ou **jusqu'** prép.
- *J'irai jusque chez toi. Jusque quand? Jusqu'à ce que...* ▸ 80

juste adj. est invariable comme adverbe: *Il est deux heures juste.*

justifier v. conjug. ▸ 198
- à l'imparfait et au subjonctif présent: *(que) nous justifiions*
- au futur et au conditionnel: *il justifiera(it)*

juvénile adj. avec ***-ile*** ▸ 25

kaki n.m. *des kakis*
- adjectif de couleur invariable: *des vestes kaki* ▸ 323

kangourou n.m. *des kangourous*

kilo ou **kilogramme** n.m. *deux kilos : 2 kg* (sans *s*) ▶120
- *Un kilo et demi de pommes* ***sera*** *suffisant.* ▶398

kilomètre n.m. *cent kilomètres : 100 km* (sans *s*) ▶120

kinésithérapeute n.m. avec un seul ***h***

kyrielle n.f. avec ***y***. *Une kyrielle de gens* ***sont venus***. ▶392

L

l' pron.
- accord du participe passé avec ~ ▶383

la ou **là** ? ▶158

là-bas avec un trait d'union

labyrinthe n.m. le ***y*** est après le *b*

lacer v. (nouer) ≠ **lasser** (fatiguer)

lâche adj. et n. **lâcheté** n.f. avec ***â***

1. **lâcher** v. avec ***â***

2. **lâcher** n.m. *des lâchers de ballons*

là-dessous, là-dessus adv. avec un trait d'union

là-haut adv. avec un trait d'union ≠ **en haut**

laïc, laïque adj. et n. avec ***ï***
- au masculin on emploie *laïc* ou *laïque* : *un établissement* ***laïc, laïque***
- au féminin on emploie toujours *laïque* : *l'école* ***laïque***

laisser v.
- accord de **laissé** + infinitif ▶377

laisser-aller n.m.inv. avec *laiss****er*** (vient de *se laisser aller*)

laissez-passer n.m.inv. avec *laiss****ez*** (vient de *laissez-le passer*)

lamenter (se) v.pron. *Ils se sont lamentés sur leur sort.* ▶372

lancée n.f. *Ils sont sur leur lancée.*

1. **lancer** v. avec **ç** devant *a* et *o* : *il lan****ç****ait, nous lan****ç****ons* ; conjug. ▶197
- accord du participe passé :
  - *les pierres qu'il nous a lanc****ées*** ▶367
  - *ils se sont lanc****é*** *des injures* ; mais : *les injures qu'ils se sont lanc****ées*** ▶375
  - *La police s'est lanc****ée*** *à sa poursuite.* ▶373

2. **lancer** n.m. *des lancer****s*** *de ballon* ▶261

landau n.m. *des landaus* ▶291

langage n.m. sans *u*

la plupart
- accord avec ~ ▶394

laser n.m. *des lasers*
- invariable après le nom : *des rayons laser*

legs n.m. avec ***s***

leitmotiv n.m. *des leitmotivs*

lequel pron.
- accord de ~ ▶332

lésion n.f. *des lésions cutanées* ≠ **liaison** ▶172

LETTRE
- les lettres et les sons ▶3-6
- les lettres muettes ▶31-33
- les noms de lettres ▶300

leur ou **leurs** ? ▶333

lever n.m. *des lever****s*** *de soleil* ▶261

lézard n.m. avec ***d***

liaison n.f. *des liaisons ferroviaires* ≠ **lésion** (blessure) ▶172

liaison
- les erreurs dues aux liaisons ▶8
- le ***-t-*** de liaison ▶87

libérer v. avec ***é/è*** : *nous lib****é****rons, ils lib****è****rent* ; conjug. ▶202

libre-service n.m. *des libres-services* ▶292

licenciement n.m. avec un ***e*** muet ▶31

lichen n.m. avec ***ch*** qu'on prononce *-k-*

lier v. conjug. ▶198

1. **lieu** n.m. (endroit) *les lieux publics*

2. **lieu** n.m. (poisson) avec un ***s*** au pluriel : *des lieus* ▶291

lieu-dit n.m. *des lieux-dits* ▶294

lieue n.f. (mesure) *à mille lieues de* ≠ **lieu** (endroit)

ligoter v. avec un seul ***t*** ▶61

limite n.f. *des cas limites* ▶327

lire v. conjug. ▶240

littéral, -e, -aux adj. *une traduction littérale* (à la lettre, au sens strict des mots) ≠ **littéraire** adj. *un texte littéraire* (de littérature)

littoral n.m. avec ***tt***

liturgie n.f. sans *h*

lobby n.m. *des lobbys* ou quelquefois *des lobbies* ▸ 297

local n.m. *un local, des locaux*

LOCUTION ▸ 129

loger v. avec ***e*** devant *a* et *o* : *il logeait, nous logeons* ; conjug. ▸ 197

loin adv. est invariable : *Ils sont loin.*

lorsque ou **lorsqu'** ? ▸ 80

louer v. au futur : *il lou**e**ra* ▸ 198

loup-garou n.m. *des loups-garous*

lourd, -e adj. *Ils sont lourds.*
- est invariable comme adverbe : *Ils pèsent **lourd**.* ▸ 261

loyal, -e, -aux adj. *Ils sont loyaux.*

lu et approuvé
- invariable en tête de phrase

luire v. se conjugue comme *conduire,* sauf au participe passé : *lui* ; conjug. ▸ 237

lunch n.m. *des lunchs* ▸ 297

lundi n.m. *tous les lundi**s** matin* ▸ 405

lycée n.m. avec ***ée*** ▸ 23

lyophilisé, -e adj. avec ***y*** au début du mot : *du café lyophilisé*

M

macchabée n.m. avec ***ée*** ▸ 23

mâcher v. **mâchoire** n.f. avec ***â***

macro- préfixe ▸ 134

madame n.f. pluriel : *mesdames*
- abréviation ▸ 121

mademoiselle n.f. pluriel : *mesdemoiselles*
- abréviation ▸ 121

magasin n.m. avec ***s*** ≠ **magazine** (avec ***z***)

maire n.m. et n.f. *le* ou *la maire* ▸ 281-282

maison n.f. *des terrines maison* (faites à la maison) ▸ 327

maître, maîtresse n. et adj.
- *Ils se sont rendu**s** (elles se sont rendu**es**) maître**s** de la situation.*
- *Elle est maître de rester ou de partir.*
- *Elle est maître* ou *maîtresse d'elle-même.*

majorité n.f.
- accord avec **la majorité de** ▸ 396

MAJUSCULE
- emploi de la ~ ▸ 104-107

malin, maligne adj. et n. féminin avec ***-igne,*** comme *bénin, bénigne*

mamelle n.f. avec un seul ***m*** ≠ **mammifère** n.m. et **mammaire** adj. avec ***mm***

manger v. avec ***e*** devant *a* et *o* : *il mangeait, nous mangeons* ; conjug. ▸ 197

manquer v.
- attention à l'accord du participe selon le sens :
  - *Ils nous ont manqué**s**.* (Ils nous ont ratés.) ▸ 367(2)
  - *Ils nous ont manqu**é**.* (On a regretté leur absence.) ▸ 367(3)

marâtre n.f. avec ***â***

marché n.m.
- **bon marché, meilleur marché** sont invariables

mardi n.m. *tous les mardi**s** matin* ▸ 405

marier v. **mariage** n.m. avec un seul ***r***

marraine n.f. avec ***rr,*** comme dans *parrain*

marron n.m. *des marrons glacés*
- adjectif de couleur invariable : *des yeux marron* ▸ 323

marronnier n.m. avec ***rr*** et ***nn***

marsouin n.m. avec ***ouin*** ▸ 21

MASCULIN OU FÉMININ ? ▸ 270

martyr, -e n. (personne) sans *e* au masculin : *les martyrs de la guerre* ≠ **martyre** (supplice) : *souffrir le martyre*

match n.m. *des matchs* ▸ 297

matin n.m. *tous les matins*
- est invariable après un nom de jour : *tous les lundis **matin*** ▸ 405

maudire v. se conjugue comme *finir*, sauf au participe passé : *maudit : On les a maudits.* ▶208

mausolée n.m. avec ***ée***, comme *musée, lycée...* ▶23

maximum n.m. et adj. *des prix maximums*

maximal, -e, -aux adj. *des températures maximales*

média n.m. *un média, des médias*

médire v. [de] se conjugue comme *dire*, sauf *vous médisez* ▶239

méditerranéen, -enne adj. avec ***rr*** et un seul ***n***, comme dans *Méditerranée*

méfier (se) v.pron. *Ils se sont méfiés de nous.* ▶372
- à l'indicatif imparfait et au subjonctif : *(que) nous nous méfi**i**ons*
- au futur et au conditionnel : *il se méfi**e**ra(it)* ▶198

mélanger v. avec ***e*** devant *a* et *o* : *il mélangeait, nous mélangeons* ▶197

même ou **mêmes** ? ▶334
- accord avec **de même que** ▶402
- trait d'union devant ~ ▶84

mémento n.m. *des mémentos*

mémoire n.f. et n.m. ▶269

mener v. avec ***e*/*è*** : *nous m**e**nons, ils m**è**nent* ▶200

mentir v. [à] conjug. ▶211
- *ils se sont ment**i*** (l'un ***à*** l'autre) ▶374

méprendre (se) v.pron. conjug. ▶244
- *Elle s'est méprise sur vos intentions.* ▶372

mercredi n.m. *les mercredi**s** matin* ▶405

mère n.f. *des maisons mères*

mesurer v.
- accord du participe passé ▶370

métal n.m. *un métal, des métaux*

météo n.f. et adj.inv. *des bulletins météo* ▶321

mets n.m. avec ***ts***

mettre v. conjug. ▶253
- au conditionnel, *on dit vous met**triez*** et non ~~*metteriez*~~
- **mis à part** est invariable avant le nom : ***Mis*** *à part ta sœur, tout le monde est venu.* et variable après le nom : *Ta sœur **mise** à part, tout le monde est venu.* ▶364
- **se mettre d'accord :** *Elles se sont mis**es** d'accord.* ▶381

micro- préfixe ▶134

midi n.m.
- est masculin : *à midi précis ; à midi et demi*
- *tous les midis*, mais : *tous les dimanches midi* (= à midi)
- (sud) avec une minuscule pour la direction : *dans le midi de la France* ; avec une majuscule pour la région : *une maison dans le Midi*

mieux adv. et adj.inv.
- **il vaut mieux** et non ~~*il faut mieux*~~

milieu n.m. *des milieux*

1. **mille** adj. numéral
- est invariable : *deux mille euros ; gagner des mille et des cents ; une vingtaine de mille*

2. **mille** n.m. (unité de longueur pour la navigation) est variable : *des milles marins*

millier n.m. *Ils arrivaient par milliers.*
- *Un millier de soldats **furent tués**.*
- *Le millier de manifestants qui **a*** ou *qui **ont** défilé...* ▶395

million n.m.
- *Un million de personnes **ont** été sond**ées**.* ▶395
- *le million de personnes qui **a*** ou *qui **ont** manifesté* ▶395
- *1,25 million d'euros* ▶398

mini est invariable : *des mini légumes* ▶321
- **mini-** préfixe ▶134

ministre n.m. et n.f. *le* ou *la ministre* ▶281-282

minutie n.f. **minutieux, -euse** adj. avec ***t*** qu'on prononce *-s-*

miracle n.m. *des produits miracles* ▶327

-mn- se prononce *-n-* ou *-mn-* ?
- se prononce *-n-* dans *automne, condamner, damner* et leurs dérivés
- se prononce *-mn-* dans tous les autres mots et en particulier dans *indemne*

mnémotechnique adj. avec ***mn*** comme dans *amnésie*

modèle n.m. *des fermes modèles* ▶ 327

modeler v. avec ***e/è***: *nous mode**l**ons, ils mod**è**lent*; conjug. ▶ 200

modérer v. avec ***é/è***: *nous mod**é**rons, ils mod**è**rent*; conjug. ▶ 202

moi pron. personnel
- *Donne-moi la carte; donne-la-moi* et non ~~*donne-moi-la*~~.
- *C'est moi qui irai. Lui et moi partirons à l'aube.* ▶ 344-346

moins adv.
- accord avec **moins de deux** ▶ 398

mois
- majuscule ou minuscule aux noms de mois? ▶ 105

moitié n.f.
- accord avec **la moitié des** ▶ 396

monde n.m.
- accord avec **tout le monde** ▶ 390

monsieur n.m au pluriel: *messieurs*
- abréviation ▶ 121

moquer (se) v.pron. *Elles se sont moqu**ées** de toi.* ▶ 372

mordre v. conjug. ▶ 243

morfondre (se) v.pron. conjug. ▶ 243

mors n.m. avec ***s***: *prendre le mors aux dents*

moudre v. conjug. ▶ 249

moufle n.f. avec un seul ***f***

mourir v. avec un seul ***r***; conjug. ▶ 213
- se conjugue avec l'auxiliaire *être*
- avec ***rr*** au futur et au conditionnel: *il mourra(it)*
- au subjonctif: *qu'il meur**e***

mou, molle adj.
- **mol** devant un nom masculin singulier commençant par une voyelle ou un *h* muet

mouvoir v. conjug. ▶ 225

Moyen Âge n.m. s'écrit sans trait d'union et avec des majuscules
- **moyenâgeux, -euse** adj. en un seul mot et avec un seul ***n***

multitude n.f. *Une multitude d'oiseaux **s'envola** ou **s'envolèrent**.* ▶ 392

mûr, -e adj. **mûrir** v. avec ***û***, comme dans les mots de la famille

mûre n.f. **mûrier** n.m. avec ***û***: *de la confiture de mûre(s)*

musée n.m. avec ***ée*** comme *lycée, caducée, mausolée...* ▶ 23

mystère n.m. *des invités mystères* ▶ 327

mythe n.m. **mythologie** n.f. avec ***th***: *les mythes grecs*

N

n ou **nn** dans les dérivés des mots en ***-on***? ▶ 47-52

nager v. avec ***e*** devant *a* et *o*: *il nageait, nous nageons*; conjug. ▶ 197

nageoire n.f. avec ***eo***

naître v. avec ***î*** devant un *t*; conjug. ▶ 251
- se conjugue avec l'auxiliaire *être*

narration n.f. **narrateur, -trice** n. **narrer** v. avec ***rr***

narval n.m. (animal) *des narv**als*** ▶ 288

natal, -e adj. *des pays nat**als*** ▶ 288

nation n.f. **national, -e, -aux** adj. **nationalité** n.f.
- Les mots de la famille de *nation* ne doublent pas le ***n***.

nationaliser v. *nationaliser une entreprise* ≠ **naturaliser** v. *naturaliser une personne* (lui donner telle nationalité) ▶ 172

nature n.f.
- est invariable après un nom: *des thés nature* ▶ 320

naval, -e adj. *les chantiers nav**als*** ▶ 288

naviguer v. avec ***gu***, même devant *a* et *o*: *il navi**gu**ait, nous navi**gu**ons* ▶ 197

navigant, -e adj. **navigation** n.f. sans *u*

né, -e adj. avec un trait d'union après un mot: *une musicienne-née, un artiste-né; le premier-né, la dernière-née*

néanmoins adv. sans *t*

négligence n.f. **négligent, -e** adj. avec ***ent***: *être négligent ≠ négligeant,* participe présent invariable: *Négligeant leurs affaires, ils...* ▶ 139
- **négligemment** adv. avec ***emm*** ▶ 145

négliger v. avec ***e*** devant *a* et *o*: *il négligeait, nous négligeons*; conjug. ▶ 197

n'est-ce pas adv. interrogatif avec un seul trait d'union devant *ce*

nettoyer v. avec ***i*** devant un *e* muet: *il nettoie*; conjug. ▶ 205
- au futur: *il nettoiera*

neuf, neuve adj.
- **flambant neuf** ▶ 316

ni
- accord avec **ni** ▶ 400

nier v. au futur: *il niera* ▶ 198

n'importe est invariable: *n'importe lequel, n'importe lesquels*

noir, -e adj. *une robe noire,* mais: *une robe noir et blanc* ▶ 325

noisette n.f.
- est invariable comme adjectif de couleur: *des yeux noisette* ▶ 323

NOM
- accord du nom ▶ 326-328
- noms composés ▶ 292-295
- pluriel des noms propres ▶ 298-299

nombre n.m.
- accord avec **un grand, un petit nombre de**: *Un grand nombre de personnes* ***ont*** *été* ***blessées****. Un petit nombre d'adhérents* ***sera*** *suffisant.* ▶ 396
- accord avec **nombre de**: *Nombre de ses clients, nombre d'entre eux sont mécontents.* ▶ 394

NOMBRES
- l'écriture des nombres ▶ 109-116

non- préfixe ▶ 134

nord n.m.inv et adj.inv. ▶ 107

notre ou **nôtre**? ▶ 160

nourrir v. avec ***rr***, contrairement à *courir* et à *mourir*; conjug. ▶ 208

nourrisson n.m. avec ***rr,*** comme dans *nourrir.*

nous
- accord avec **nous** ▶ 385
- *Beaucoup, certains d'entre nous* ***pensent*** *que...* ▶ 386

nouveau, -elle adj.
- **nouvel** devant un nom masculin singulier commençant par une voyelle ou un *h* muet: *un nouvel élève; un nouvel hôpital*

nouveau-né n.m. *des nouv**eau**-nés*

noyer v. avec ***i*** devant un *e* muet: *il se noie*; conjug. ▶ 205
- au futur: *noiera*

nu, -e adj. *pieds nus*, mais ***nu****-pied* ▶ 318

nuage n.m. *un ciel sans nuages* ▶ 304

nuire v. [à] se conjugue comme *conduire*, sauf au participe passé: *nui*; conjug. ▶ 237
- participe passé invariable: *Ils se sont nui.* ▶ 374

nul
- devant un nom pluriel ▶ 335

NUMÉRAL
- accord des adjectifs numéraux ▶ 339-340

oasis n.f. ***une*** *oasis* ▶ 270

obéissant, -e adj. *des enfants obéiss**ants** ≠ des enfants obéiss**ant** à leur professeur...* (participe présent) ▶ 407

obélisque n.m. ***un*** *obélisque* ▶ 270

obliger v. avec ***e*** devant *a* et *o*: *il obligeait, nous obligeons*; conjug. ▶ 197

obnubiler v. avec ***obnu*** et non ~~*omni*~~ ▶ 7

obséder v. avec ***é/è***: *obsédant, il obsède*; conjug. ▶ 202

obsession n.f. sans accent

observatoire n.m. ▶ 27

occuper v. avec ***cc*** et un seul ***p***

occurrence n.f. avec ***cc*** et ***rr***

œil n.m. au pluriel: **yeux** et **œils** dans les mots techniques: *des œils-de-bœuf*

œuvre n.f. et n.m. *une grande œuvre*; mais : *l'œuvre grav**é** de Rembrandt, le gros œuvre*

offrir v. conjug. ▶ 217
- sans *s* à l'impératif, sauf devant *en* : *Offr**e** des bonbons ; offre**s**-en à tout le monde.* ▶ 184
- *Elle s'est offert des fleurs. les fleurs qu'elle s'est offert**es*** ▶ 375

-oin ou **-ouin** ? ▶ 21

-oir ou **-oire** ? ▶ 27

-ole ou **-olle** ? ▶ 43

olive n.f. est invariable comme adjectif de couleur ▶ 323

omettre v. conjug. ▶ 253
- au conditionnel : *vous omet**triez*** et non *~~ometteriez~~*.

omoplate n.f. ***une*** *omoplate*

on
- accord avec ~ sujet ▶ 384
- dans les phrases négatives ▶ 8

on-dit n.m.inv. *des on-dit* ▶ 293

onze est invariable : *les onze enfants*

opérer v. avec ***é*/*è*** : *nous op**é**rons, il op**è**re* ; conjug. ▶ 202

opiniâtre adj. avec ***â*** ▶ 70

oppresser v. (étouffer) *Le manque d'oxygène l'oppresse.* ≠ **opprimer** (dominer, écraser) ▶ 172

opprobre n.m. avec ***bre*** : *jeter l'opprobre sur quelqu'un* (la honte, le déshonneur) ▶ 7

orange n.f. et n.m. *des oranges*
- est invariable comme adjectif de couleur : *des rubans orange* ▶ 323

oranger n.m. avec ***er*** pour l'arbre ≠ **orangé** (couleur)

orangé, -e adj. et n.m. avec ***é*** pour la couleur : *des teintes orangées*
- *des rubans jaune-orangé* ▶ 324

orbite n.f. ***une*** *orbite*

orgue n.m. **orgues** n.m. ou n.f. pluriel ▶ 269

orgueil n.m. avec ***ueil*** ▶ 20

ortho- (droit) avec ***th,*** comme dans *orthographe, orthophonie...* ▶ 136-137

ortolan n.m. (oiseau) sans *h*

-ote(r) ou **-otte(r)** ? ▶ 60-61

ou ou **où** ? ▶ 161
- accord avec **ou** ▶ 399

oublier v. conjug. ▶ 198
- à l'indicatif imparfait et au subjonctif présent : *(que) nous oubl**ii**ons*
- au futur et au conditionnel : *il oubli**e**ra(it)*
- *Toutes ces choses qu'il a oubli**ées** ici !* Mais : *toutes ces choses qu'il a oubli**é** de faire* ▶ 376

ouest n.m.inv. et adj.inv. ▶ 107

ouïr v. *J'ai ouï dire que...*

ouvrir v. conjug. ▶ 217
- sans *s* à l'impératif, sauf devant *en* : *Ouvr**e** les huîtres. Ouvre**s**-en une douzaine.* ▶ 184

ovale adj. et n.m. avec un ***e*** : *des ballons ovales ;* ***un*** *bel ovale*

oxygène n.m. avec **è**

pair n.m. **au pair, aller de pair, hors pair** sans *e* ≠ **paire** n.f. (*une paire de chaussures*)

paître v. n'existe ni au passé simple, ni au participe passé, ni aux temps composés ; conjug. ▶ 250

pal n.m. (pieu aiguisé) : *des pals* ▶ 288

pale n.f. sans accent circonflexe : *les pales d'un ventilateur*

pâle adj. **pâleur** n.f. **pâlir** v. avec ***â***
- *des couleurs pâles* ; mais : *des yeux bleu pâle* ▶ 324

palier n.m. avec un seul ***l*** ≠ **pallier** v.

pallier v. conjug. ▶ 198
- *On pallie quelque chose* et non *~~à~~ quelque chose.*

pané, -ée adj. avec un seul ***n***

panel n.m. avec un seul ***n***

paon n.m. avec ***aon*** prononcé *-an-*, comme dans *faon* et *taon* ▶ 16

papeterie n.f. sans accent, malgré la prononciation courante avec *-pè-*
• la forme **papèterie**, avec un accent grave, est aujourd'hui admise

par
• singulier ou pluriel après ~? ▸ 303
• on écrit avec un trait d'union : *par-ci, par-là ; par-dedans ; par-delà ; par-dessous ; par-dessus ; par-devers*
• on écrit sans trait d'union : *par ici ; par là ; par ailleurs ; par en haut ; par en bas...*

paraître v. avec ***î*** devant un *t* ; conjug. ▸ 250

parallèle adj., n.f. et n.m. avec ***ll*** en premier

parce que en deux mots ▸ 162
• **parce que** ou **parce qu'** ? ▸ 80

par-ci par-là avec des traits d'union

parcourir v. conjug. ▸ 212
• au futur : *il parcourra* et non ~~*parcourera*~~

par-delà, par-dessous, par-dessus avec des traits d'union

pareil, -eille adj.
• accord de **sans pareil** ▸ 316

parfum n.m. avec ***um***

1. **parler** v.
• accord du participe passé :
– *une langue qu'on a parlé**e*** ▸ 367
– *ils se sont parl**é*** (l'un à l'autre) ▸ 374

2. **parler** n.m. *les parlers régionaux*

parme adj. inv. *des rubans parm**e***

parmi prép. sans *s* ≠ **hormis**

PARONYME
• principaux paronymes ▸ 172

parrain n.m. avec ***rr,*** comme *marraine*

partager v. avec ***e*** devant *a* et *o* : *il partag**e**ait, nous partag**e**ons* ▸ 197

parterre n.m. en un seul mot : *un parterre de fleurs* ≠ **par terre** (sur le sol)

parti n.m. ou **partie** n.f. ?
• **prendre parti** : *Ils ont pris parti pour moi* (ils sont de mon côté). ≠ **prendre à partie** : *Ils nous ont pris à partie* (interpeller).

partial, -e, -aux adj. *Ils sont partiaux* (de parti pris). ≠ **partiel** (pas complet) ▸ 172

PARTICIPE
• accord du participe passé ▸ 360-381
• participe présent et adjectif verbal ▸ 407

partiel, -elle adj. *Travailler à temps partiel.*

partir v. conjug. ▸ 211
• avec l'auxiliaire *être* ▸ 365

partisan, -e adj. et n. au féminin : *partisan* ou *partisane*, mais jamais ~~*partisante*~~

passé, -e participe passé invariable avant le nom et variable après le nom : *pass**é** huit heures, huit heures pass**ées*** ▸ 364

passer v.
• *elle s'est pass**e**e de..., elle s'en est pass**e**e* ▸ 372

pastel n.m. *des pastels*
• est invariable comme adjectif de couleur : *des tons pastel*

pâte n.f. (à tarte) avec ***â*** ≠ **patte** (d'un animal)

pâtir v. (de) avec ***â*** : *Personne n'a pâti de cette situation.* ≠ **compatir** v. sans accent

pâtisserie n.f. avec ***â,*** comme dans *pâte*

patron, -onne n. *un patron, une patronne*
• **patronal, -e, -aux** adj. **patronat** n.m. avec un seul ***n*** ▸ 49
• **patronner** v. avec ***nn*** ▸ 49
• **patronage** n.m. avec un seul ***n***

pause n.f. (arrêt) *une pause d'un quart d'heure* ≠ **pose** (de *poser*)

payer v. avec ***y*** ou ***i*** : *il pa**y**e* ou *pa**i**e* ; conjug. ▸ 204
• à l'indicatif imparfait et au subjonctif : *(que) nous pa**yi**ons*
• **paye** ou **paie** n.f.
• **payement** ou **paiement** n.m.

pays n.m.
• le genre des noms de pays ▸ 272

paysan, -anne adj. et n. avec ***nn*** au féminin ▸ 275

pêche n.f. **pêcher** v. **pêcher** n.m. avec ***ê*** pour le sport ou le fruit et l'arbre

péché n.m. **pécher** avec ***é*** pour la faute : *les sept péchés capitaux*

pécuniaire adj. avec ***aire***: *des problèmes pécuniaires* et non ~~*pécuniers*~~.

pédiatre n. sans circonflexe ▶70

pedigree n.m. mot anglais sans accent: *des pedigrees*

peigner v. avec ***i*** à l'imparfait et au subjonctif présent: *(que) nous peig**ni**ons*

peindre v. *je peins, il peint*; conjug. ▶245
• à l'indicatif imparfait et au subjonctif: *(que) nous peig**ni**ons*

pendre v. *je pends, il pend*; conjug. ▶243

pénitencier n.m. (prison) avec ***c***
• **pénitentiaire** adj. avec ***tiaire***: *un établissement pénitentiaire*

penser v.
• sans *s* à l'impératif, sauf devant *en* ou *y*: *Pens**e** à ça, pense**s**-y. Pense**s**-en ce que tu veux.* ▶184

perdre v. *je perds, il perd*; conjug. ▶243

péremption n.f. (même origine que *périmer*): *date de péremption*
≠ **préemption** (droit prioritaire d'acheter) ▶172

péremptoire adj. *un ton péremptoire* (catégorique)

péripétie n.f. avec ***tie*** qui se prononce *-si-*

permettre v. conjug. ▶253
• accord du participe passé à la forme pronominale: *Elle s'est **permis** de venir* et non ~~*permise*~~.
• au conditionnel: *vous permet**triez*** et non ~~*permetteriez*~~.

persévérer v. avec ***é/è***: *nous pers**é**vérons, ils pers**è**vèrent*; conjug. ▶202

persifler v. **persiflage** n.m. avec un seul ***f***
≠ **siffler**

personne n.f. et pron. indéfini
• accord au féminin pour le nom: *Plusieurs personnes sont venues.*
• accord au masculin singulier pour le pronom: *Personne n'est ven**u**.* ▶390

peser v. avec ***e/è***: *nous p**e**sons, ils p**è**sent*; conjug. ▶200
• accord du participe passé ▶370

peu adv. et n.m.sing.
• accord avec **peu (de)** ▶393

peuples (noms de)
• avec une majuscule ▶106

peut-être adv. avec un trait d'union

phare n.m. *des auteurs(-)phares* ▶327

philanthrope adj. et n. avec ***phil-***, « qui aime », et ***anthrop-***, « les hommes » ▶136-137

philtre n.m. (boisson magique) ≠ **filtre** (à café) ▶171

phoque n.m. *les bébés phoques* ▶327

photo n.f.
• variable comme nom: *des photos en noir et blanc*
• invariable comme adjectif: *des labos photo, des appareils photo* ▶327

pied n.m.
• sans trait d'union: *pieds nus, pied à coulisse, pied de nez*
• avec un trait d'union: *nu-pieds; cou-de-pied; pied-de-biche; d'arrache-pied; de plain-pied; pied-à-terre*

piller v. avec ***i*** à l'imparfait et au subjonctif présent: *(que) nous pill**i**ons*▶199

pilule n.f. avec deux fois un seul ***l***

pincer v. avec ***ç*** devant *a* et *o*: *il pinçait, nous pinçons*; conjug. ▶197
• *Elle s'est pinc**é** les doigts, elle se les est pinc**és** dans la porte.* ▶375

pingouin n.m. avec ***ouin*** ▶21

pique-nique n.m. *des pique-niques*

piqûre n.f. avec ***û***

piscine n.f. avec ***sc***

piton n.m. (pointe): *un piton rocheux*
≠ **python** (serpent)

pittoresque adj. avec ***tt***

placer v. avec ***ç*** devant *a* et *o*: *je plaçais, nous plaçons*; conjug. ▶197

plafond n.m. *des prix plafonds* ▶327

plaindre v. *je plains, il plaint*; conjug. ▶245
• à l'indicatif imparfait et au subjonctif: *(que) nous plaig**ni**ons*

plain-pied (de) loc.adv. avec ***ain*** comme dans *plaine* (même origine que *plan*)

plaire v. conjug. ▸ 234
- avec ***î*** devant un *t*: *s'il vous plaît* ▸ 68
- participe passé invariable: *Elles se sont* ***plu*** *à Paris.* ▸ 374

plancher n.m. *des prix planchers* ▸ 327

plant n.m. (de planter) *un plant de tomates* ≠ **plan** (dessin)

plastic n.m. (explosif) *une charge de plastic* ≠ **plastique** adj. et n.m. (matière)

plâtre n.m. avec ***â*** comme dans les mots de la famille: *emplâtre, replâtrer...*

plausible adj. (qu'on peut croire) *une excuse plausible* ≠ **possible**

plébiscite n.m. avec ***sc***

plein, -e adj. et adv.
- variable après le nom: *Il a les poches plein**es** de billets.*
- invariable avant le nom: *Il a des billets* ***plein*** *les poches.*
- invariable comme adverbe: *Ils sont gentils tout plein. Ils ont plein de bonbons* (beaucoup).

plénier, -ière adj. avec ***é***: *une séance plénière*

pleuvoir v. conjug. ▸ 231

plier v. conjug. ▸ 198
- à l'indicatif imparfait et au subjonctif: *(que) nous pl**ii**ons*
- au futur et au conditionnel: *il pli**era**(it)*

plonger v. avec ***e*** devant *a* et *o*: *il plongeait, nous plongeons*; conjug. ▸ 197

plongeoir n.m. avec ***e***

ployer v. avec ***i*** devant un *e* muet: *il ploie*; conjug. ▸ 205

plupart (la) n.f.sing. ou pron. indéfini
- *La plupart (des gens) sont venus.* ▸ 394
- *La plupart d'entre nous viendront.*

PLURIEL
- le ~ des mots simples ▸ 285-291
- le ~ des mots composés ▸ 292-295
- le ~ des mots latins ▸ 296
- le ~ des mots étrangers ▸ 297
- le ~ des noms propres ▸ 298-299

plus adv.
- **plus de**: *Il y a plus de travail. J'ai plus de souci**s**.* ▸ 284
- **plus d'un**: *Plus d'un mois* ***s'était*** *écoulé.* ▸ 398
- **le plus** invariable: *ceux qui se sont* ***le plus*** *amusé**s**; celle qui s'est* ***le plus*** *amusé**e***
- **le plus, la plus, les plus** variable: *C'est* ***la plus*** *gentille des filles,* ***le plus*** *gentil des garçons.*

plusieurs adj. et pron. indéfini plur.
- *Plusieurs d'entre nous* ***viendront****.* ▸ 386

plutôt adv. avec ***ô***
- en un mot: *Venez plutôt lundi (que mardi).* ≠ **plus tôt** en deux mots (contraire de *plus tard*)

pneu n.m. *des pneu**s*** ▸ 291

poêle n.m. et n.f. avec ***ê*** et un seul ***l***

poème n.m. **poète** n. avec ***è***
- **poésie** n.f. avec ***é***

poids n.m. (à peser) ≠ **pois** (à manger) ▸ 171

poignée n.f. *une poigné*, avec ***ée*** ≠ **poignet** n.m. *le poignet*, avec ***et*** ▸ 171

poindre v. *Le soleil point, poindra, poignait à l'horizon.*

poing n.m. avec ***g*** que l'on retrouve dans *poignée*

POINTS (PRINCIPAUX~) ▸ 89-92

POINTS CARDINAUX ▸ 107

POINT-VIRGULE ▸ 94

pois n.m. *une robe rouge à pois blancs* ≠ **poids** (à peser)
- **pois chiches, petits pois** s'écrivent sans trait d'union.

poix n.f. avec ***x***: *de la poix* (résine poisseuse)

pôle n.m. avec ***ô***
- **polaire** adj. sans circonflexe: *le cercle polaire*

polluer v. au futur et au conditionnel: *il pollu**era**(it)* ▸ 198

PONCTUATION ▸ 89-95

pondre v. conjug. ▸ 243

pore n.m. (de la peau) avec ***e*** ≠ **port** (de marine ou en informatique)

portefeuille n.m. **portemanteau** n.m. en un mot ≠ **porte-monnaie** n.m.inv. en deux mots (*des porte-monnaie*)

porte-parole n.inv. *le* ou *la porte-parole d'un mouvement*

pose n.f. (de poser) ≠ **pause** (arrêt)

poser v.
- *Elle s'est pos**é** des questions; les questions qu'elle s'est pos**ées*** ►375

posséder v. avec ***é/è***: *nous poss**é**dons, ils poss**è**dent*; conjug. ►202

possible adj. est variable: *Il a fait toutes les erreurs possibl**es***.
- **le plus, le moins... possible** est invariable: *Prenez le plus de fruits possibl**e***. ►316

post- préfixe ►134

pou n.m. *des poux* ►287

pouls n.m. avec ***ls*** que l'on retrouve dans *pulsation*.

pourcentage n.m.
- accord avec un ~ ►397

pourquoi ou **pour quoi**? ►163

pourrir v. avec ***rr***

pourvoir v. conjug. ►221
- *Elle s'est pourvue en cassation.*

1. **pouvoir** v. *je peux, tu peux, il peut*; conjug. ►227
- le participe *pu* est invariable ►379

2. **pouvoir** n.m. *avoir tous les pouvoirs*

pratiquer v.
- **praticable** adj. avec ***c***
- **pratiquant, -e** adj. et n. avec ***qu***

pré- préfixe ►134

précéder v. avec ***é/è***: *nous préc**é**dons, ils préc**è**dent*; conjug. ►202
- *ceux qui nous ont précéd**és*** ►367

précédemment adv. avec ***emm*** ►145

précepteur, -trice n. (enseignant) ≠ **percepteur** (des impôts) ►172

prédécesseur n.m. s'emploie pour un homme ou pour une femme: *Elle fut mon prédécesseur.*

prédire v. se conjugue comme *dire*, sauf *vous prédisez* ►239

prééminence n.f. (primauté, supériorité) ≠ **proéminence** (saillie)

préemption n.f. *un droit de préemption* (droit d'acheter avant les autres) ≠ **péremption** *une date de péremption* (au-delà de laquelle un produit est périmé)

préférer v. avec ***é/è***: *nous préf**é**rons, ils préf**è**rent*; conjug. ►202
- *Je préférer**ais** que...* ►182

PRÉFIXES ►130
- les préfixes pièges ►134
- les préfixes numériques ►138

préhensile adj. sans *h*: *un organe préhensile* (qui peut prendre, saisir)

préjugé n.m. avec ***é***: *avoir des préjugés* ≠ **préjuger** v. *sans préjug**er** de...*

préliminaire adj. et n.m. bien dire ***préli*** et non ~~*prélé*~~ ►7

premier, -ière adj. et n.f. s'abrège en *1er* et *1re* (et non ~~*1ère*~~) au féminin ►121
- On écrit avec une majuscule *le Premier ministre, le Premier Mai* (fête).

prénatal, -e adj. *des examens prénat**als*** ►288

prendre v. *je prends, il prend*; conjug. ►244
- *Tu as pris la voiture? Oui, je l'ai prise ce matin.* ►367
- *Marie s'est pris**e** au jeu.* ►372
- *Marie s'est pri**s** une part de gâteau.* ►375
- **s'y prendre**: *Elles s'y sont mal pris**es***.

près adv. avec ***è*** ≠ **prêt** adj.
- **près de**: *Elle est près de dire oui* (sur le point de). ≠ **prêt à**: *Elle est prête à partir.* ►171

prescrire v. conjug. ►241
- *prescrire un médicament* ≠ **proscrire** (condamner, interdire)
- **prescription** n.f. ≠ **proscription** (interdiction) ►172

presque ou **presqu'**? ►80

presqu'île n.f. *des presqu'îles*

pressentir v. avec ***ss***; conjug. ►211

1. **prêt** n.m. avec ***ê,*** comme dans *prêter, prêteur*

2. **prêt, -e** adj. avec ***ê,*** comme dans *apprêter*: *des plats tout prêts*
• **prêt à**: *elle est prête à partir* ≠ **près de** (sur le point de) ▶ 171

prétendre v. conjug. ▶ 243

prévoir v. se conjugue comme *voir*, sauf au futur: *je prévoirai*, et au conditionnel: *je prévoirais* ▶ 220

pro- préfixe ▶ 134

prodigue adj. *le retour de l'enfant prodigue* (qui a tout dépensé) ≠ **prodige** (très doué) ▶ 172

produire v. conjug. ▶ 237

proéminence n.f. (saillie, bosse) ≠ **prééminence** (supériorité) ▶ 172

professeur n.m. ou n.f.
• au féminin on peut écrire *la professeur* ou *la professeu**re*** ▶ 281-282

progrès n.m. avec ***ès***

progresser v. **progression** n.f. sans accent

proie n.f. *des proies faciles*

projeter v. avec ***t/tt***: *je proje**t**ais, je proje**tt**erai*; conjug. ▶ 201

prolifique adj. *un chercheur prolifique* (qui produit beaucoup) ≠ **prolixe** (qui parle beaucoup) ▶ 172

promettre v. *je promets, il promet*; conjug. ▶ 253
• au conditionnel: *vous promet**triez*** et non ~~*prometteriez*~~
• *la récompense qu'on nous a promise* ▶ 367
• mais: *Il a fait toutes les choses qu'il avait promi**s*** (de faire). ▶ 379
• *Elle s'est promi**s*** (à elle-même) *de venir.* ▶ 375

promiscuité n.f. (voisinage désagréable) ≠ **proximité** (terme neutre)

promontoire n.m. avec ***e*** ▶ 27

promouvoir v. *il promeut, nous promouvons*; conjug. ▶ 225

PRONONCIATION ET ORTHOGRAPHE
• l'alphabet phonétique ▶ 2-6

pronostic n.m. avec ***c,*** comme *diagnostic*

proposer v. sans *s* à l'impératif: *propos**e**-lui* ▶ 184
• *Elle s'est proposé**e** pour ce poste.* ▶ 373
• *Tu lui as proposé de venir ou elle s'est proposé**é** de venir?* ▶ 375

proscrire v. conjug. ▶ 241
• (interdire, condamner) ≠ **prescrire** (ordonner, recommander) ▶ 172

protéger v. avec ***é/è***: *prot**é**ger, il prot**è**ge*; et un ***e*** devant *a* et *o*: *il protég**e**ait, nous protég**e**ons*; conjug. ▶ 203

proviseur n.m. et n.f. au féminin on peut écrire *proviseu**re*** ▶ 281-282

provoquer v. **provocant, -e** adj. avec un ***c***: *une attitude provocante* ≠ provoquant (participe présent invariable avec ***qu***)

prudemment adv. avec ***emm*** ▶ 145

prud'homme n.m. avec ***mm***: *le conseil des prud'hommes* ≠ **prud'homal, -e, -aux** adj. avec un seul ***m***: *les juges prud'homaux* ▶ 46

prune n.f.
• est invariable comme adjectif de couleur: *des robes prune* ▶ 323

pseudonyme n.m. avec ***-onyme***, qui signifie « nom », comme dans *anonyme, homonyme, synonyme*

psychiatre n. sans circonflexe ▶ 70

psychologie n.f. avec ***y***

psychothérapie n.f. avec ***th***
• **psychothérapeute** n. sans *h* à la fin du mot

public, publique adj. ▶ 280

publier v. conjug. ▶ 198
• à l'indicatif imparfait et au subjonctif: *(que) nous publ**ii**ons*
• au futur et au conditionnel: *il publi**e**ra(it)*

puéril, -e adj. sans *e* au masculin ▶ 25

puisque ou **puisqu'**? ▶ 80

puits n.m. avec ***ts***: *un puits de science*

pulluler v. avec ***ll*** d'abord

pupitre n.m. sans circonflexe ▶ 75

pur, -e adj.
• **pur sang** est invariable et sans trait d'union pour l'adjectif: *des chevaux pur sang*
• **pur sang** est variable ou invariable avec un trait d'union pour le nom: *des purs-sangs* ou *des pur-sang*

puy n.m. (montagne) avec ***y***: *le puy de Dôme* ≠ **puits**

pygmée n.m. avec ***ée,*** comme *musée, mausolée, lycée...* ▸ 23

pylône n.m. avec ***ô***

python n.m. (serpent) ≠ **piton** (pointe)

Q

quand ou **quant**? ▸ 164

quantité n.f.
• *Quantité de gens pens**ent** que...* ▸ 394

quarantaine n.f.
• accord avec **une quarantaine de** ▸ 395

quart n.m.
• accord avec **un quart de** ▸ 396

quatorze est invariable: *Ils sont quatorze.*

quatre est invariable: *leurs quatre enfants* et non ~~*quatre-z-enfants*~~ ▸ 8

quatre-vingt(s)
• avec ou sans ***s***? ▸ 339

que
• **que** ou **qu'**? ▸ 80
• accord avec ~ ▸ 387

quelle ou **qu'elle**? ▸ 166

quelque ou **quelques** ? ▸ 336

quelque, **quel que** ou **quelle que**? ▸ 165

quelque chose
• accord avec ~ ▸ 389

quelquefois adv. en un mot: *Il vient quelquefois me voir* (de temps en temps, parfois). ≠ **quelques fois** en deux mots: *Les quelques fois où je l'ai vu...*

quelque part adv. en deux mots: *Il doit bien être quelque part.*

quelques-uns, quelques-unes pron. indéfini avec un trait d'union

quelqu'un pron. indéfini ▸ 390

qui
• accord avec ~ sujet ▸ 387
• accord avec **moi, nous... qui** ▸ 345-350

quincaillier, -ère n. avec ***ier*** ▸ 26

quinzaine n.f.
• accord avec **une quinzaine de** ▸ 395

quiproquo n.m. *des quiproquos*

quitter v. *À grand-mère qui nous a quitt**és**.*

quoique ou **quoi que**? ▸ 167

quota n.m. *des quotas*

quote-part n.f. *des quote**s**-part**s***

R

raccourcir v. avec ***cc***

rafale n.f. avec un seul ***f*** et un seul ***l***: *Le vent souffle par rafales.*

raffermir v. avec ***ff***

rafle n.f. avec un seul ***f***

rai n.m. *des rais de lumière*

raisonner v. (faire un raisonnement) ≠ **résonner** (faire du bruit) ▸ 171

ranger v. avec ***e*** devant *a* et *o*: *il rangeait, nous rangeons* ▸ 197

ranimer v. (une flamme) ≠ **réanimer** (un blessé)

rappeler v. avec ***l/ll***: *nous rappe**l**ons, il rappe**ll**e*; conjug. ▸ 201
• accord du participe passé:
– *J'ai rappelé Marie, je l'ai rappel**ée**.* ▸ 367
– *Marie s'est rappel**ée** à notre bon souvenir.* ▸ 373
– Mais: *Elle s'est rappel**é** que...* ▸ 375

rasséréner v. avec ***é/è***: *rasséréner, cela rassérène*; conjug. ▸ 202
• bien dire *-séréner-* comme dans *sérénité* (vient de *serein*)

râteau n.m. avec ***â***
• **ratisser** v. sans accent

rationnel, -elle adj. avec ***nn***
• **rationaliser** v. avec un seul ***n*** ▸ 51

rayer v. avec ***y*** ou ***i***: *il raye* ou, plus rarement, *il raie*; conjug. ▸204
• à l'indicatif imparfait et au subjonctif: *(que) nous rayions*

raz de marée n.m.inv. s'écrit avec ou sans traits d'union: *des raz(-)de(-)marée*

re-, ré- préfixes ▸134

rebattre v. on dit ***re**battre les oreilles à* et non ~~*rabattre*~~.

recenser v. **recensement** n.m. avec ***c*** d'abord

récent, -e adj. **récemment** adv. avec ***emm***

récépissé n.m. avec ***c*** d'abord, comme dans *recevoir*, et ***ss***

recevoir v. avec ***ç*** devant *o* et *u*: *je reçois, j'ai reçu*; conjug. ▸222
• participe passé invariable en tête de phrase: ***Reçu** la somme de…* ▸364

récital n.m. *des récit**als*** ▸288

record n.m. *des prix record**s*** ▸327

recourir v. [à] conjug. ▸212
• au futur: *il recou**rr**a* en faisant entendre les deux ***r*** et non ~~*recourera*~~

recouvrer v. (récupérer) *recouvrer la santé* ≠ **recouvrir** (couvrir) ▸172

récrire ou **réécrire** v. avec deux formes pour le verbe, mais une seule pour le nom **réécriture**

recru, -e adj. sans circonflexe. *Ils sont recrus de fatigue.*

recrudescence n.f. avec ***sc***

recueil n.m. **recueillir** v. avec ***ueil*** ▸20

récurrent, -e adj. avec ***rr***

rédhibitoire adj. avec ***dh***

rédiger v. avec ***e*** devant *a* et *o*: *il rédig**e**ait, nous rédig**e**ons* ▸197

redire v. conjug. ▸238
• *Redites-le-moi.*

réel, réelle adj. et n.m. avec ***ée***

refaire v. conjug. ▸232
• *une robe qu'on a **refait** faire* ▸377

réfectoire n.m. ▸27

référer (se) v.pron. avec ***é/è***: *il se réf**é**ra, il se réf**è**re*; conjug. ▸202
• *elle s'est référ**ée** à* ▸372

réflexe n.m. (réaction automatique) ≠ **reflex** (appareil photo)

refréner ou **réfréner** v. avec ***é/è***: *nous réfr**é**nons, ils réfr**è**nent*; conjug. ▸202

réfrigérateur n.m. terme générique à préférer à *Frigidaire*, nom de marque

refuge n.m. *des valeurs refuge**s*** ▸327

régal n.m. *des rég**als*** ▸288

regimber v. le ***g*** se prononce *-j-*

régional, -e, -aux adj. avec un seul ***n,*** comme tous les mots de la famille de *région*

règle n.f. avec ***è***: *ils sont en règle; en règle générale*

régler v. avec ***é/è***: *il r**é**gla, il r**è**gle*; conjug. ▸202
• **règlement** n.m. avec ***è***
• **réglementaire** ou **règlementaire** adj. On admet aujourd'hui l'orthographe avec ***è*** conforme à la prononciation, comme pour les autres mots de la famille. ▸66

reinette n.f. (pomme) ≠ **rainette** (grenouille)

relais n.m. avec un ***s*** au singulier ≠ **délai**
• La forme *relai*, proposée par les rectifications de l'orthographe, n'est pas encore enregistrée comme entrée dans les dictionnaires.

religions (noms de) ▸106

remanier v. conjug. ▸198
• au futur et au conditionnel: *on remani**e**rait*
• **remaniement** n.m. avec un ***e*** muet

remémorer v. avec deux fois un seul ***m,*** comme dans *mémoire*
• *elle s'est remémor**é** les faits* (à elle-même); mais: *les faits qu'elle s'est remémor**és*** ▸375

remercier v. conjug. ▸198
• à l'indicatif imparfait et au subjonctif présent: *(que) nous remerc**ii**ons*
• au futur et au conditionnel: *il remerci**e**ra(it)*

• **remerciement** n.m. avec un ***e*** muet

remettre v. conjug. ▶253
• au conditionnel, on dit : *vous remet**triez*** et non ~~*remetteriez*~~

réminiscence n.f. avec ***sc***

remords n.m. avec ***ds***
• on dit : *ils sont bourrelés de remords* et non ~~*bourrés*~~ *de remords*

remplacer v. avec **ç** devant *a* et *o* : *il remplaçait, nous remplaçons* ▶197

rémunérer v. avec ***é/è*** : *nous rémun**é**rons, ils rémun**è**rent* ; conjug. ▶202
• avec ***m*** puis ***n,*** comme dans *monnaie* : *ré**m**unérer* et non ~~*rénumérer*~~

renaissance n.f. avec une majuscule pour la période historique et le style ▶104

rendre v. conjug. ▶243
• *Je lui ai rendu ses affaires, je les lui ai rendu**es**.* ▶367
• **se rendre à l'évidence** : *Elle s'est rendu**e** à l'évidence.* ▶372
• **se rendre compte** : *Elle s'est rend**u** compte de son erreur.* ▶381
• **se rendre maître** : *Ils se sont rendu**s** maîtres, elles se sont rendu**es** maîtres de la situation.* ▶381
• **se rendre service** : *Ils se sont rend**u** service.* Mais : *les services qu'ils se sont rendu**s*** ▶375

rêne n.f. (courroie) avec **ê** ≠ **renne** (animal)

renoncer v. avec **ç** devant *a* et *o* : *il renonça, nous renonçons* ▶197

renouveler v. avec ***l/ll*** : *nous renouve**l**ons, il renouve**ll**e* ; conjug. ▶201
• **renouvellement** n.m. avec ***ll***

renseigner v. à l'indicatif imparfait et au subjonctif : *(que) nous renseign**i**ons* ▶199

renvoyer v. conjug. ▶206

réouverture n.f. avec ***ré-***, mais *rouvrir* avec ***r-***

repaire n.m. (lieu, refuge) *un repaire de voleurs* ≠ **repère** (marque) ▶171

répandre v. conjug. ▶243

repartie ou **répartie** n.f. L'orthographe avec ***é*** est conforme à la prononciation la plus courante.

répartir v.
• accord du participe passé :
– *Les élèves se sont répart**is** en trois groupes.*
– Mais : *Les professeurs se sont répart**i** les trois groupes.* ▶375

repère n.m. (marque) *des points de repère* ≠ **repaire** (refuge) ▶171
• *des dates repères* ▶327

repérer v. avec ***é/è*** : *nous rep**é**rons, ils rep**è**rent* ▶202

répertoire n.m. ▶27

répondre v. *je réponds, il répond* ; conjug. ▶243

reprocher v. *Elle s'est reproch**é*** (à elle-même) *son absence.* ▶375

république n.f. avec une majuscule pour une période historique ou un État : *la III*[e] *République, la République française* ▶104

requérir v. conjug. ▶214
• au futur : *ils reque**rr**ont*

requête n.f. avec **ê** comme dans *quête* et *conquête*

réquisitoire n.m. avec un ***e*** final ▶27

réseau n.m. *des réseaux*

réserver v. *Elle s'est réserv**é*** (à elle-même) *la meilleure part, elle se l'est réserv**ée**.* ▶375

réservoir n.m. ▶27

résident, -e n. avec ***en*** : *une carte de résident* ≠ résidant (participe présent invariable) : *les Français résidant à l'étranger*
• **résidence** n.f.
• **résidentiel, -elle** adj. avec un ***t***

résigner (se) v.pron. *Ils se sont résign**és** à partir.* ▶372
• à l'indicatif imparfait et au subjonctif : *(que) nous nous résign**i**ons* ▶199

résonner v. (faire du bruit) ≠ **raisonner** (faire un raisonnement) ▶171

résoudre v. conjug. ▸ 246
• *elle s'est résolue à* ▸ 373

respect n.m. **respecter** v. avec ***ct***

ressaisir (se) v.pron. avec ***ss***. *Elle s'est ressaisie.* ▸ 372

ressembler v. [à] participe passé invariable : *Les deux sœurs se sont longtemps ressemblé* (l'une à l'autre). ▸ 374

ressentir v. avec ***ss*** ; conjug. ▸ 211

resserrer v. avec ***ss*** et ***rr***

resservir v. avec ***ss***

1. **ressortir** v. (sortir) conjug. ▸ 211

2. **ressortir** v. [à] (être du ressort de) se conjugue comme *finir* ▸ 208
• *Un roman qui ressortit à la science-fiction.*

ressusciter v. avec ***sc*** à la fin

rester v.
• *ce qui* ou *ce qu'il me reste à faire*
• **reste** en tête de phrase est aujourd'hui le plus souvent invariable : *Reste quelques points à régler.* ▸ 355

restreindre v. conjug. ▸ 245
• à l'indicatif imparfait et au subjonctif : *(que) nous restreign**i**ons*

resurgir ou **ressurgir** v. L'orthographe avec un seul ***s*** est aujourd'hui la plus fréquente : *Son passé resurgit soudain.*

rétractile adj. avec ***ile*** et non *-ible* : *des griffes rétractiles*

rétribuer v.
• au futur et au conditionnel : *il rétribu**e**ra(it)* ▸ 198

rétro adj.inv. *des objets rétro* ▸ 321

rêve n.m. **rêver** v. avec ***ê***

revêche adj. avec ***ê***

réveil n.m. avec ***eil***
• **réveiller** v.
• à l'indicatif imparfait et au subjonctif : *(que) nous réveill**i**ons* ▸ 199

révéler v. avec ***é/è*** : *nous rév**é**lons, il rév**è**le* ; conjug. ▸ 202

revêtir v. se conjugue comme *partir*, sauf *je revêts, tu revêts,* où le ***t*** est conservé, et au participe passé : *revêtu* ; conjug. ▸ 211

révoquer v.
• **révocation** n.f. **révocable** adj. avec ***c***

revolver ou **révolver** n.m. ▸ 66

rez-de-chaussée n.m.inv. *des rez-de-chaussée*

rideau n.m. *des doubles(-)rideaux*

1. **rire** v. conjug. ▸ 242
• participe invariable : *Ils se sont ri des difficultés.*

2. **rire** n.m. *des fous rires*

ris n.m. avec ***s*** pour la voile et pour le *ris de veau* ≠ **riz** (céréale)

rival, -e, -aux adj. et n. *des équipes rivales, des clans rivaux*

roc n.m. (masse de pierre) ≠ **rock** (musique)

rock n.m. est invariable après le nom : *des chanteurs rock*

roder v. **rodage** n.m. sans circonflexe : *roder un moteur neuf* ≠ **rôder** v. (tourner autour), **rôdeur** n.m. avec ***ô***

rompre v. avec ***pt*** à la 3e personne du présent : *je romps, il rom**pt*** ; conjug. ▸ 243

rond-point n.m. *des ronds-points*

ronfler v. avec un seul ***f***

ronger v. avec ***e*** devant *a* et *o* : *il rong**e**ait, nous rong**e**ons* ▸ 197

rorqual n.m. (animal) *des rorqu**als*** ▸ 288

rose n.f. *un bouquet de roses*
• adj. *des rubans roses* ; mais : *des rubans rose foncé, rose bonbon* ▸ 324
• **rosâtre** adj. avec ***â*** ▸ 70

roseau n.m. *des roseaux*

rôtir v. avec ***ô***, comme dans tous les mots de la famille : *rôtisserie, rôtissoire, rôti*

rouge adj. *des robes rouges* ; mais : *des robes rouge clair, rouge sang, rouge écarlate,* etc. ▸ 324
• **rougeâtre** adj. avec ***â*** ▸ 70

rougeole n.f. avec un seul ***l*** ▸ 43

roulotte n.f. avec ***tt*** ▸ 60

rouvrir v. conjug. ▸ 217
• **réouverture** n.f. avec ***ré-***

roux, rousse adj. et n. ▸ 280

ruisseler v. avec ***l/ll***; conjug. ▸ 201
• **ruissellement** n.m. avec ***ll***:
des eaux de ruissellement

rustre adj. et n. (grossier) avec ***stre*** ≠ **fruste**

rythme n.m. avec ***th***

S

saccade n.f. avec ***cc***

saccager v. avec ***e*** devant *a* et *o*:
*saccag**e**ant, saccag**e**ons* ▸ 197

sacrifier v. *Ils se sont sacrifiés. On les a sacrifiés.*
• à l'indicatif imparfait et au subjonctif:
*(que) nous sacrif**ii**ons*
• au futur et au conditionnel:
*il sacrifi**e**ra(it)* ▸ 198

safari n.m. *des safaris-photos*

safran n.m.
• est invariable comme adjectif de couleur ▸ 323

sage-femme n.f. *des sages-femmes*

saillir v.
• (pointer, être saillant) se conjugue comme *assaillir*: *ses muscles saillaient*
• (saillir une jument) se conjugue comme *finir* ▸ 208

sain, -e adj. avec un ***a*** qu'on retrouve dans *santé*
• **sain et sauf** s'accorde: *Ils sont sains et saufs, elles sont saines et sauves.*

salir v.
• *Elle s'est sali**e**.* ▸ 373
• Mais: *Elle s'est sal**i** les mains.* ▸ 375

saluer v. *Ils se sont salu**és*** (l'un l'autre) ▸ 373
• au futur et au conditionnel: *il salu**e**ra(it)* ▸ 198

samedi n.m. *les samedi**s** matin* ▸ 405

sandwich n.m. *des sandwich**s*** ▸ 297

sangloter v. avec un seul ***t*** ▸ 61

sans
• singulier ou pluriel après ~? ▸ 304
• **sans que** est suivi du subjonctif:
*Il est sorti sans que personne le voi**e**.*
(On n'emploie jamais *ne*).
• Attention ! on écrit *sens dessus dessous*

sans-abri n. *des sans-abr**i*** ou *des sans-abri**s***
• de même pour *des sans-cœur(s), des sans-emploi(s)*, etc.

saphir n.m. *des saphirs*
• est invariable comme adjectif de couleur: *des yeux (bleu) saphir* ▸ 323

sarrasin n.m. (céréale) avec ***rr***

satellite n.m. avec ***ll***
• après un nom: *des villes satellites*
• mais: *des images satellite* (par satellite) ▸ 327

satire n.f. (texte moqueur) avec ***i*** ≠ **satyre** n.m. (être mythologique ou homme lubrique)

satisfaire v. se conjugue comme *faire*: *nous satisfaisons, vous satisfaites*, comme *nous faisons, vous faites*; conjug. ▸ 232

satyre n.m. (être mythologique ou homme lubrique) ≠ **satire** n.f. (texte moqueur)

1. **savoir** v. conjug. ▸ 224
• **savoir gré**: *je vous sais, je vous **saurai** gré de bien vouloir...* (et non *je vous ~~serai~~ gré*)

2. **savoir** n.m. *tous les savoirs*
• **savoir-faire**: *des savoir-faire* ▸ 293

scarabée n.m. avec ***ée***, comme *musée* ▸ 23

sceau n.m. (cachet) *le sceau du roi* avec ***sc*** comme dans *scellés* ≠ **seau** (récipient) ▸ 171

sceller v. **scellés** n.m. plur. avec ***sc***: *sceller un accord; un local sous scellés* ≠ **seller** (un cheval)

scénario n.m. *des scénarios* ▸ 297

sceptique adj. et n. (qui doute) avec ***sc*** ≠ **septique** (*fosse septique*) ▸ 171
• **scepticisme** n.m.

sceptre n.m. *le sceptre du roi*

schéma n.m. **schématique** adj. avec ***sch***

sciemment adv. avec ***emm*** (en toute connaissance de cause)

scinder v.
• **scission** n.f. avec ***sc*** puis ***ss***

scintiller v. conjug. ▸ 199

se ou **ce** ? ▶155
• accord avec **se** ▶372-375

seau n.m. (récipient) *des seaux d'eau* ≠ **sceau** (cachet) ▶171

sécession n.f. avec ***c*** puis ***ss*** : *faire sécession*
• avec une majuscule dans *la guerre de Sécession*

sécher v. avec ***é/è*** : *sèche, séchons* ▶202
• *Elle s'est séch**ée**.* Mais : *Elle s'est séch**é** les mains.* ▶375

secourir v. conjug. ▶212
• au futur : *il secou**rr**a*, en faisant entendre ***rr***, et non ~~*secourera*~~

secret, -ète adj. **secrètement** adv. avec ***è***

sécréter v. avec ***sé***
• avec ***é/è*** dans la conjugaison : *sécr**é**tons, sécr**è**te* ▶202

sein n.m. *au sein de* ≠ **seing** n.m. *sous seing privé*, avec un ***g*** que l'on retrouve dans *signature*

semer v. avec ***e/è*** : *nous s**e**mons, ils s**è**ment* ; conjug. ▶200

semi- préfixe ▶134

senior ou **sénior** n. et adj. *des ingénieurs seniors, séniors* ▶ 66

sens n.m. *en tout ou tous sens ; en sens inverse ; des mots de même sens, de sens contraire(s)*
• **sens dessus dessous** : *Tout est sens dessus dessous.*

sensé, -e adj. (qui a du sens) *des propos sensés* ≠ **censé** (supposé) ▶171

sentir v. conjug. ▶211
• accord du participe :
– *Elle s'est senti**e** mal.* ▶373
– *Elle ne s'est pas sent**i** le courage d'y aller.* ▶375
– *la colère qu'il a senti**e** monter en lui* ▶376
– *Elle s'est senti**e** mourir.* ▶376

septembre n.m.

septique adj. *une fosse septique* ≠ **sceptique** (qui doute) ▶171

série n.f. *Une série d'accidents **a** eu lieu* ou ***ont** eu lieu.* ▶392

serein, -e adj. (confiant) avec un ***e*** qu'on retrouve dans *sérénité* ≠ **serin** n.m. (oiseau) avec un ***i*** qu'on retrouve dans *seriner*

serrer v. *Ils se sont serr**és** l'un contre l'autre.* Mais : *Ils se sont serr**é** la main.* ▶375

servir v. conjug. ▶211
• accord du participe passé :
– *Le vendeur les a bien serv**is**.* ▶367
– *Ils se sont serv**is** tout seuls.* ▶373
– *Elle s'est serv**i** la plus grosse part, elle se l'est serv**ie** toute seule.* ▶375
– *Elle s'est serv**ie** du marteau, elle s'en est serv**ie**.* ▶372

session n.f. *la session parlementaire* ≠ **cession** (fait de céder) ▶171

seul, -e adj.
• **seul à seul** s'accorde en genre : *Marie a parlé à Julie seul**e** à seul**e**.* ▶316

shampoing ou **shampooing** n.m.

si
• **si** ou **s'** ? ▶80
• devant une hypothèse ou une condition, *si* n'est jamais suivi du conditionnel présent : *Si j'avais su, je ne serais pas venu* et non ~~*si j'aurais su*~~.

siècle n.m.
• reste au singulier dans : *le XVIe et le XVIIe siècle ; au XVIIe et au XVIIIe siècle*
• est au pluriel si le deuxième élément est sans article : *les XVIIe et XVIIIe siècles ; aux XVIIe et XVIIIe siècles*

siéger v. avec ***é/è*** : *si**é**ger, il si**è**ge* ; et un ***e*** devant *a* et *o* : *il sièg**e**ait, nous sièg**e**ons* ; conjug. ▶203

siffler v. avec ***ff*** comme tous les mots de la famille, sauf *persifler, persifleur*

SIGLE ▶119

signal n.m. *un signal, des signaux*

s'il te plaît, s'il vous plaît avec ***î***. *Répondre s'il vous plaît (R.S.V.P.).* ▶68

-sion ou **-tion** ? ▶144

siphon n.m. avec ***i***

sociable adj. (qui aime les contacts humains) : *une personne sociable* ≠ **social** (qui vit en société) : *un être social* ▶ 172

soi ou **soit** ? ▶ 168

soi-disant adj.inv. avec le pronom ***soi*** : *des soi-disant policiers* (qui se disent tels) ▶ 127

soie n.f. **soierie** n.f. avec un ***e*** muet

soir n.m.
• invariable après un nom de jour : *les dimanches soir* ▶ 405

soit
• accord du verbe avec **soit... soit** ▶ 401
• (étant donné) est invariable : ***Soit*** *trois carrés de...* ▶ 355

soixantaine n.f.
• accord avec **une soixantaine de** ▶ 395

solennel, -elle adj. **solennellement** adv. **solennité** n.f. avec ***e*** prononcé *-a-* ▶ 3

somptuaire adj. (avec des dépenses excessives) ≠ **somptueux** (luxueux) ▶ 172

sorte n.f. *des produits de toute(s) sorte(s)*
• **en quelque sorte** est toujours au singulier

sortir v. conjug. ▶ 211
• *Elle s'est sort**ie** de la situation, elle s'en est sort**ie**.* ▶ 373

sosie n.m. avec ***e***

souffle n.m. **souffler** v. avec ***ff*** comme tous les mots de la famille, sauf *boursouflé, boursouflure*

souffrir v. conjug. ▶ 217

soufre n.m. avec un seul ***f*** ▶ 37

souhaiter v. *Il souhaite que j'ai**e*** (subjonctif) *mon examen.*
• *Ils se sont souhait**é** la bonne année.* ▶ 375

soûl, -e ou **saoul, -e** adj. La forme avec ***û*** est aujourd'hui la plus fréquente.

soulever v. avec ***e/è*** : *nous soul**e**vons, ils soul**è**vent* ; conjug. ▶ 200

soumettre v. conjug. ▶ 253
• au conditionnel : *vous soumet**trie**z* et non ~~*soumetteriez*~~

soupirail n.m. *un soupirail, des soupiraux* ▶ 289

source n.f. *des fichiers sources*

sourire v. conjug. ▶ 242
• participe passé invariable : *Ils se sont sour**i*** (l'un à l'autre). ▶ 374

soussigné, -e adj. et n. *Je soussign**ée** Marie Durand atteste que...*

sous-sol n.m. *les sous-sols*

soustraire v. conjug. ▶ 233

soutenir v. conjug. ▶ 210

souterrain, -e adj. et n.m.

soutien n.m. *des soutiens de famille*

souvenir (se) v.pron. conjug. ▶ 210
• *Elle s'est souven**ue** de cette journée. Elle s'en est souven**ue**.* ▶ 372

soyons, soyez s'écrivent sans *i* : *que nous soyons, que vous soyez* ▶ 195

spacieux, -euse adj. avec un ***c*** ≠ **spatial**

spaghetti n.m. *des spaghettis*

spatial, -e, -aux adj. avec un ***t*** : *une navette spatiale*

spécial, -e, -aux adj. *des envoyés spéciaux*

sphinx n.m. sans *y*

square n.m. avec un seul ***r***

standard n.m. *des modèles standards*

station-service n.f. *des stations-service* ▶ 294

statu quo n.m.inv. mots latins : *les statu quo*

stéréo n.f. et adj.inv. *des chaînes stéréo* ▶ 321

strate n.f. ***une*** *strate ; différentes strates* ▶ 270

subir v. *les violences qu'ils ont subi**es*** ▶ 367

subit, -e adj. (soudain) *un froid subi**t*** ≠ ***subi***, participe passé de *subir*

substance n.f. avec un ***c***
• **substantiel, -elle** adj. avec un ***t***

subtil, -e adj. sans *e* au masculin ▶ 25

subvenir v. [à] conjug. ▶ 210
• participe passé invariable ▶ 361

suc n.m. (liquide physiologique) *les sucs gastriques* ≠ **sucre**
• *tout le suc de l'histoire* (ce qu'il y a d'essentiel, de succulent)

succéder v. [à] avec ***é/è***: *nous succ**é**dons, ils succ**è**dent* ►202
• participe passé invariable: *les gouvernements qui se sont succédé* ►374

successeur n.m. s'emploie pour un homme ou pour une femme: *Elle sera mon successeur.*

succès n.m. avec ***ès*** ►63

succinct, -e adj. avec ***ct***

succion n.f. avec ***cc*** qu'on prononce -s-

succomber v. [à] participe passé invariable: *Ils ont succombé à leurs blessures.* ►361

succulent, -e adj.

succursale n.f. avec un seul ***l***

sud n.m.inv et adj.inv. ►107

suffire v. [à] se conjugue comme *interdire*, sauf au participe passé: *suffi* ►239
• participe invariable: *Marie s'est toujours suffi à elle-même.* ►361

SUFFIXES ►130 et 135

suffoquer v. **suffocant, -e** adj. **suffocation** n.f. avec un ***c***

suivre v. conjug. ►255

SUJET
• comment trouver le ~ ? ►342

super- préfixe ►134
• l'adjectif familier est invariable: *des amis super, des super amis*

suprême adj. avec ***ê***
• **suprématie** n.f. avec ***é***

sur, -e adj. (acide) sans circonflexe: *un fruit sur* ≠ **sûr** (certain) ►69

sûr,-e adj. **sûrement** adv. **sûreté** n.f. avec ***û***

sur-le-champ loc.adv. avec deux traits d'union

surveiller v. à l'indicatif imparfait et au subjonctif: *(que) nous surveill**i**ons* ►199

survenir v. conjug. ►210
• auxiliaire *être*: *les événements qui sont survenu**s** hier* ►365

survivre v. [à] conjug. ►256
• participe passé invariable: *Ils vous ont survéc**u*** (à vous). ►361

susceptible adj. avec ***sc***

susciter v. avec ***sc***: *les réactions que ce film a suscit**ées*** ►367

suspect, -e adj. et n. avec ***ct*** qui ne se prononce pas au masculin

suspendre v. conjug. ►243

suspens (en) loc.adv. sans *e* final
• on ne prononce pas le ***s*** final: *dossiers en suspens*

suspense n.m. avec un ***e*** final: *des films à suspense*

susurrer v. avec un seul ***s*** intérieur

SYMBOLES ►120

symétrie n.f.

sympathie n.f. **sympathique** adj. avec ***h***

symptôme n.m. avec ***ô*** ►72
• **symptomatique** adj. sans circonflexe

syndrome n.m. sans circonflexe ►72

synonyme adj. et n.m. avec ***-onyme***, qui signifie « nom », comme dans *homonyme, anonyme...*

synthèse n.f. avec ***è***
• **synthétique** adj. avec ***é***

système n.m. avec ***é***
• **systématique** adj. avec ***é***

T

tabou, -e adj. et n.m. *des idées taboues*

tache n.f. (marque) **tacher** v. (salir) sans circonflexe ≠ **tâche** (travail) et **tâcher** v. (faire en sorte de)

tact n.m. sans *e*

tactile adj. ►25

tain n.m. (matière) *des miroirs sans tain* ≠ **teint** (couleur de peau)

taire v. conjug. ►234
• *Ils se sont tus.*

tampon n.m.
• **tamponner** v. avec ***nn*** ►47

tangent, -e adj. et n.f. *des résultats tangents* (limites)

tanière n.f. avec un seul ***n***

tant adv.
• *Il y en a tant qui pens**ent** que...*

taon n.m. avec ***aon*** prononcé *-an-*, comme dans *faon* et *paon*. ▶ 16

tartre n.m. avec ***rtr***

tas n.m. *Un tas de gens pens**ent** que...*

tâter v. **tâtonner** v. **à tâtons** loc. adv. avec ***â***

tatillon, -onne adj. et n. sans circonflexe

-té ou **-tée** ?
• noms féminins en ***-té*** ou ***-tée*** ? ▶ 22

teint n.m. *Un teint hâlé* ≠ **tain** (matière)

teinter v. (colorer) ≠ **tinter** (sonner) ▶ 171

tel, telle
• accord de ~ ▶ 337

télé n.f. *des télés*
• invariable après un nom : *les programmes télé* ▶ 321

téléphoner v. *Ils se sont téléphon**é*** (l'un à l'autre). ▶ 374

télescope n.m. **télescoper** v. **télescopique** adj. sans accent sur le deuxième ***e***

télésiège n.m. **téléski** n.m. avec un accent sur le deuxième ***e***

témoin n.m. *des appartements témoins* ▶ 327
• est invariable en tête de phrase :
*Nous savons tout, **témoin** ces lettres que nous avons trouvées.*

tempête n.f. avec ***ê***

temps n.m.
• au singulier : *au temps de, de tout temps, en tout temps, depuis quelque temps*
• au pluriel : *autres temps, autres mœurs*
• **tout le temps** sans trait d'union
• **entre-temps** avec un trait d'union

tendance n.f.
• est invariable après le nom : *des décorations tendance* ▶ 320

tendre v. *je tends, il tend* ; conjug. ▶ 243
• au conditionnel : *vous ten**driez***

tenir v. *je tiens, il tient* ; conjug. ▶ 210
• accord du participe :
– *Quels rôles ont-elles tenu**s** ?* ▶ 367
– *La séance s'est tenu**e** hier.* ▶ 372
– *Je les ai tenu**s** au courant.* ▶ 367
• **tenir compagnie, tenir tête** : *Ils nous ont tenu compagnie.*
• **s'en tenir à** : *Ils s'en sont tenu**s** aux faits.*

tentacule n.m. ***un*** *tentacule* ▶ 270

terme n.m. est au pluriel dans les expressions où il signifie « mot, propos... » :
Aux termes du contrat. En quels termes vous a-t-il parlé ? Être en bons, en mauvais termes avec quelqu'un

terre n.f.
• **par terre**, en deux mots : *tomber par terre* ≠ **parterre** n.m. *un parterre de fleurs*

terre-plein n.m. *des terre-pleins*

terroriser v. **terrorisme** n.m. avec ***rr,*** comme dans *terreur*

tête n.f. avec ***ê***

téter v. avec ***é/è*** : *téter, il t**è**te* ▶ 202

têtu, -e adj. avec ***ê*** comme dans *tête*

thé n.m.
• est invariable comme adjectif de couleur : *des roses thé* ▶ 323

théâtre n.m. avec ***â***

thérapeute n. avec un seul ***h*** au début du mot

thym n.m. avec ***ym***

-tie prononcé *-ti-* ou *-si-* ? ▶ 14

1. **tiers** n.m. *Un tiers des personnes interrogées **ont** ou **a** dit oui.* ▶ 396

2. **tiers, tierce** adj. *une tierce personne*

tinter v. (faire un bruit) ≠ **teinter** (colorer)

tintinnabuler v. avec ***nn***

-tion ou **-sion** ? ▶ 144

tire-bouchon n.m. *des tire-bouchons* ▶ 294

TITRE
• accord avec un titre d'œuvre ▶ 403-404

toboggan n.m. avec ***gg***

tolérer v. avec ***é/è*** : *tol**é**rons, tol**è**re* ; conjug. ▶ 202

tonalité n.f. avec un seul ***n***

tordre v. *je tords, il tord* ; conjug. ▶ 243

tort n.m. avec ***t***

total, -e, -aux adj. et n.m. *un total, des totaux*

tournoyer v. avec ***y/i***: *Les feuilles tournoyaient, tournoieront.*; conjug. ►205

tout
- ~ adjectif indéfini : **tous, toute, toutes** ou ~ adverbe : *tout étonnée, tout autre, toute contente* ►338
- sans trait d'union dans les expressions : *tout à coup, tout à fait, tout à l'heure*
- **tout le monde** : *Tout le monde **est** là.* ►390
- singulier ou pluriel dans les expressions avec ~ ? ►305

toutefois adv. en un mot

tout-petit n.m. *les tout-petits*

traditionnel, -elle adj. avec ***nn*** ≠ **traditionaliste** adj. et n. avec un seul ***n*** ►51

traduire v. conjug. ►237

traîner v. avec ***î***, comme dans tous les mots de la famille

TRAIT D'UNION
- emploi du ~ ►83-88

traître adj. et n. avec ***î***

trampoline n.m. avec ***am*** ≠ **tremplin**

transférer v. avec ***é/è***: *nous transférons, ils transfèrent*; conjug. ►202
- **transfert** n.m. avec ***t***

transhumance n.f. avec ***h***

trappe n.f. avec ***pp***

trapu, -e adj. avec un seul ***p***

travail n.m. *un travail, des travaux*
- **travailler** v. à l'indicatif imparfait et au subjonctif présent : *(que) nous travaillions* ►199

TRÉMA
- emploi du ~ ►77

trembloter v. avec un seul ***t*** ►61

tremplin n.m. avec ***em***

trentaine n.f.
- accord avec **une trentaine de** ►395

tressaillir v. se conjugue comme *cueillir*, sauf au futur et au conditionnel : *il tressaillira(it)*, mais on rencontre souvent *il tressaillera(it)*, sur le modèle de *il cueillera(it)* ►218

tribunal n.m. *un tribunal, des tribunaux*

tribut n.m. (contribution) : *payer un lourd tribut à* ≠ **tribu** n.f. (groupe social)

triple adj. et n.m. *un texte en triple exemplaire*

trône n.m. **trôner** v. avec ***ô***

trop adv.
- accord avec **trop de** ►393

trophée n.m. avec ***ée***, comme *lycée* ►23

trouver v. *une histoire que j'ai trouvée passionnante* ►387
- sans *s* à l'impératif, sauf devant *en* : *Trouve des exemples, trouves-en.* ►184
- accord du participe passé :
  - *Elle s'est trouvée là.* ►372
  - *Elle s'est trouvé une amie.* ►375

truc n.m. avec ***c***
- **truquage** ou **trucage** n.m.

tuer v. au futur et au conditionnel : *il tuera(it)* ►198
- **tuerie** n.f. avec un ***e*** muet

turquoise n.f.
- est invariable comme adjectif de couleur : *des pulls turquoise* ►323

tutoyer v. avec ***y/i***: *nous tutoyons, ils tutoient*; conjug. ►205
- **tutoiement** n.m. avec un ***e*** muet

type n.m. *des formules types*

typique adj. avec ***y***, comme dans *type*

tyran n.m. *Cette femme est un tyran !*
- **tyrannie** n.f. avec ***nn***

ubiquité n.f. avec ***qui*** qui se prononce comme dans *cuivre*

-ule ou **-ulle** ? ►42

un, une
- accord avec **(l')un, (l')une des... qui** ►391
- accord avec **l'un ou l'autre** ►399

usagé, -e adj. (qui a déjà servi) ≠ **usé** (abîmé)

usager n.m. avec ***er***: *les usagers d'un service public*
• l'emploi au féminin commence à se faire entendre: *une usagère*

V

va sans *s* à l'impératif, sauf devant *y*: *Va le voir ! Vas-y !*
• On écrit *à Dieu vat !* avec un ***t*** qui ne se prononce pas.

vaccin n.m. avec ***cc*** qui se prononce *-ks-*

vaciller v. avec un ***c*** ≠ **osciller**

va-et-vient n.m.inv. *des va-et-vient*

vaincre v. *je vaincs, tu vaincs, il vainc*; conjug. ▸ 258

vainqueur n.m. *Elle est le grand vainqueur du concours.*
• L'emploi au féminin commence à se faire entendre mais il n'est pas recommandé : il ne s'agit pas d'un nom de métier ou de fonction.

valoir v. conjug. ▸ 229
• accord du participe ▸ 370
• **il vaut mieux, il vaudrait mieux** et non ~~il faut mieux~~

vantail n.m. avec ***an***: *une porte à deux vantaux* ▸ 289

varier v.
• au futur et au conditionnel: *il variera(it)* ▸ 198

velours n.m. avec ***s***

vendre v. *je vends, il vend*; conjug. ▸ 243

vendredi n.m. *tous les vendredis matin* ▸ 405

vénéneux, -euse adj. (qui contient du poison) *des champignons vénéneux* ≠ **venimeux** (qui produit du venin) ▸ 172

vénérer v. avec ***é/è***: *nous vénérons, ils vénèrent*; conjug. ▸ 202

venger v. avec ***e*** devant *a* et *o*: *il vengea, nous vengeons* ▸ 197
• **vengeance** n.f. avec ***gea***

venin n.m.
• **venimeux, -euse** adj. *un serpent venimeux* ≠ **vénéneux**: *un champignon vénéneux*

venir v. conjug. ▸ 210
• se conjugue avec *être*: *elle est venue* ▸ 365

ver n.m. *un ver de terre* ≠ **vers** (de poésie) ▸ 171

VERBE
• l'accord du verbe ▸ 341-355
• les groupes de verbes ▸ 176
• les conjugaisons ▸ 194-258

verdâtre adj. avec ***â*** ▸ 70

verglas n.m. avec ***s***
• **verglacé, -e** adj. avec ***c***: *une route verglacée*

vérifier v.
• à l'indicatif imparfait et au subjonctif: *(que) nous vérifiions* ▸ 198
• au futur et au conditionnel: *il vérifiera(it)*

vermillon adj. inv. *des rouges vermillon*

verrou n.m. *des verrous* ▸ 287

versant n.m. avec ***t***: *le versant nord d'une montagne*

verse (à) loc. adv. en deux mots: *Il pleut à verse.* ≠ **averse** n.f.

verser v. *Elle s'est versé deux verres d'eau. les deux verres d'eau qu'elle s'est versés* ▸ 375

verset n.m. avec ***t***

vert, -e adj. et n.m. *des motifs verts*; mais: *des motifs vert foncé, vert clair* ▸ 324

vertu n.f. ▸ 24

vêtement n.m. avec ***ê***, comme dans les mots de la famille: *vêtir, revêtir, revêtement*

veto n.m.inv. mot latin invariable et sans accent: *des veto* ▸ 296
• La forme francisée variable *un véto, des vétos* est proposée par les rectifications orthographiques. ▸ **p. 315**

veuillez impératif de *vouloir*

viaduc n.m. avec un ***c***, comme dans *gazoduc, oléoduc*

vice n.m. *le vice et la vertu*

vice versa loc. adv.

vidéo n.f. et adj. inv.
• est variable comme nom : *des vidéos*
• est invariable après le nom : *des jeux vidéo* ▶ 321

vieux, vieille adj. et n.
• **vieil** devant un nom masculin singulier commençant par une voyelle ou un *h* muet : *un vieil ami, un vieil homme*

ville n.f.
• le genre des noms de ville ▶ 271

vingt adj. numéral
• avec ou sans **s** dans *quatre-vingt(s)* ? ▶ 339

vingtaine n.f.
• accord avec **une vingtaine de** ▶ 395

violemment adv. avec ***emm*** ▶ 145

violet, -ette adj. et n.m. *des fleurs violettes* ; mais : *des fleurs violet foncé* ▶ 324

violon n.m.
• **violoniste** n. avec un seul ***n*** ▶ 52

VIRGULE
• emploi de la ~ ▶ 93

viscère n.m. ***un*** *viscère* ▶ 270

vitrail n.m. *un vitrail, des vitraux* ▶ 289

vive
• invariable en tête de phrase : ***Vive*** *les vacances !* ▶ 355

vivre v. conjug. ▶ 256
• accord du participe passé :
– *la vie que j'ai vécu**e** ici*
– *les dix ans que j'ai vécu ici* ▶ 370

vœu n.m. *des vœux*

voie n.f. (chemin) avec un ***e*** ≠ **voix** (organe de la parole)

voir v. conjug. ▶ 219
• à l'indicatif imparfait et au subjonctif : *(que) nous vo**yi**ons*
• accord du participe passé :
– *Toutes ces choses que Marie a **vues** ! Toutes ces choses qu'a **vues** Marie !* ▶ 367-369
– *Des films comme celui-là, j'en ai **vu** beaucoup !* ▶ 382
– *Pierre et Marie se sont **vus** hier.* ▶ 373
– *Les acteurs que j'ai **vus** jouer...* ▶ 376
– *La pièce que j'ai **vu** jouer...* (par des acteurs) ▶ 376
– *Elle s'est **vue** tomber.* ▶ 376
– ***Vu*** *les circonstances...* ▶ 364

voire adv. avec un ***e*** : *Ce n'est qu'un adolescent, voire un enfant.*

voirie n.f. sans *e* muet, malgré *voie* : *les services de la voirie*

voix n.f. avec ***x*** : *avoir voix au chapitre*
≠ **voie** (chemin) ▶ 171

volatil, -e adj. sans *e* au masculin ▶ 25
• (qui s'évapore) *un produit volatil*
≠ **volatile** n.m. (volailles et autres) ▶ 171

volière n.f. avec un seul ***l***, comme dans *voler*

volontiers adv. avec ***s***

votre ou **vôtre** ? ▶ 170

vouloir v. conjug. ▶ 228
• *Je voudr**ais** bien que...* ▶ 182
• accord du participe passé :
– *Cette promotion, il l'a voul**ue**.* ▶ 367
– *Il a eu la promotion qu'il a voul**u** avoir.* ▶ 379
– *Elle s'en est voul**u*** (à elle-même), *ils s'en sont voul**u**.* ▶ 374

vous
• accord avec ~ ▶ 385-386

voûte n.f. avec ***û***

vouvoyer v. avec ***y/i*** : *Il me vouvo**y**ait et me vouvo**ie**ra encore.* conjug. ▶ 205
• **vouvoiement** n.m. avec un ***e*** muet

voyager v. avec ***e*** devant *a* et *o* : *il voyag**e**ait, nous voyag**e**ons* ▶ 197

VOYELLES ET SEMI-VOYELLES ▶ 3-4 et 6

voyou n.m. *des voyou**s*** ▶ 287

vraisemblable adj. **vraisemblance** n.f. avec un seul ***s***

vu
• invariable en tête de phrase : ***Vu*** *les circonstances...* ▶ 364

W X

w prononciation ▶ 5-6

week-end n.m. *des week-ends*

x prononciation ▶ 15

Xième ou **X-ième** adj. *Et je vous le dis pour la X-ième fois...* On écrit aussi *ixième.*

xénophobe adj. et n. (qui n'aime pas les étrangers) ▶ 136-137

xylophone n.m. (instrument de musique) avec ***xy*** qui se prononce *-ksi-*

Y Z

y adv. et pron.
• avec un trait d'union après un verbe à l'impératif : *Allez-y.*

yaourt n.m. *des | yaourts*

-yer verbes en *-yer* ▶ 204-206

zénith n.m. avec ***th***

zéro adj. numéral et n.m. *Ils ont fait zéro faute.*
• le nom est variable : *Il y a trois zéro**s** dans 1 000.*

Les rectifications de l'orthographe

Résumé d'après le rapport du Conseil supérieur de la langue française, publié au *Journal officiel* du 6 décembre 1990.

Dans son discours du 24 octobre 1989, le Premier ministre a proposé à la réflexion du Conseil supérieur de la langue française cinq points concernant l'orthographe :
- le trait d'union ;
- le pluriel des mots composés ;
- l'accent circonflexe ;
- le participe passé des verbes pronominaux ;
- diverses anomalies.

C'est à partir de ces cinq points que les propositions de rectifications orthographiques suivantes ont été élaborées.

Ces rectifications ont reçu un avis favorable de l'Académie française à l'unanimité, ainsi que l'accord du Conseil de la langue française du Québec et celui du Conseil de la langue de la Communauté française de Belgique. Ces rectifications sont modérées dans leur teneur et dans leur étendue. L'Académie française en enregistre et en recommande certaines dans son dictionnaire (9e édition, 1993) en précisant qu'aucune des deux graphies ne peut être tenue pour fautive.

1. *Le trait d'union*

a. Les mots composés. Un certain nombre de mots remplaceront le trait d'union par la soudure. On écrira par exemple *un portemonnaie* en un mot, comme déjà *un portefeuille*, *un risquetout* comme déjà *un faitout* (verbe + nom ou verbe + *tout*) ; *autostop, lieudit, branlebas* (éléments nominaux et adjectivaux) ; *blabla, froufrou, grigri* (onomatopées et mots expressifs) ; *apriori,* *statuquo* (mots d'origine latine employés comme noms); *baseball, hotdog, cowboy, harakiri* (mots d'origine étrangère).

b. L'écriture des nombres. On liera par un trait d'union les numéraux formant un nombre complexe, qu'il soit inférieur ou supérieur à *cent*: *vingt-et-un, cent-trois*.

2. Le pluriel des mots composés

• Les noms composés d'un verbe et d'un nom suivront la règle générale et prendront la marque du pluriel sur le second élément quand ils sont au pluriel: *un pèse-lettre, des pèse-lettres*; *un garde-meuble, des garde-meubles*.

• Il en va de même des noms composés d'une préposition et d'un nom: *un après-midi, des après-midis*; *un sans-abri, des sans-abris*.

• Cependant, quand le nom prend une majuscule ou quand il est précédé d'un article singulier, il ne prend pas la marque du pluriel: *des prie-Dieu, des trompe-l'œil, des trompe-la-mort*.

3. Le tréma et les accents

a. Le tréma

• On placera le tréma sur la voyelle qui est prononcée (et non sur le *e* muet): *aigüe, ambigüe* (au lieu de *aiguë, ambiguë*).

• On munira d'un tréma le *u* des mots en *-gu, -geu* pour éviter une prononciation défectueuse: *gageüre, argüer*.

b. L'accent grave ou aigu sur le *e*. Conformément à la prononciation:

• on accentuera sur le modèle de *semer* les futurs et conditionnels des verbes du type ***céder***: *je cèderai, j'allèguerais* (au lieu de *je céderai, j'alléguerais*);

• dans les inversions interrogatives, on munira d'un accent grave le ***e*** de la première personne du singulier: *puissè-je*;

• l'accent est modifié sur certains mots qui avaient échappé à la régularisation déjà entreprise par l'Académie française et qui se conforment ainsi à la règle générale d'accentuation: *allègement, allègrement, crèmerie, évènement*.

Les dictionnaires courants enregistrent déjà un grand nombre de ces modifications et donnent les deux orthographes.

c. L'accent circonflexe. Il ne sera plus obligatoire sur le *i* et sur le *u*, où il ne note pas de différence de prononciation (comparer *voûte* et *doute*), excepté:

• dans la conjugaison pour marquer une terminaison: *nous suivîmes, nous voulûmes*; *qu'il suivît, qu'il voulût*, comme *nous aimâmes, qu'il aimât*;

• dans les mots où il permet de distinguer des homographes : *dû, jeûne, mûr, sûr* et le verbe *croître* dont la conjugaison est en partie homographe de celle du verbe *croire*.
Comme c'était déjà le cas pour *dû*, les adjectifs *mûr* et *sûr* ne prendront l'accent qu'au masculin singulier. Par analogie, les dérivés des noms et des verbes ne prendront pas l'accent : *sûr* mais *sureté*; *croître* mais *accroitre*.

• Les personnes qui ont déjà la maîtrise de l'orthographe ancienne pourront, naturellement, ne pas suivre cette nouvelle norme.

• Cette mesure entraîne la rectification de certaines anomalies étymologiques en établissant des régularités. On écrira *mu* comme déjà *su, tu, vu, lu*; *plait* comme déjà *tait, fait*; *piqure* comme *morsure*; *traine* comme *gaine*; *assidument* comme *absolument*.

• Aucune modification n'est apportée aux noms propres et l'accent circonflexe est maintenu dans les adjectifs dérivés de ces noms (*Nîmes, nîmois*).

d. Les verbes en *-eler* et *-eter*.

• L'emploi de l'accent grave pour noter le son ouvert [ɛ] comme dans *je gèle, j'achète* sera étendu à tous les verbes de ce type, sauf pour les verbes *appeler* et *jeter* (et les verbes de leurs familles), dont les formes avec deux *l* ou deux *t* sont les mieux stabilisées dans l'usage. On conjuguera donc sur le modèle de *peler* et *acheter* : *il chancèle, il chancèlera*; *il étiquète, il étiquètera*.

• Les noms en ***-ement*** dérivés de ces verbes suivront la même orthographe : *amoncèlement, ruissèlement, nivèlement, volètement*.

4. Le participe passé des verbes pronominaux

• Il est apparu que ce problème d'orthographe grammaticale touchait à la syntaxe et qu'il ne pouvait pas être résolu en même temps que les autres difficultés abordées. En effet, on ne peut séparer les règles concernant le participe passé des verbes pronominaux de celles concernant le participe passé des verbes non pronominaux.

• Une seule proposition de rectification est donc faite : le participe passé *laissé* suivi d'un infinitif sera rendu invariable, comme l'est déjà le participe passé *fait* suivi d'un infinitif (que ce soit à la forme pronominale ou avec l'auxiliaire *avoir*) : *Elle s'est laissé mourir. Elle s'est laissé séduire. Je les ai laissé partir.*

5. Les mots empruntés aux langues étrangères

Le processus d'intégration des mots empruntés conduit à la régularisation de leur graphie, conformément aux règles générales du français. On tiendra compte cependant du fait que certaines graphies étrangères, anglaises en particulier, sont devenues familières à la majorité des utilisateurs du français.

a. Les accents. On munira d'accents les mots empruntés à la langue latine ou à d'autres langues, lorsqu'ils n'ont pas valeur de citation (*requiem, Ave* par exemple) : *désidérata, facsimilé, mémento, placébo, véto* par exemple pour les mots d'origine latine ; *allégro, braséro, édelweiss, révolver* par exemple pour les mots empruntés à d'autres langues.
Les dictionnaires enregistrent déjà nombre de ces formes.

b. Les graphies. On recommande aux lexicographes de poursuivre la francisation des mots empruntés, et, en particulier, de choisir la graphie la plus proche du français chaque fois que plusieurs orthographes sont possibles : *litchi, canyon, musli, conteneur* par exemple. Pour la finale en *-er* des anglicismes prononcée comme dans *fleur*, on préférera le suffixe français *-eur*. La finale en *-eur* sera la règle chaque fois qu'il existe un verbe à côté du nom anglais : *squatteur* comme déjà *kidnappeur*.

c. Singulier et pluriel. Les noms ou adjectifs d'origine étrangère ont un singulier et un pluriel réguliers : *un zakouski, des zakouskis* ; *un ravioli, des raviolis* ; *un scénario, des scénarios* ; *un jazzman, des jazzmans* ; *un match, des matchs* ; *un lied, des lieds*. (On choisit comme forme de singulier la forme la plus fréquente, même s'il s'agit d'un pluriel dans l'autre langue.)
Il en est de même pour les noms d'origine latine : *des maximums, des médias* ; sauf s'il s'agit de mots ayant conservé valeur de citation : *des mea culpa*.
Comme il est normal en français, les mots terminés par *s, x* et *z* restent invariables : *des boss, des kibboutz, des box*.
On remarquera que le pluriel des mots composés étrangers se trouvera simplifié par la soudure (*des covergirls, des ossobucos*).

6. Les anomalies

Les rectifications proposées par l'Académie (1975) sont reprises et sont complétées par quelques rectifications du même type.

a. Certaines orthographes ne se conforment pas aux règles générales de l'écriture du français (*ign* dans *oignon*) ou à la cohérence d'une série (*chariot* et *charrette*). Ces graphies seront modifiées : *ognon, charriot, boursouffler, combattif*...

b. On écrira avec un seul ***l*** comme dans *casserole* les noms en ***-olle*** afin de régulariser la terminaison en ***-ole*** : *barcarole, corole, girole*.

c. On écrira sans *i* après les deux ***l*** comme dans *poulailler* les noms en ***-illier***, où ce *i* ne s'entend pas, afin de régulariser la terminaison en ***-iller*** : *joailler, quincailler, serpillère*.

d. Le *e* muet ne sera pas suivi d'une consonne double dans les mots suivants qui rentrent ainsi dans des alternances régulières : *prunelle*, *prunelier* comme *noisette, noisetier* ; *dentelle*, *dentelière* ; *interpeler* comme *appeler*.

Tableau résumé des rectifications proposées

	ANCIENNE ORTHOGRAPHE	NOUVELLE ORTHOGRAPHE
1. a	*un porte-monnaie*	*un portemonnaie*
b	*vingt-trois, cent trois,* *vingt et un*	*vingt-trois, cent-trois,* *vingt-et-un*
2.	*un cure-dent(s)* *des cure-dent(s)* *un pèse-lettre* *des pèse-lettre(s)*	*un cure-dent* *des cure-dents* *un pèse-lettre* *des pèse-lettres*
3. a	*aiguë* *gageure*	*aigüe* *gageüre*
b	*je céderai* *puissé-je, aimé-je* *événement*	*je cèderai* *puissè-je, aimè-je* *évènement*
3. c	*la route, la voûte* *il se plaît, il se tait*	*la route, la voute* *il se plait, il se tait*
d	*il ruisselle, il amoncelle*	*il ruissèle, il amoncèle*
4.	*elle s'est laissée aller* *elle s'est laissé inviter*	*elle s'est laissé aller* *elle s'est laissé inviter*
5. a	*un revolver*	*un révolver*
b	*un squatter*	*un squatteur*
c	*des jazzmen, des lieder*	*des jazzmans, des lieds*
6. a	*chariot, charrette* *imbécile, imbécillité*	*charriot, charrette* *imbécile, imbécilité*
b	*casserole, corolle*	*casserole, corole*
c	*volailler, joaillier*	*volailler, joailler*
d	*appeler, interpeller*	*appeler, interpeler*

Conception graphique : Marie-Astrid Bailly-Maître
Mise en page : Nicolas Taffin et Kathleen Ponsard
Édition : Alice De Wolf et Luce Camus

Typographie : cet ouvrage est composé avec les polices de caractères ***Cicéro***, ***Présence*** (créées par Thierry Puyfoulhoux) et ***Kievit*** (créée par Michael Abbink)